에듀윌과 함께 시작하면,
당신도 합격할 수 있습니다!

이 일 저 일 전전하다 관리자가 되려고 시작해
최고득점으로 동차 합격한 퇴직자

4살 된 딸아이가 어린이집에 있는 동안 공부해
고득점으로 합격한 전업주부

밤에는 대리운전, 낮에는 독서실에서 공부하며
에듀윌의 도움으로 거머쥔 주택관리사 합격증

누구나 합격할 수 있습니다.
시작하겠다는 '다짐' 하나면 충분합니다.

마지막 페이지를 덮으면,

에듀윌과 함께
주택관리사 합격이 시작됩니다.

주택관리사 1위

17년간
베스트셀러 1위

기초서

기본서

기출문제집

핵심요약집

문제집

네컷회계

주택관리사
교재 보기

베스트셀러 1위 교재로
따라만 하면 합격하는 커리큘럼

STEP 1	STEP 2	STEP 3	STEP 4
기초 이론	이론 완성 1 이론 완성 2	핵심 이론 문제 풀이	마무리 특강 동형 모의고사
시작에 필요한 기초 개념 확인	기본서 반복으로 탄탄한 이론 완성	빈출이론 & 문제 한 번에 정리	다양한 실전 연습으로 쉬운 합격 완성

* 커리큘럼의 명칭 및 내용은 변경될 수 있습니다.

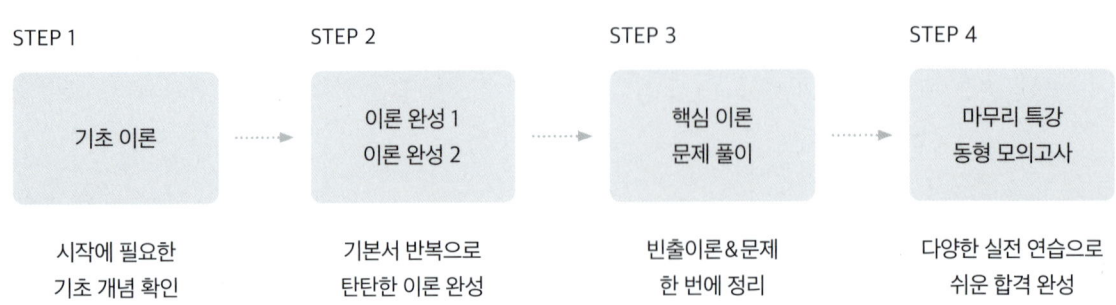

에듀윌 주택관리사

업계 유일 4년 연속 전국 수석, 7년 연속 최고득점자 배출

에듀윌 주택관리사의 우수성, 2025년에도 입증했습니다!

제28회 수석합격&공동주택관리실무 만점자

이O선 합격생

에듀윌 주택관리사를 공부하면서 좋았던 부분은 바로 교재였습니다. 타사와 비교했을 때, 에듀윌 교재는 한눈에 깔끔하게 볼 수 있어 좋았습니다. 저는 문제를 풀다가 틀리면 기본서로 돌아가 다시 한번 공부했습니다. 틀린 것 그 자체를 외우기보다는 기본으로 돌아가 원래 개념을 다시 한번 공부하면서 시험에 대한 감을 키워나갔습니다. 그리고 완벽하게 이해하기 위해 목차를 중심으로 설계도를 그려나가며 공부한 것이 만점의 비결이 된 것 같습니다. 제2의 인생을 시작하게 도와준 에듀윌에 정말 감사드립니다.

* 2025년, 2024년, 2023년, 2022년 전국수석합격 및 공동주택관리실무 최고득점
2021년, 2020년 주택관리관계법규, 공동주택관리실무 과목별 최고득점
2019년 주택관리관계법규 최고득점

주택관리사 1위

주택관리사,
에듀윌을 선택해야 하는 이유

오직 에듀윌에서만 가능한 합격 신화
4년 연속 전국 수석

합격을 위한 최강 라인업
주택관리사 명품 교수진

주택관리사

합격부터 취업까지!
에듀윌 주택취업지원센터 운영

합격생들이 가장 많이 선택한 교재
17년간 베스트셀러 1위

* 2023 대한민국 브랜드만족도 주택관리사 교육 1위 (한경비즈니스)
* 2025년, 2024년, 2023년, 2022년 전국수석합격 및 공동주택관리실무 최고득점 / 2021년, 2020년 주택관리관계법규, 공동주택관리실무 과목별 최고득점 / 2019년 주택관리관계법규 최고득점
* YES24 수험서 자격증 주택관리사 베스트셀러 1위 (2010년 12월, 2011년 3월, 9월, 12월, 2012년 1월, 3월~12월, 2013년 1월~5월, 8월~11월, 2014년 2월~8월, 10월~12월, 2015년 1월~5월, 7월~12월, 2016년 1월~12월, 2017년 1월~12월, 2018년 1월~12월, 2019년 1월~12월, 2020년 1월~7월, 9월~12월, 2021년 1월~12월, 2022년 1월~12월, 2023년 1월~11월, 2024년 1월~2월, 4월~12월, 2025년 1월~12월, 2026년 1월 1주 주별 베스트)

**에듀윌이
너를
지지할게**
ENERGY

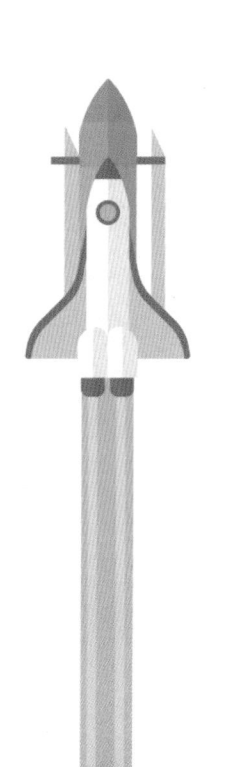

시작하라.

그 자체가 천재성이고,
힘이며, 마력이다.

− 요한 볼프강 폰 괴테(Johann Wolfgang von Goethe)

합격할 때까지 책임지는 개정법령 원스톱 서비스!

기준 및 법령 개정이 잦은 주택관리사 시험,
개정사항을 어떻게 확인해야 할지 막막하고 걱정스러우신가요?
에듀윌에서는 필요한 개정법령만을 빠르게! 한번에! 제공해 드립니다.

에듀윌 도서몰 접속
(book.eduwill.net) ▶ 도서자료실
클릭

개정법령
확인하기

2026
에듀윌 주택관리사
출제가능 문제집

1차 공동주택시설개론

시험 안내

주택관리사 시험, 준비물은 무엇인가요?

⭕ 꼭 챙겨가세요!

필기구   수험표   신분증

손목시계   계산기

❌ 시험 중 절대 허용되지 않아요!

통신기기   전자기기   중도퇴실

* 신분증의 경우 정부24 전자문서지갑 등에서 발급된 모바일 자격증을 자격시험 신분증으로 인정합니다. (수험표의 수험자 유의사항 참고)
* 손목시계는 시각만 확인할 수 있어야 하며, 스마트워치는 사용이 불가합니다.
* 데이터 저장기능이 있는 전자계산기는 수험자 본인이 반드시 메모리(SD카드 포함)를 제거, 삭제하여야 합니다.

* 통신기기 및 전자기기에는 휴대전화, PDA, PMP, MP3, 휴대용 컴퓨터, 디지털 카메라, 전자사전, 카메라 펜 등이 포함되며, 시험 도중 소지·착용하고 있는 경우에는 당해 시험이 정지(퇴실)되고 무효(0점) 처리되니 주의하세요.
* 시험시간 중에는 화장실 출입 및 중도 퇴실이 불가합니다. 단, 설사·배탈 등 긴급상황 발생으로 퇴실 시 해당 교시 재입실이 불가하고, 시험 종료 시까지 시험본부에 대기하게 됩니다.

답안 작성 시 유의사항이 있나요?

⭕ 이렇게 작성하세요!

- 시험 문제지의 문제번호와 **동일한 번호**에 마킹
- 반드시 **검정색 사인펜** 사용
- 2차 시험 주관식 답안은 **검정색 필기구** 사용
- 답안을 잘못 마킹했을 경우, **답안카드 교체** 및 **수정테이프** 사용
- 2차 주관식 답안 정정 시 **두 줄로 긋고 다시 기재**하거나 **수정테이프** 사용

❌ 이렇게 작성하면 안 돼요!

- 답안카드 마킹착오, 불완전한 마킹·수정, 예비마킹
- **지워지는 펜** 사용
- 2차 주관식 답안 작성 시 **연필류, 유색 필기구, 두 가지 색 혼합** 사용
- 답안 정정 시 **수정액 및 스티커** 사용

상대평가, 어떻게 시행되나요?

2025년 제28회 1,624명 선발!

국가에서 정한 선발예정인원(선발예정인원은 매해 시험 공고에 게재됨) 범위에서 고득점자 순으로 합격자가 결정됩니다.

제1차는 평균 60점 이상 득점한 자, 제2차는 고득점자 순으로 선발!

제1차	매 과목 40점 이상, 전 과목 평균 60점 이상 득점한 사람 중에서 선발합니다.
제2차	매 과목 40점 이상, 전 과목 평균 60점 이상 득점한 사람 중에서 선발하며, 그중 선발예정인원 범위에서 고득점자 순으로 결정합니다. 선발예정인원에 미달하는 경우 전 과목 40점 이상자 중 고득점자 순으로 선발하며, 동점자로 인하여 선발예정인원을 초과하는 경우에는 동점자 모두를 합격자로 결정합니다.

제2차 과목의 주관식 단답형 16문항은 부분점수 적용

괄호가 3개인 경우	3개 정답(2.5점), 2개 정답(1.5점), 1개 정답(0.5점)
괄호가 2개인 경우	2개 정답(2.5점), 1개 정답(1점)
괄호가 1개인 경우	1개 정답(2.5점)

2020년 상대평가 시행 이후 제2차 시험 합격선은?

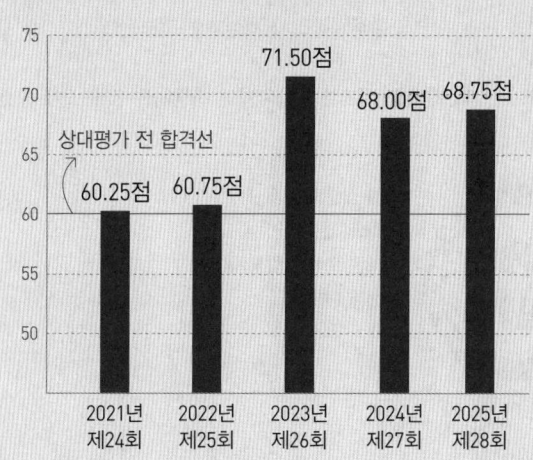

최근 3개년 합격선 평균 69점 이상!

상대평가 시행 이후 제25회 시험까지는 합격선이 60점 내외로 형성되었지만, 제26회부터 합격선이 크게 높아지며 최소 70점 이상을 받아야 합격을 장담할 수 있는 시험이 되었습니다. 앞으로도 에듀윌은 변화하는 수험 환경에 맞는 학습 커리큘럼과 교재를 통해 수험자 여러분들을 합격의 길로 이끌겠습니다.

에듀윌 문제집으로 완성해야 하는 이유!

"이론만 공부하면 뭐해. 어떻게 풀어야 하는지를 모르는 걸…"
"범위가 너무 많아. 이제 그만 하고 포기하고 싶어…"

에듀윌 출제가능 문제집이 있는데, 왜 고민하세요?

수석합격자가 인정한 교재

에듀윌 주택관리사를 공부하면서 좋았던 부분은 바로 교재였습니다. 타사와 비교했을 때, 에듀윌 교재는 한눈에 깔끔하게 볼 수 있어 좋았습니다. 저는 문제를 풀다가 틀리면 기본서로 돌아가 다시 한번 공부했습니다. 틀린 것 그 자체를 외우기보다는 기본으로 돌아가 원래 개념을 다시 한번 공부하면서 시험에 대한 감을 키워나갔습니다. 그리고 완벽하게 이해하기 위해 목차를 중심으로 설계도를 그려나가며 공부한 것이 만점의 비결이 된 것 같습니다. 제2의 인생을 시작하게 도와준 에듀윌에 정말 감사드립니다.

2025년 제28회 시험 수석합격&공동주택관리실무 만점자 이O선

실제 시험과 유사한 교재

| 에듀윌 주택관리사 시설개론 출제가능 문제집 | 주택관리사 시설개론 기출문제 |

26. 방습자재 중 신축성 시트계에 해당하는 것을 모두 고른 것은?

㉠ 비닐 필름 방습지
㉡ 폴리에틸렌 방습층
㉢ 펠트, 아스팔트 필름 방습층
㉣ 보강된 플라스틱 필름 형태의 방습자재
㉤ 교착성이 있는 플라스틱 아스팔트 방습층
㉥ 방습층 테이프

① ㉠, ㉡, ㉢, ㉣   ② ㉠, ㉡, ㉤, ㉥   ③ ㉠, ㉢, ㉤, ㉥
④ ㉡, ㉢, ㉣, ㉤   ⑤ ㉢, ㉣, ㉤, ㉥

44. 신축성 시트계 방습자재에 해당하는 것을 모두 고른 것은?

ㄱ. 비닐 필름 방습지
ㄴ. 폴리에틸렌 방습층
ㄷ. 아스팔트 필름 방습지
ㄹ. 방습층 테이프

① ㄱ, ㄹ   ② ㄴ, ㄷ   ③ ㄱ, ㄴ, ㄹ
④ ㄴ, ㄷ, ㄹ   ⑤ ㄱ, ㄴ, ㄷ, ㄹ

지문 일치

1위 기록이 증명한 교재

* YES24 수험서 자격증 주택관리사 문제집 베스트셀러 1위
  - 회계원리 2025년 10월 5주 주별 베스트
  - 시설개론 2025년 5월 월별 베스트
  - 민법 2025년 10월 4주 주별 베스트

반드시 풀어야 하는 문제 강조

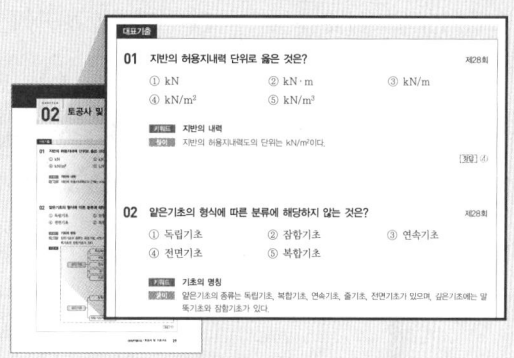

가장 최근에 출제된 문제들을 대표기출로 제시하여 우선순위 학습이 가능합니다.

⊕ PLUS 출제가능 문제집, 함께하면 좋은 책은?

핵심요약집(5종)

핵심만 싹 모은 진짜 요약서로 빠르게 이론 정리!

(2차 2종: 2026년 4월 출간 예정)

단원별 기출문제집(2종)

기출문제를 통한 약점 완전 정복!

구성과 특징

워밍업

기출기반 합격자료
문제풀이 전 출제경향을 확인해 보세요.

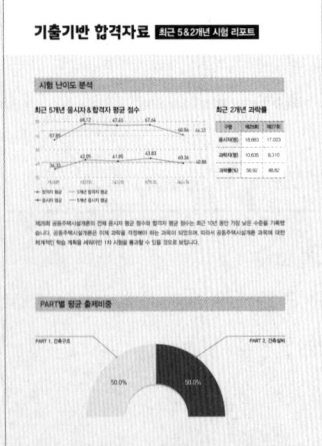

최근 5개년 평균 점수와 2개년 과락률을 통해 시험 난이도를 확인해 보세요. PART별, CHAPTER별 출제비중을 꼼꼼히 분석하여 더 중점을 두고 학습해야 하는 단원을 파악할 수 있습니다.

문제풀이 본 학습

가장 최근에 출제된 대표기출 문제

CHAPTER 04 강구조

▶ 연계학습 | 에듀윌 기본서 1차 [공동주택시설개론 上] p.206

대표기출

01 강판 두께가 20mm인 SM275 구조용 강재의 항복강도는?
① 235MPa ② 245MPa ③ 255M
④ 265MPa ⑤ 275MPa

키워드 구조용 강재의 재료강도
풀이 SM275 구조용 강재의 항복강도는 판두께가 16mm 이하인 경우 275MP 초과 40mm 이하인 경우 265MPa 이다.

이론+ 주요구조용강재의 재료강도(MPa)

강도	강재기호 판 두께	SS235	SS275	SM275 SMA275	SM355 SMA355	SN275	SN
F_y	16mm 이하	235	275	275	355	275	3
	16mm 초과 40mm 이하	225	265	265	345		
	40mm 초과 75mm이하	205	245	255	335	255	3

02 그림에 나타낸 용접기호에 관한 설명으로 옳지 않은 것은? 제28회

① 유효목두께는 12mm ② 용접길이는 50mm
③ 용접피치는 200mm ④ 모살(fillet)용접
⑤ 병렬용접

66 PART 1 · 건축구조

함께 알아두면 좋은, 이론 +

마무리

기본서 연계 학습에 용이한 키워드와
명쾌한 풀이 제공

필릿용접
용접(모살)치수가 12mm이고, 유효목두께는 용접치수의 0.7배인 8.4mm가 된다.
정답 ①

PART 1

01 강구조의 특징에 관한 설명으로 적합하지 않은 것은?
① 다른 구조재료에 비해 자중은 가벼운 반면 고강도로 장스팬의 구조물과 고층건물에 적당하다.
② 재료가 균질하며 시공이 편리하고 조립 및 해체가 용이하여 재료의 재사용이 가능하다.
③ 부식으로 인한 결함을 방지하기 위해 도장 등을 사용하므로 유지관리비가 감소한다.
④ 강재는 인성이 커서 변위에 잘 견딘다.
⑤ 단면에 비해 부재가 세장하므로 변형 및 좌굴하기 쉽다.

키워드 강구조의 특징
풀이 부식으로 인한 결함을 방지하기 위해 도장 등을 사용하므로 유지관리비가 증대된다.
정답 ③

02 강재의 함유성분에 관한 설명으로 옳지 않은 것은?
① 니켈(Ni), 크롬(Cr)은 강재의 내식성을 증대시킨다.
② 탄소량이 증가할수록 인장강도는 증가한다.
③ 탄소량이 증가할수록 경도는 증가한다.
④ 탄소량이 증가할수록 연성(軟性)은 증가하고, 용접성은 저하된다.
⑤ 인(P), 황(S)은 강재의 가공성은 증대시키나 취성적(脆性的)인 성질을 가지게 되다.

키워드 강재를 구성하는 주요 원소
풀이 강재의 탄소량이 클수록 인장강도, 항복점, 경도는 증가하지만, 연신율, 연성, 용접성은 감소한다.
정답 ④

오답노트 작성

헷갈리거나 틀린 문제는 오답노트로 정리해 보세요.

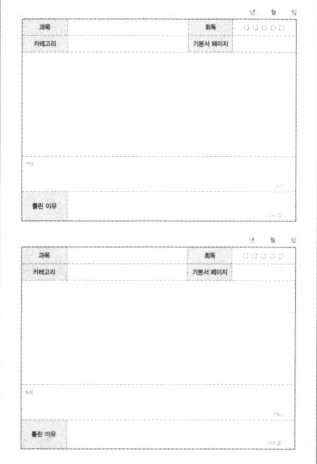

다운로드 방법

에듀윌 도서몰
(book.eduwill.net) 접속

▼

도서자료실 클릭 후
부가학습자료 클릭

▼

검색창에 '교재명' 입력 후
다운로드

기출기반 합격자료 | 최근 5&2개년 시험 리포트

시험 난이도 분석

최근 5개년 응시자 & 합격자 평균 점수

회차	합격자 평균	응시자 평균
제28회	57.89	36.33
제27회	68.12	42.05
제26회	67.45	41.85
제25회	67.64	43.83
제24회	60.56	40.36
5개년 합격자 평균	64.33	
5개년 응시자 평균		40.88

최근 2개년 과락률

구분	제28회	제27회
응시자(명)	18,683	17,023
과락자(명)	10,635	8,310
과락률(%)	56.92	48.82

제28회 공동주택시설개론의 전체 응시자 평균 점수와 합격자 평균 점수는 최근 10년 동안 가장 낮은 수준을 기록했습니다. 공동주택시설개론은 이제 과락을 걱정해야 하는 과목이 되었으며, 따라서 공동주택시설개론 과목에 대한 체계적인 학습 계획을 세워야만 1차 시험을 통과할 수 있을 것으로 보입니다.

PART별 평균 출제비중

PART 1. 건축구조 — 50.0%
PART 2. 건축설비 — 50.0%

CHAPTER별 평균 출제비중

PART	CHAPTER	5개년 평균 출제문항 수(개)	5개년 평균 출제비중
1. 건축구조	01. 건축구조 총론	1.8	4.5%
	02. 토공사 및 기초구조	1.4	3.5%
	03. 철근콘크리트구조	3.2	8%
	04. 강구조	2.4	6%
	05. 조적구조	1.4	3.5%
	06. 방수 및 방습공사	2	5%
	07. 지붕 및 홈통공사	0.8	2%
	08. 창호 및 유리공사	2.2	5.5%
	09. 미장 및 타일공사	1.8	4.5%
	10. 도장 및 수장공사	1	2.5%
	11. 적산 및 견적	2	5%
2. 건축설비	01. 건축설비 총론	2.8	7%
	02. 급수설비	2.8	7%
	03. 급탕설비	1.8	4.5%
	04. 배수·통기 및 위생기구설비	1.8	4.5%
	05. 오수정화설비	0.8	2%
	06. 가스설비	0.8	2%
	07. 소방설비	2	5.5%
	08. 난방 및 냉동설비	2	5%
	09. 공기조화 및 환기설비	0.6	1.5%
	10. 전기 및 수송설비	2.8	7%
	11. 홈네트워크 및 건축물의 에너지절약설계기준	1.8	4.5%

차례

PART 1 | 건축구조

CHAPTER 01 | 건축구조 총론   16

CHAPTER 02 | 토공사 및 기초구조   29

CHAPTER 03 | 철근콘크리트구조   44

CHAPTER 04 | 강구조   66

CHAPTER 05 | 조적구조   84

CHAPTER 06 | 방수 및 방습공사   100

CHAPTER 07 | 지붕 및 홈통공사   110

CHAPTER 08 | 창호 및 유리공사   115

CHAPTER 09 | 미장 및 타일공사   124

CHAPTER 10 | 도장 및 수장공사   135

CHAPTER 11 | 적산 및 견적   142

PART 2 | 건축설비

CHAPTER 01	건축설비 총론	156
CHAPTER 02	급수설비	173
CHAPTER 03	급탕설비	190
CHAPTER 04	배수·통기 및 위생기구설비	201
CHAPTER 05	오수정화설비	216
CHAPTER 06	가스설비	222
CHAPTER 07	소방설비	229
CHAPTER 08	난방 및 냉동설비	245
CHAPTER 09	공기조화 및 환기설비	259
CHAPTER 10	전기 및 수송설비	265
CHAPTER 11	홈네트워크 및 건축물의 에너지절약설계기준	284

PART 1
건축구조

CHAPTER 01	건축구조 총론
CHAPTER 02	토공사 및 기초구조
CHAPTER 03	철근콘크리트구조
CHAPTER 04	강구조
CHAPTER 05	조적구조
CHAPTER 06	방수 및 방습공사
CHAPTER 07	지붕 및 홈통공사
CHAPTER 08	창호 및 유리공사
CHAPTER 09	미장 및 타일공사
CHAPTER 10	도장 및 수장공사
CHAPTER 11	적산 및 견적

출제경향

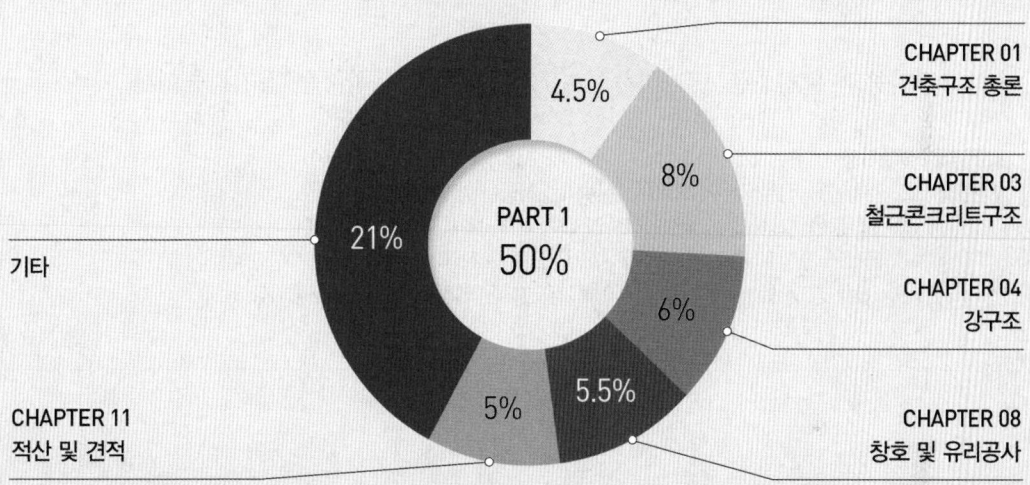

합격 POINT

최근 5개년 동안 PART 1 건축구조에서는 철근콘크리트구조, 강구조, 창호 및 유리공사에서 평균 2~3문항 정도씩 꾸준히 출제되고 있습니다. 건축구조 관련 문제는 빈출이론, 용어의 정의, 구조기준, 시방서 등에서 자주 출제되며, 계산문제는 적산과 견적 위주로 2문항 정도씩 출제됩니다.

CHAPTER 01 건축구조 총론

▶ **연계학습** | 에듀윌 기본서 1차 [공동주택시설개론 上] p.22

대표기출

건축물에 작용하는 하중에 관한 설명으로 옳은 것은? 제28회

① 기본지상설하중은 재현기간 100년에 대한 수직 최심적설깊이를 기준으로 한다.
② 건축물을 점유 사용함으로써 발생하는 하중은 고정하중이다.
③ 고정하중은 활하중에 비해 하중의 크기와 위치가 수시로 변화한다.
④ 골조에 고정된 영구설비하중은 밑면전단력 계산에서 유효건물중량에 포함되지 않는다.
⑤ 고정하중과 활하중은 단기하중이며, 지진하중과 풍하중은 장기하중이다.

키워드 설계하중
풀이 ② 건축물을 점유 사용함으로써 발생하는 하중은 활하중이다.
③ 활하중은 고정하중에 비해 하중의 크기와 위치가 수시로 변화한다.
④ 골조에 고정된 영구설비하중은 밑면전단력 계산에서 유효건물중량에 포함된다.
⑤ 고정하중과 활하중은 장기하중이며, 지진하중과 풍하중은 단기하중이다.

정답 ①

01 부재의 응력에 관한 설명으로 옳지 않은 것은?

① 축방향력은 축방향으로 작용하는 힘으로 압축 또는 인장하여 부재를 신축하게 하는 일단의 부재 내에 발생하는 힘의 작용을 말한다.
② 구조물을 구성하는 부재에 하중 및 외력을 받을 경우 이에 대응하는 부재 내부의 저항력인 응력은 하중보다 작은 값으로 산정한다.
③ 압축력은 부재의 압축방향으로 누르거나 밀어서 줄이려는 힘을 말한다.
④ 전단강도란 전단력에 대한 저항강도로 재료에 가할 수 있는 최대의 전단력을 단면적으로 나눈 값이다.
⑤ 휨모멘트는 부재를 휘게 하는 모멘트로 볼록 또는 오목하게 만든다.

키워드 용어정리
풀이 구조물을 구성하는 부재에 하중 및 외력을 받을 경우 이에 대응하는 부재 내부의 저항력인 응력은 하중값 이상이 되도록 산정한다.

정답 ②

02 건축 용어정리에 관한 설명으로 옳지 않은 것은?

① 연직하중은 구조물에 중력방향으로 작용하는 하중으로, 중력하중이라고도 한다.
② 구조내력은 구조부재 및 이와 접하는 부분 등이 견딜 수 있는 부재력을 말한다.
③ 강도는 구조물 또는 그것을 구성하는 부재는 하중을 받으면 변형하는데, 이 변형에 대한 저항의 정도를 말한다.
④ 라멘(rahmen)구조는 기둥과 보로 이루어진 골조가 건물의 하중을 지지하는 구조이다.
⑤ 바닥은 공간을 막아 놓은 밑바닥, 즉 건물의 수평체이고 그 위에 실리는 하중을 받아 이것을 기둥 또는 벽에 전달하는 것을 말한다.

키워드 용어정리
풀이 강성은 구조물 또는 그것을 구성하는 부재는 하중을 받으면 변형하는데, 이 변형에 대한 저항의 정도를 말한다.

정답 ③

03 장기하중에 관한 설명으로 옳지 않은 것은?

① 건축물 자체의 중량과 마감재의 무게를 포함한 고정하중이 포함된다.
② 다설지역에서는 설하중을 장기하중에 포함시킨다.
③ 활하중은 사람, 물품 등의 중량으로 인한 수직하중을 말한다.
④ 장기하중은 강구조물보다는 철근콘크리트 구조물이 더 작다.
⑤ 장기하중은 연직력이다.

키워드 장기하중
풀이 강구조가 철근콘크리트구조보다 자중이 작으므로 고정하중이 작다.
이론+ 장기하중

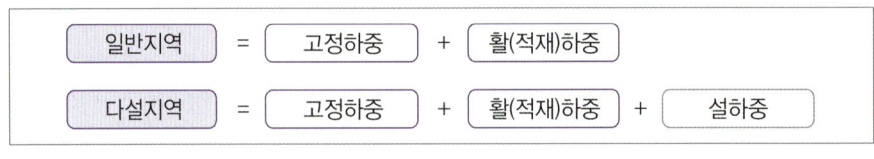

정답 ④

04 건축물의 설계하중에 관한 설명으로 옳지 않은 것은?

① 일반지역의 장기하중은 고정하중과 활하중이 있다.
② 고정하중은 신축 건축물 및 공작물의 구조계산과 기존 건축물의 안전성 검토 시 적용된다.
③ 활하중은 분포특성을 파악하기 어렵고, 건축물의 사용용도에 따라 변동폭이 크다.
④ 단기하중은 설하중, 풍하중, 지진하중, 강우하중, 충격하중 등을 말한다.
⑤ 설하중은 구조물에 쌓이는 눈의 무게에 의해서 발생하는 하중이다.

키워드 설계하중
풀이 활하중은 신축 건축물 및 공작물의 구조계산과 기존 건축물의 안전성 검토 시 적용된다.

정답 ②

05 건축물에 작용하는 하중에 관한 설명으로 옳지 않은 것은?

① 고정하중은 구조체 자체의 무게나 구조물의 존재기간 중 지속적으로 구조물에 작용하는 하중을 말한다.
② 하중을 장기하중과 단기하중으로 구분할 경우 활하중은 장기하중에 포함된다.
③ 커튼월은 자중 및 상부 커튼월의 하중을 지탱하지 않는 구조로 한다.
④ 설하중과 고정하중은 정적하중에 속한다.
⑤ 굴뚝과 같은 독립 구조물은 풍하중은 고려하지 않지만, 설하중은 고려한다.

키워드 설계하중
풀이 굴뚝과 같은 독립 구조물은 풍하중은 고려하지만, 설하중은 고려하지 않는다.

정답 ⑤

06 건축물에 작용하는 설계하중에 관한 설명으로 옳은 것은?

① 고정하중은 구조물에서 골조는 포함하지만, 마감재 자중은 포함하지 않는다.
② 조적조의 칸막이벽은 고정하중이 아닌 활하중으로 간주하여 산정하여야 한다.
③ 지붕 활하중을 제외한 등분포 활하중은 부재의 영향면적이 $36m^2$ 이하인 경우 저감할 수 있다.
④ 고정하중은 등분포하중과 집중하중으로 분류하며, 그 크기는 구조물의 안전도를 고려한 최솟값으로 정한다.
⑤ 설하중은 구조물에 쌓이는 눈의 무게에 의해서 발생하는 하중이고, 지진하중은 지진에 의한 지반운동으로 구조물에 작용하는 하중을 말한다.

키워드 설계하중
풀이 ① 고정하중은 구조물에서 골조나 마감재 자중과 같이 이동하지 않는 고정된 하중을 포함한다.
② 조적조의 칸막이벽은 활하중이 아닌 고정하중으로 간주하여 산정하여야 한다.
③ 지붕 활하중을 제외한 등분포 활하중은 부재의 영향면적이 $36m^2$ 이상인 경우 저감할 수 있다.
④ 활하중은 등분포 활하중과 집중 활하중으로 분류하며, 그 크기는 구조물의 안전도를 고려한 최솟값으로 정한다.

정답 ⑤

07 건축물에 작용하는 하중에 관한 설명으로 옳은 것은?

① 집중하중에 대한 검토는 현실적으로 기둥이나 큰보의 경우보다 슬래브와 작은보에 해당되며, 특히 스팬이 긴 경우에 해당된다.
② 최소 지상설하중은 $0.3kN/m^2$로 한다.
③ 우리나라 지진구역은 3구역으로 구분한다.
④ 건물의 진동주기는 건물높이에 반비례한다.
⑤ 내진설계 시 기둥보다는 보에서 먼저 소성 변형이 일어나도록 설계해야 한다.

키워드 단기하중

풀이 ① 집중하중에 대한 검토는 현실적으로 기둥이나 큰보의 경우보다 슬래브와 작은보에 해당되며, 특히 스팬이 짧은 경우에 해당된다.
② 최소 지상설하중은 $0.5kN/m^2$로 한다.
③ 우리나라 지진구역은 2구역으로 구분한다.
④ 건물의 진동주기는 건물높이에 비례한다.

이론 + 지진구역계숫값(평균재현주기 500년에 해당)

지진구역		행정구역	지진구역계수
I	시	서울, 인천, 대전, 부산, 대구, 울산, 광주, 세종	0.11
	도	경기, 충북, 충남, 경북, 경남, 전북, 전남, 강원 남부*	
II	도	강원 북부**, 제주	0.07

* **강원 남부**: 영월, 정선, 삼척, 강릉, 동해, 원주, 태백
** **강원 북부**: 홍천, 철원, 화천, 횡성, 평창, 양구, 인제, 고성, 양양, 춘천, 속초

정답 ⑤

08 다음 〈보기〉에서 옳은 내용을 모두 고른 것은?

───── 보기 ─────
㉠ 지진하중은 건축물이 무거울수록 크고, 풍하중은 바람을 받는 벽면의 면적이 클수록 크다.
㉡ 아파트의 화장실을 구획한 비내력벽 벽돌구조와 타일 마감은 활하중이다.
㉢ 기본지상설하중은 재현기간 10년에 대한 수직 최심적설깊이를 기준으로 한다.
㉣ 반응수정계수가 클수록 산정된 지진하중의 크기도 커진다.
㉤ 고정하중은 구조체 자체의 무게인 자중, 고정된 기계설비 등의 하중으로, 고정칸막이 벽과 같은 비구조 부재의 하중도 포함한다.
㉥ 풍하중은 설계풍압에 유효수압면적을 합하여 산정한다.

① ㉠, ㉤
② ㉠, ㉡, ㉤
③ ㉠, ㉣, ㉤
④ ㉠, ㉡, ㉣, ㉤
⑤ ㉠, ㉡, ㉣, ㉤, ㉥

키워드 단기하중
풀이 ㉡ 아파트의 화장실을 구획한 비내력벽 벽돌구조와 타일 마감은 고정하중이다.
㉢ 기본지상설하중은 재현기간 100년에 대한 수직 최심적설깊이를 기준으로 한다.
㉣ 반응수정계수가 클수록 산정된 지진하중의 크기는 작아진다.
㉥ 풍하중은 설계풍압에 유효수압면적을 곱하여 산정한다.

정답 ①

09 건축물 주요실의 용도와 기본등분포 활하중(kN/m^2)의 크기로 옳은 것은?

① 도서관의 서고: 4.5
② 기계실의 공조실: 4
③ 공동주택의 공용실: 3
④ 주거용 건축물의 거실: 1.5
⑤ 판매장의 상점: 5(1층), 4(2층 이상일 경우)

키워드 기본등분포 활하중
풀이 ① 도서관의 서고: 7.5
② 기계실의 공조실: 5
③ 공동주택의 공용실: 5
④ 주거용 건축물의 거실: 2

정답 ⑤

10 지진하중의 밑면전단력과 비례하는 것을 모두 고른 것은?

> ㉠ 중요도계수　　　㉡ 설계스펙트럼가속도
> ㉢ 유효중량　　　　㉣ 반응수정계수
> ㉤ 유효수압면적

① ㉡, ㉣
② ㉠, ㉡, ㉢
③ ㉡, ㉢, ㉤
④ ㉠, ㉡, ㉢, ㉣
⑤ ㉠, ㉡, ㉢, ㉣, ㉤

키워드 내진설계

풀이 지진하중의 밑면전단력은 ㉠ 중요도계수, ㉡ 설계스펙트럼가속도, ㉢ 유효중량에 비례하고, ㉣ 반응수정계수와는 반비례하며, ㉤ 유효수압면적은 밑면전단력과는 관련이 없고 풍하중과 관계가 있다.

이론 + 밑면전단력

> 밑면전단력은 구조물의 밑면 지반운동에 의한 수평지진력이 작용하는 기준면에 작용하는 설계용 총전단력을 말한다.
> 산정식: V = 지진응답계수(C_s) × 하중을 포함한 유효 건물중량(W)

정답 ②

---

11 내진설계에 관한 설명으로 옳지 않은 것은?

① 내진설계란 구조물이 지진력에 견디도록 구조물의 강성을 확보하는 기술을 말한다.
② 평면을 비정형으로 계획하여 비틀림현상을 억제한다.
③ 제진이란 별도의 장치를 이용하여 지진력에 대응하는 힘을 구조물 내에서 발생시키거나 흡수하는 기술을 말한다.
④ 필로티형 구조는 내진설계에 불리하다.
⑤ 지반액상화현상이 우려되는 곳에서는 지중구조물과 기초를 일체화시킨다.

키워드 내진설계

풀이 건물의 형태는 지진에 의해 발생하는 힘에 매우 중요하게 작용하므로 내진설계를 하려면 건물을 단순한 형태의 정형구조물로 계획하는 것이 유리하다.

| 이론 ✚ | 내진설계의 종류 |

종류	정의
내진(耐震)구조	구조물을 아주 튼튼하게 지어서 지진의 지진력이 작용해도 구조내력에 의해 대항할 수 있는 것으로, 구조물을 튼튼하게 짓는다는 것은 곧 구조물을 구성하는 부재의 강도 및 인성 등 부재력을 크게 하는 것을 말한다.
제진(制震)구조	별도의 장치를 이용해 효율적으로 지진에 대항하여 지진에 의한 피해를 극복하고자 하는 능동적인 개념의 구조방식으로, 구조물의 내부나 외부에서 구조물의 진동에 대응한 제어력을 가하여 구조물의 진동을 저감하거나, 구조물의 강성이나 감쇠 등을 입력진동의 특성에 따라 순간적으로 변화시켜 구조물을 제어하는 방식이다.
면진(免震)구조	지진파가 갖고 있는 강한 에너지 대역으로부터 도피하여 지진과 대항하지 않고 지진을 피하고자 하는 수동적인 개념의 구조방식으로, 면진의 개념은 지진격리(Isolation) 또는 지반분리, 기초분리 등으로 해석된다.

정답 ②

12 다음 구성양식에 따른 분류 중 가구식구조로 구성된 것은?

① 벽돌구조, 목구조, 블록구조
② 강구조(철골구조), 철근콘크리트구조
③ 철골철근콘크리트구조, 목구조
④ 벽돌구조, 돌구조
⑤ 목구조, 강구조(철골구조)

키워드 건축구조방식

풀이 가구식구조는 목구조, 강구조가 있고, 조적식구조는 벽돌구조, 돌구조, 블록구조가 있으며, 일체식구조는 철근콘크리트구조, 철골철근콘크리트구조가 있다.

이론 ✚ 건축구조방식의 분류

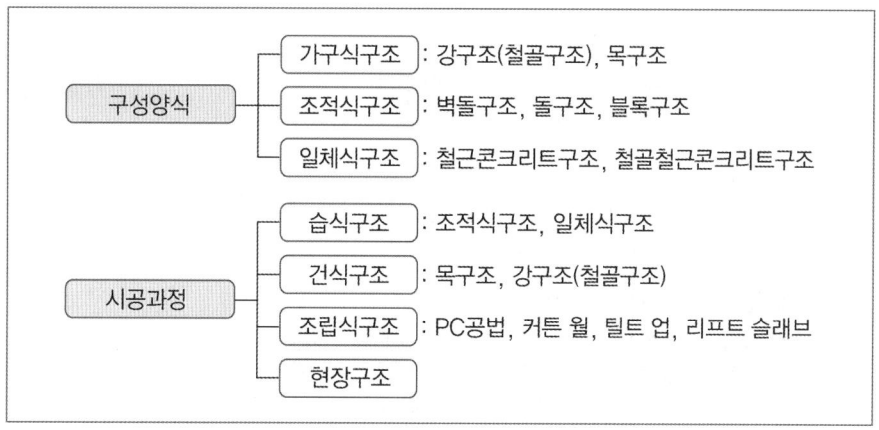

정답 ⑤

13 건축구조의 분류 중 구성양식에 의한 분류를 설명한 것으로 옳지 않은 것은?

① 가구식구조는 비교적 가늘고 긴 재료를 가로 또는 세로로 맞추어 구성한 구조를 말한다.
② 일체식구조는 철근이나 철골을 배근 및 조립하고 거푸집 속에 콘크리트를 부어 넣어 일정한 시간이 경과한 뒤에 거푸집을 제거하여 전 구조체를 일체로 만든 구조이다.
③ 조적식구조는 단위개체의 재료에 교착재를 사용하여 구성한 구조이다.
④ 일체식구조에는 철근콘크리트구조와 강구조가 있다.
⑤ 조적식구조에는 벽돌구조, 블록구조, 돌구조가 있다.

키워드 **건축구조방식**
풀이 일체식구조에는 철근콘크리트구조와 철골철근콘크리트구조가 있으며, 강구조는 가구식구조에 속한다.

정답 ④

14 다음은 지진력저항시스템 및 구조의 유형에 관한 설명이다. ( )에 들어갈 내용으로 옳은 것은?

- 이중골조방식이란 지진력의 (㉠)% 이상을 부담하는 연성모멘트골조가 전단벽이나 가새골조와 조합되어 있는 구조방식을 말한다.
- 벽체 구조 중 전단벽이란 벽면에 (㉡) 횡력을 지지하도록 설계된 벽을 말한다.
- 절판구조란 판을 주름지게 하여 (㉢)에 대한 저항능력을 향상시키는 구조를 말한다.

	㉠	㉡	㉢
①	20	평행한	전단
②	20	직각인	전단
③	25	직각인	휨
④	25	평행한	휨
⑤	30	평행한	휨

키워드 **건축구조형식의 분류**
풀이
- 이중골조방식이란 지진력의 (㉠ 25)% 이상을 부담하는 연성모멘트골조가 전단벽이나 가새골조와 조합되어 있는 구조방식을 말한다.
- 벽체 구조 중 전단벽이란 벽면에 (㉡ 평행한) 횡력을 지지하도록 설계된 벽을 말한다.
- 절판구조란 판을 주름지게 하여 (㉢ 휨)에 대한 저항능력을 향상시키는 구조를 말한다.

정답 ④

15 하중에 관한 설명으로 옳지 않은 것은?

① 지진하중이 작용할 경우, 밑면전단력은 건물의 유효중량에 지진응답계수를 곱해서 구한다.
② 건축물은 하중과 외력에 대하여 안전한 구조이어야 한다.
③ 온도하중도 건축물에 작용하는 하중의 유형이다.
④ 설하중은 구조물에 쌓이는 눈의 무게에 의해서 발생하는 동적하중이다.
⑤ 셸구조는 곡면 판재의 역학적 특성을 이용한 것으로 하중을 면내 응력으로 전달하는 구조이다.

키워드 설계하중
풀이 설하중은 구조물에 쌓이는 눈의 무게에 의해서 발생하는 정적하중이다.

정답 ④

16 다음 설명의 (   )에 들어갈 내용으로 옳은 것은?

> 영향면적은 연직하중전달 구조부재에 미치는 하중영향을 (㉠)으로 나타낸 것이다. 기둥 또는 기초의 경우에는 부하면적의 (㉡)배, 큰 보 또는 작은 보의 경우에는 부하면적의 (㉢)배를 각각 적용한다.

	㉠	㉡	㉢
①	바닥하중	2	4
②	바닥면적	4	2
③	전달하중	3	6
④	부하면적	3	4
⑤	영향면적	3	5

키워드 고정하중
풀이 영향면적은 연직하중전달 구조부재에 미치는 하중영향을 (㉠ 바닥면적)으로 나타낸 것이다. 기둥 또는 기초의 경우에는 부하면적의 (㉡ 4)배, 큰 보 또는 작은 보의 경우에는 부하면적의 (㉢ 2)배를 각각 적용한다.

정답 ②

17 건축물의 구조에 관한 설명으로 옳은 것은?

① 트러스구조는 선형부재들을 조립하여 각 부재가 휨모멘트나 전단력을 받게 한 구조이다.
② 현수(케이블)구조는 구조물을 케이블로 매달아 공간을 구성하는 휨에 저항이 작은 구조이다.
③ 내진설계 시 평면 및 입면을 단순화·비정형화하고, 대칭적인 형태를 가지도록 한다.
④ 하중을 장기하중과 단기하중으로 구분할 경우 창고의 저장물, 설비기계는 단기하중에 포함된다.
⑤ 구조물 시공 시 시멘트 및 석회창고는 필요한 출입구 및 환기창 외에 공기유통을 막기 위하여 될 수 있는 한 개구부를 설치하지 않는다.

키워드 건축구조방식
풀이 ① 트러스구조는 선형부재들을 조립하여 각 부재가 축방향력(압축 및 인장력)만 받게 하고, 휨모멘트나 전단력은 생기지 않도록 한 구조이다.
③ 내진설계 시 평면 및 입면을 단순화·정형화하고, 대칭적인 형태를 가지도록 한다.
④ 하중을 장기하중과 단기하중으로 구분할 경우 창고의 저장물, 설비기계는 장기하중에 포함된다.
⑤ 구조물 시공 시 시멘트 및 석회창고는 필요한 출입구 및 채광창 외에 공기유통을 막기 위하여 될 수 있는 한 개구부를 설치하지 않는다.

정답 ②

18 건축구조형식에 관한 설명으로 옳지 않은 것은?

① 아치구조는 상부에서 오는 수직압력을 아치 축선을 따라 좌우로 나누어 밑으로 압축력만 전달하고 아치의 하부에 인장력이 생기지 않게 한 구조이다.
② 쉘구조는 곡면판재의 역학적 특성을 이용한 것으로 하중을 면내응력으로 전달하는 방식이다.
③ 벽식구조는 벽체나 바닥판의 평면적인 구조체만으로 구성한 구조물로 기둥이나 보 없이 바닥 슬래브와 벽으로 연결되어 구조물 전체의 강성이 우수하다.
④ 라멘구조는 기둥과 보로 구조체의 뼈대를 강절점 또는 고정단으로 연결하여 하중에 대해 일체로 저항하도록 한 구조로 무량판구조라고도 한다.
⑤ 조립식 구조는 부재를 현장 이외의 장소에서 제작하고 현장에 반입하여 조립하는 구조이다.

| 키워드 | 건축구조방식
| 풀이 | 라멘구조는 기둥과 보로 구조체의 뼈대를 강절점 또는 고정단으로 연결하여 하중에 대해 일체로 저항하도록 한 구조이다. 플랫슬래브구조는 무량판구조라고도 하며, 건물의 외부보를 제외하고는 내부에는 보 없이 바닥판만으로 구성하고 상부하중을 직접 기둥에 전달하는 구조이다.

정답 ④

19 강관비계의 설치공사에 관한 설명으로 옳지 않은 것은?

① 비계기둥의 간격은 띠장 방향으로 1.85m 이하, 장선 방향으로 1.5m 이하이어야 하며, 시공 여건을 고려하여 별도의 설계가 요구되는 경우에는 안전성을 검토한 후 설치할 수 있다.
② 기둥 높이가 31m를 초과하면 기둥의 최고부에서 하단 쪽으로 31m 높이까지는 강관 1개로 기둥을 설치하고, 31m 이하의 부분은 좌굴을 고려하여 강관 2개를 묶어 기둥을 설치하여야 한다.
③ 비계기둥 1개에 작용하는 하중은 10.0kN 이내이어야 한다.
④ 비계기둥과 구조물 사이의 간격은 별도로 설계된 경우를 제외하고는 추락방지를 위하여 300mm 이내이어야 한다.
⑤ 띠장의 수직간격은 2.0m 이하로 한다.

| 키워드 | 강관비계
| 풀이 | 비계기둥 1개에 작용하는 하중은 7.0kN 이내이어야 한다.

정답 ③

20 가설공사에 관한 설명으로 옳은 것은?

① 가설시설물은 계획단계에서부터 시공 시 천연자원을 많게 사용하고, 해체 시 폐기물을 적게 발생시키도록 고려한다.
② 공사현장 주위에는 공사기간 중 공사시방서에서 정하는 바가 없을 때에는 지반면에서 높이 2.1m 이상의 가설울타리를 설치한다.
③ 기준점은 현장 어디서나 바라보기 좋게 현장 가운데에 설치한다.
④ 낙하물방지망의 설치는 높이 10m 이내 또는 5개 층마다 설치하여야 한다.
⑤ 낙하물방지망의 내민길이는 비계 또는 구조체의 외측에서 수평거리 2m 이상으로 한다.

키워드 가설공사

풀이 ① 가설시설물은 계획단계에서부터 시공 시 천연자원을 적게 사용하고, 해체 시 폐기물을 적게 발생시키도록 고려한다.
② 공사현장 주위에는 공사기간 중 공사시방서에서 정하는 바가 없을 때에는 지반면에서 높이 1.8m 이상의 가설울타리를 설치한다.
③ 기준점은 현장 어디서나 바라보기 좋고 공사에 지장이 없는 곳에 설치한다.
④ 낙하물방지망의 설치는 높이 10m 이내 또는 3개 층마다 설치하여야 한다.

정답 ⑤

CHAPTER 02 토공사 및 기초구조

▶ 연계학습 | 에듀윌 기본서 1차 [공동주택시설개론 上] p.60

대표기출

01 지반의 허용지내력 단위로 옳은 것은? 제28회

① kN
② kN·m
③ kN/m
④ kN/m^2
⑤ kN/m^3

키워드 지반의 내력

풀이 지반의 허용지내력도의 단위는 kN/m^2이다.

정답 ④

02 얕은기초의 형식에 따른 분류에 해당하지 않는 것은? 제28회

① 독립기초
② 잠함기초
③ 연속기초
④ 전면기초
⑤ 복합기초

키워드 기초의 명칭

풀이 얕은기초의 종류는 독립기초, 복합기초, 연속기초, 줄기초, 전면기초가 있으며, 깊은기초에는 말뚝기초와 잠함기초가 있다.

이론+ 기초의 분류체계도

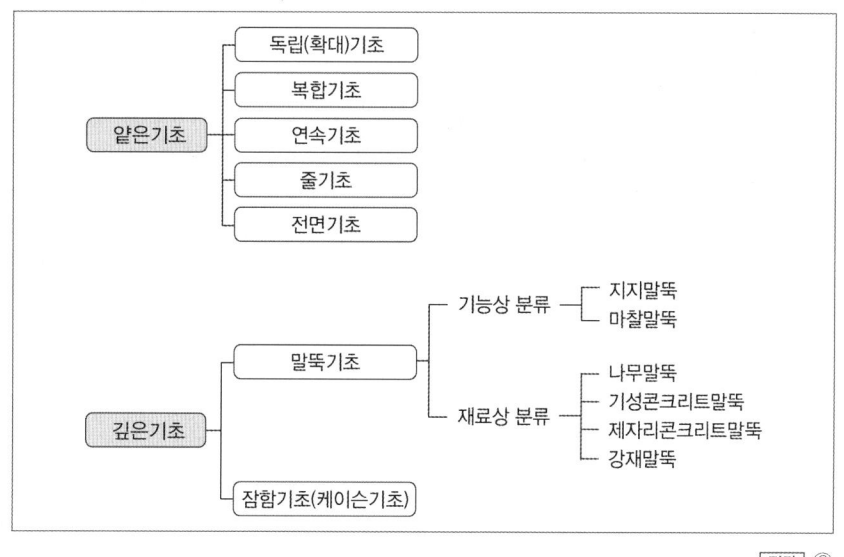

정답 ②

01 지반에 관한 설명으로 옳지 않은 것은?

① 지반의 내력이 부족할 때에는 지정을 하여 내력을 증가시킨다.
② 점토지반 위에 긴 구조물을 계획할 경우, 건물 중앙이 침하하기 쉬우므로 주의하여야 한다.
③ 지반은 수위가 변동되어 낮아지면, 압밀침하를 일으킨다.
④ 모래와 같은 입상토에 하중을 가하면, 그 압력은 주변에서 최소이고, 중앙에서 최대로 된다.
⑤ 모래층은 입도 및 밀도에 따라서 지진 발생 시 액상화 현상을 일으키지 않는다.

키워드 흙의 성질과 지반의 내력
풀이 지반의 액상화 현상은 사질토일 때 많이 발생한다.

정답 ⑤

02 점토지반과 사질토 지반의 특성에 관한 설명으로 옳은 것은?

① 사질토 지반은 건물 길이가 길 때 중앙 부분에서 침하가 먼저 일어난다.
② 점성토 지반 등 액상화 발생 가능성이 높은 지반 위에 놓이는 기초는 액상화의 피해를 입지 않도록 사질토 지반으로 대체 개량하는 방법을 검토하여야 한다.
③ 점성토 지반에 대표적으로 사용되는 지반조사방법은 표준관입시험이다.
④ 바이브로 플로테이션 공법은 점성토 지반에 적용하는 지반개량공법 중의 하나이다.
⑤ 마찰말뚝은 사질토 지반보다는 점성토 지반에서 사용할수록 마찰에 대한 지지력이 증가한다.

키워드 점성토와 사질토의 특징
풀이 ① 사질토 지반은 건물 길이가 길 때 주변 부분에서 침하가 먼저 일어난다.
② 사질토 지반이 점성토 지반보다 액상화 현상이 일어날 가능성이 더 크기 때문에 사질토 지반으로 교체해서는 안 된다.
③ 사질토 지반에 대표적으로 사용되는 지반조사방법은 표준관입시험이다.
④ 바이브로 플로테이션 공법은 사질토 지반에 적용하는 지반개량공법 중의 하나이다.

이론+ 점성토와 사질토의 특징

구분	점성토	사질토
투수성	작음	큼
가소성	큼	없음
압밀속도	느림(장기침하)	빠름(단기침하)
총침하량	큼	작음
내부마찰각	없음	큼
점착력	큼	없음
불교란 시료 채취	쉬움	어려움
예민비	큼	작음
액상화(유동화) 현상	작음	큼

정답 ⑤

03 지반의 특성에 관한 설명으로 옳지 않은 것은?

① 점토지반의 투수성은 사질토보다 크고, 점토지반의 내부마찰각은 사질토보다 작다.
② 사질토지반의 예민비는 점토지반보다 작고, 사질토지반은 지진 시 유동화 현상이 일어나기 쉽다.
③ 사질토지반 위에 긴 구조물을 계획할 경우, 건물 양단이 침하하기 쉬우므로 주의하여야 한다.
④ 지반의 내력이 부족할 때에는 지정을 하여 내력을 증가시킨다.
⑤ 사질토는 점토에 비해 불교란시료를 채취하기가 곤란하다.

키워드 점성토와 사질토의 특징

풀이 점토지반의 투수성은 사질토보다 작고, 점토지반의 내부마찰각은 사질토보다 작다.

정답 ①

04 지반조사에 관한 설명으로 옳지 않은 것은?

① 지하탐사법에는 터파보기, 짚어보기, 물리적 지하탐사법이 있다.
② 보링은 지반을 천공하여 그 안의 토사, 즉 시료를 채취하여 토질의 종류, 지층경연, 지하수위 등의 지반구성과 지층상황을 판단하는 방법이다.
③ 연암반이 경암반보다 지내력도가 크다.
④ 지반 위에 놓인 건물 등의 무게에 견디는 지반의 힘을 지내력이라 한다.
⑤ 사운딩에는 표준관입시험과 베인시험 등이 있다.

키워드 지반조사
풀이 경암반이 연암반보다 지내력도가 크다.

정답 ③

05 보링에 관한 설명으로 옳지 않은 것은?

① 지반을 조사할 목적으로 주로 땅 표면으로부터 지반에 구멍을 굴착하는 방법이다.
② 수세식 보링은 지중의 관에서 물을 분사하며 천공하는 방법으로, 값이 싸고 간단하다.
③ 충격식 보링은 비트의 상하왕복운동으로 지반에 충격을 주어 천공하는 방법이다.
④ 회전식 보링은 비트를 회전시켜 지층을 천공하는 방법으로, 지층의 변화를 연속적으로 조사할 수 없다.
⑤ 보링작업과 표준관입시험은 병행하여 시행할 수 있다.

키워드 보링
풀이 회전식 보링은 비트(날)를 회전시켜 지층을 천공하는 방법으로, 지층의 변화를 연속적으로 조사할 수 있다.

이론 ✚

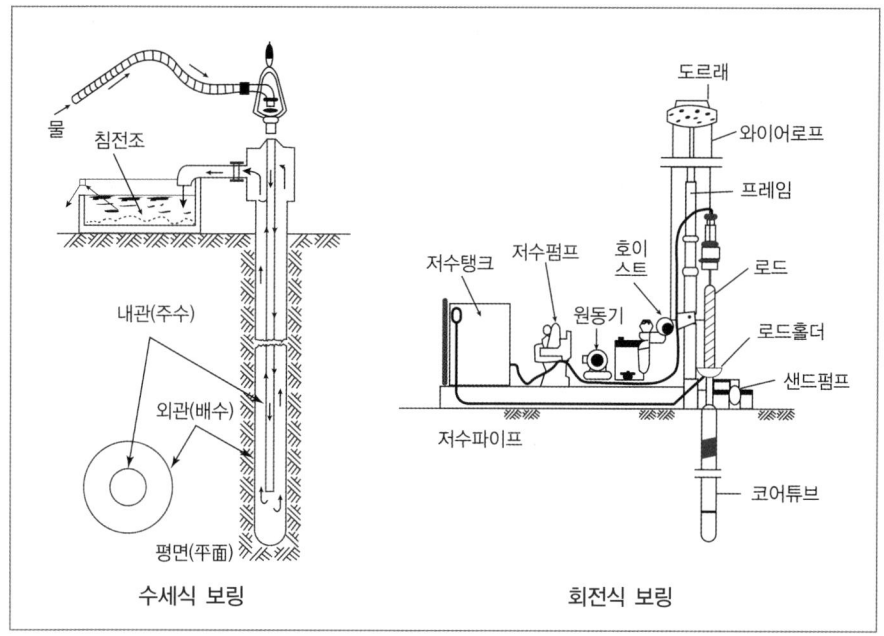

수세식 보링 / 회전식 보링

정답 ④

06 지내력시험에 관한 설명으로 옳지 않은 것은?

① 침하의 증가량이 2시간에 약 0.1mm 비율 이하가 될 때를 침하가 정지한 것으로 본다.
② 시험은 원칙적으로 실제 예정 기초저면에서 행한다.
③ 매회의 재하는 1ton(9.8kN) 이하 또는 예정파괴하중의 1/5씩 단계별로 한다.
④ 재하판(내압판)의 크기가 클수록 실제의 정확한 지내력 값을 얻을 수 있다.
⑤ 총침하량이 20mm에 달했을 때의 전하중으로 구한 응력도를 장기하중에 대한 허용지내력도로 한다.

키워드 지내력시험

풀이 총침하량이 20mm에 달했을 때의 전하중으로 구한 응력도를 단기하중에 대한 허용지내력도로 한다.

정답 ⑤

07 표준관입시험(Standard Penetration Test)에 관한 설명으로 옳지 않은 것은?

① 보링 구멍을 이용하여 로드(Rod) 끝에 표준관입시험용 샘플러(Sampler)를 달고 자유낙하시키면서 시험한다.
② 무게 63.5kg의 낙하용 추를 높이 760mm에서 자유낙하시켜 지반으로 300mm 관입시키는 데 필요한 타격횟수(N값)를 구하여 밀도를 측정한다.
③ N값에 대해 토질의 상대밀도와 지지력과의 관계가 주어져 지내력 등을 추정하는 것이 가능하며, 주로 모래지반의 밀도 측정에 적당하다.
④ 중간 정도의 모래라면 N값은 5~9 정도의 범위에 있다.
⑤ N값이 클수록 밀실한 모래로 간주한다.

> **키워드** 표준관입시험
> **풀이** 중간 정도의 모래라면 N값은 10~30 정도의 범위에 있다.
> **이론 +** 표준관입시험

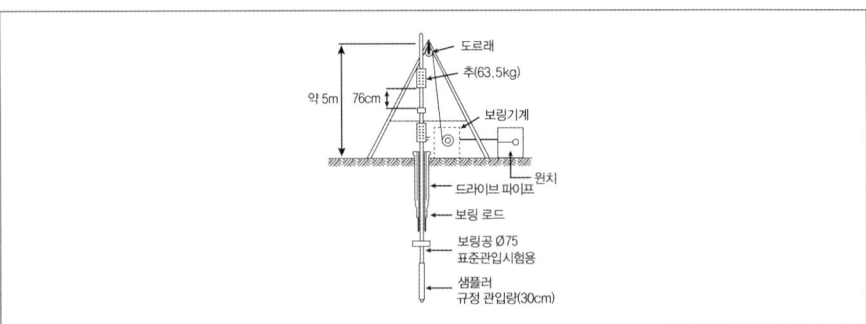

정답 ④

08 지반조사 방법에 관한 설명으로 옳은 것은?

① 짚어보기는 기계를 사용하여 관을 지중에 꽂아 지반의 단단함을 조사하는 방법이다.
② 보링은 전기저항식, 강제 진동식, 탄성파식이 있고, 전기저항식이 많이 쓰인다.
③ 표준관입시험은 시험용 샘플러를 중량 63.5kg의 추로 76cm 높이에서 자유낙하시킨 충격으로 30mm 관입시키는 데 필요한 타격횟수 N값을 측정하여 구한다.
④ 터파보기는 가장 간단하고 확실한 방법으로 직경 60~90cm, 깊이 1.5~3m, 간격 5~10m로 구덩이를 파서 조사한다.
⑤ 베인테스트는 +자 날개형의 베인을 지반에 박고 회전시켜 그 저항력에 의하여 연약 점토지반의 점착력을 판별하고, 땅속의 토층에서 시료를 채취하여 분석한다.

키워드 지반조사
풀이
① 짚어보기는 인력으로 철봉 등을 지중에 꽂아 지반의 단단함을 조사하는 방법이다.
② 물리적 탐사법은 전기저항식, 강제 진동식, 탄성파식이 있고, 전기저항식이 많이 쓰인다.
③ 표준관입시험은 시험용 샘플러를 중량 63.5kg의 추로 76cm 높이에서 자유낙하시킨 충격으로 30cm 관입시키는 데 필요한 타격횟수 N값을 측정하여 구한다.
⑤ 베인테스트는 +자 날개형의 베인을 지반에 박고 회전시켜 그 저항력에 의하여 연약 점토지반의 점착력을 판별하지만, 땅속의 토층에서 시료를 채취하지는 않는다.

정답 ④

09 기초의 부동침하를 막는 방법으로 옳지 않은 것은?

① 기초 상호 간을 보로 연결한다.
② 가급적 독립(확대)기초를 한다.
③ 한 건물에서의 기초공법은 동일공법으로 한다.
④ 건물 전체의 하중을 기초에 균등히 분포시킨다.
⑤ 건물의 길이는 짧게, 이웃건물과의 거리는 멀리 배치한다.

키워드 부동침하
풀이 독립(확대)기초는 부동침하에 약하므로 지중보 또는 전면기초로 시공한다.

정답 ②

10 연약지반의 대책 및 개량 또는 안정화 공법에 관한 설명으로 옳지 않은 것은?

① 연약한 점토지반의 수분을 배제하기 위해 샌드 드레인(Sand Drain) 공법을 사용한다.
② 치환법은 연약층이 얕을 때 파내거나 발파시킨 후 모래 등을 다져 넣는 것으로 양질토로 대체하는 지반개량공법이다.
③ 약액주입법은 방수효과를 높이는 것과 연약지반을 고결시켜 지내력을 증가시키는 공법이 있다.
④ 지반개량의 목적은 지반지지력 증대, 부동침하 방지, 지하굴착 시 안정성 확보, 기초의 보강 등이다.
⑤ 바이브로 플로테이션(Vibro Flotation) 공법은 진동에 의해 연약질의 점토지반을 다지는 지반개량공법이다.

키워드 연약지반의 부동침하 방지대책

풀이 진동다짐공법인 바이브로 플로테이션 공법은 유동성이 있는 사질지반을 진동기에 의한 진동으로 밀실하게 하여 지지력을 증가시키는 공법이다.

이론+ 탈수 및 배수공법

종류	방법	
웰 포인트 (Well Point) 공법	사질지반에 대표적인 탈수공법으로 집수장치를 붙인 파이프를 지중에 관입한 다음, 관 내부를 진공화함으로써 간극수의 집수효과를 높이는 공법	
샌드 드레인 (Sand Drain) 공법	정의	점토지반의 대표적인 탈수공법으로 연약점토질 지반을 압밀하여 물을 제거하기 위해 배수 기둥을 설치하는 연직배수공법
	방법	㉠ 지름 40~60cm의 철관을 적당한 간격으로 박음 ㉡ 철관 속에 모래를 다져 넣어 모래 말뚝을 형성함 ㉢ 지표면에 성토하중을 가하여 모래 말뚝을 통해서 수분을 탈수시킴
페이퍼 드레인 (Paper Drain) 공법	점토지반에서 모래 대신 합성수지로 된 카드 보드(Card Board)를 사용하여 탈수하는 공법	
생석회 말뚝공법	지반 내에 생석회(CaO)에 의한 말뚝을 설치하여 흙을 고결화시켜 지지력의 증대와 말뚝 주변의 지반 강화를 도모하는 공법	

정답 ⑤

11 토공사 및 기초구조에 관한 내용으로 옳은 것은?

① 회전식 보링은 지층의 변화를 연속적으로 비교적 정확히 알고자 할 때 이용하는 방식으로 불교란 시료의 채취는 어렵다.
② 토질주상도는 현장에서 보링시험이나 베인시험을 통해 지반의 경연상태와 지하수위 등을 조사하여, 지하부위의 단면상태를 예측할 수 있는 예측도이기도 하다.
③ 평판재하시험에서 최대 재하하중은 지반의 극한지지력 또는 예상되는 설계하중의 3배로 한다.
④ 말뚝은 어느 때라도 기초판이 허용되는 한도 내에서는 간격을 작게 하여 박는 것이 효과적이다.
⑤ 트렌치 컷 공법은 중앙부를 먼저 굴토하여 기초 또는 지하 구조물을 형성하고 이 구조물에다 버팀대를 지지시킨 다음에 주변을 굴착하는 공법이다.

키워드 지반조사방법과 흙파기 공법

풀이 ① 회전식 보링은 지층의 변화를 연속적으로 비교적 정확히 알고자 할 때 이용하는 방식으로 불교란 시료의 채취가 가능하다.
② 토질주상도는 현장에서 보링시험이나 표준관입시험을 통해 지반의 경연상태와 지하수위 등을 조사하여, 지하부위의 단면상태를 예측할 수 있는 예측도이기도 하다.
④ 말뚝은 어느 때라도 기초판이 허용되는 한도 내에서는 간격을 크게 하여 박는 것이 효과적이다.
⑤ 아일랜드 컷 공법은 중앙부를 먼저 굴토하여 기초 또는 지하 구조물을 형성하고 이 구조물에다 버팀대를 지지시킨 다음에 주변을 굴착하는 공법이다.

정답 ③

12 기초 및 지하층 공사에 관한 설명으로 옳지 않은 것은?

① 수평버팀대 공법은 받침, 기둥, 수평버팀대 등이 떠오르지 않도록 하중 또는 인장재를 설치하고, 수평버팀대는 중앙부가 약간 처지게(경사 1/100~1/200) 설치하는 공법이다.

② 어스앵커(Earth Anchor) 공법은 벽체에 앵커를 배치하여 보강하는 공법으로, 수평버팀대 공법에 비해 굴착장비의 활동이 자유롭다.

③ RCD(Reverse Circulation Drill) 공법은 대구경(큰 직경) 말뚝공법의 일종으로 깊은 심도까지 시공할 수 있고, 케이싱 튜브로 감싸 공벽의 붕괴를 방지하는 공법으로 수중공사, 경사파일도 시공이 가능하다.

④ 슬러리월(Slurry Wall) 공법은 지하실 외벽을 먼저 시공함으로써 흙막이벽을 대신하는 공법이고, 탑 다운(Top Down) 공법은 지상에 자재 등의 적재공간 및 작업공간이 미리 확보되므로 도심지에 적합한 공법이다.

⑤ 오픈 컷(Open Cut) 공법은 별도의 흙막이를 설치하지 않고 흙이 정지하는 경사면을 이용해 굴착하는 공법이다.

> **키워드** 흙파기 공법과 흙막이
>
> **풀이** RCD(Reverse Circulation Drill) 공법은 대구경(큰 직경) 말뚝공법의 일종으로 깊은 심도까지 시공할 수 있고, 정수압을 이용해 공벽의 붕괴를 방지하는 공법으로 수중공사, 경사파일도 시공이 가능하다. 케이싱 튜브로 공벽을 감싸 시공하는 공법은 베노토 공법이다.

이론 +

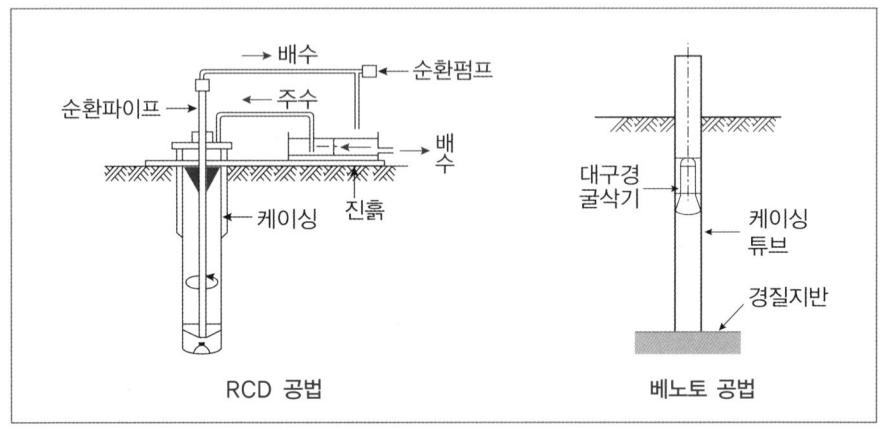

정답 ③

13 흙막이 공법과 흙막이의 붕괴 현상에 관한 설명으로 옳지 않은 것은?

① 흙막이 공법은 토압에 대해 안전하도록 흙막이를 이용하는 공법으로, 흙막이 자립공법, 버팀대 공법 등이 있다.
② 히빙(Heaving) 현상은 널말뚝 하부가 연약 점토지반일 때 주동토압이 수동토압에 비해 커지면서 나타나는 현상이다.
③ 보일링(Boiling) 현상은 흙막이 저면이 투수성이 좋은 사질지반이고, 지하수가 지반의 가까운 곳에 있을 경우에 수압차로 인해 발생하는 현상이다.
④ 파이핑(Piping) 현상은 차수성이 부족한 흙막이벽으로 인해 흙막이벽의 뚫린 구멍 또는 이음새를 통하여 물과 토사가 분출되는 현상이다.
⑤ 흙막이벽의 붕괴 현상을 방지하기 위해서는 흙막이를 언더피닝 공법으로 보강해야 한다.

키워드 흙막이 공법
풀이 언더피닝 공법은 기존 건물 가까이에 신축공사를 할 때 기존 건물의 지반과 기초를 보강하는 공법이다.
이론+ 흙막이의 붕괴현상

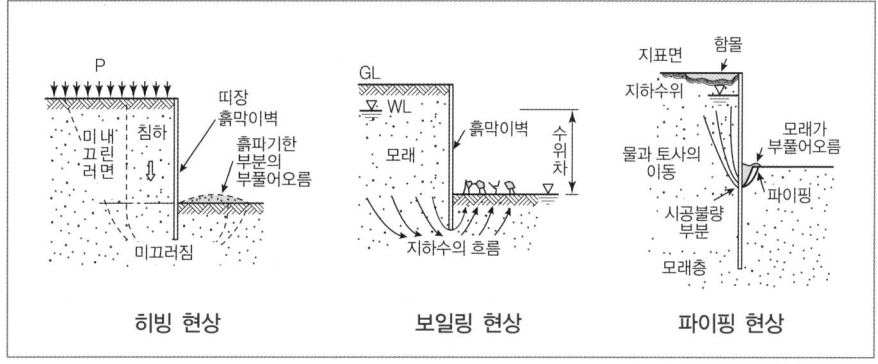

정답 ⑤

14 기초구조에 관한 설명으로 옳지 않은 것은?

① 동결선을 고려하지 않으면 부동침하에 의한 균열이 발생할 수 있다.
② 기초는 동해에 대비하여 반드시 동결선 이하까지 내려가야 한다.
③ 기초형식의 선정 시 부지 주변에 미치는 영향을 충분히 고려하여야 하며 또한 장래 인접대지에 건설되는 구조물과 그 시공에 의한 영향까지도 함께 고려하는 것이 바람직하다.
④ 기초의 부동침하를 방지하기 위하여 기초와 기초를 연결하는 지중보를 설치한다.
⑤ 동일 구조물의 기초에서는 이종형식기초의 병용을 원칙으로 한다.

키워드 기초구조
풀이 동일 구조물의 기초에서는 서로 다른 기초를 병용하지 않는다.

정답 ⑤

15 지반 및 토공사에 관한 설명으로 옳지 않은 것은?

① 슬러리 월은 터파기 공사의 흙막이벽으로 사용함과 동시에 구조벽체로 활용할 수 있으며, 소음 및 진동이 작은 공법이다.
② 지반조사방법 중 점성토 지반에 주로 사용하는 샌드 드레인 공법은 물을 제거하기 위해 배수 기둥을 설치하는 연직배수공법이다.
③ 탑다운공법은 도심지 공사에서 적합하며, 지상 1층을 작업장으로 활용할 수 있어서 협소한 지반에서 사용 가능한 공법이다.
④ 지중보를 설치하면 지진에 대한 저항 효과, 건축물의 부동침하가 억제되고, 주각부의 강성을 증대시킬 수 있다.
⑤ 기초는 상부구조를 안전하게 지지하고, 유해한 침하 및 경사 등을 일으키지 않도록 해야 한다.

키워드 지반 및 토공사
풀이 지반개량공법 중 점성토 지반에 주로 사용하는 샌드 드레인 공법은 물을 제거하기 위해 배수 기둥을 설치하는 연직배수공법이다.

정답 ②

16 기초구조에 관한 설명으로 옳지 않은 것은?

① 얕은기초는 기초 폭에 비하여 근입 깊이가 얕고 상부구조물의 하중을 분산시켜 기초하부 지반에 직접 전달하는 기초 형식이다.
② 깊은기초는 기초의 지반 근입 깊이가 깊고 상부구조물의 하중을 말뚝 등에 의해 깊은 지지층으로 전달하는 기초 형식이다.
③ 연성기초는 벽 아래를 따라 또는 일련의 기둥을 묶어 띠모양으로 설치하는 기초의 저판에 의하여 상부구조로부터 받는 하중을 지반에 전달하는 기초 형식이다.
④ 복합기초는 두 개 이상의 기둥으로부터의 하중을 하나의 기초판을 통하여 지반으로 전달하는 구조체이다.
⑤ 전면기초는 상부구조물의 여러 개의 기둥 또는 내력벽체를 하나의 넓은 슬래브로 지지하는 기초 형식이다.

키워드 기초의 분류

풀이 연속기초는 벽 아래를 따라 또는 일련의 기둥을 묶어 띠모양으로 설치하는 기초의 저판에 의하여 상부구조로부터 받는 하중을 지반에 전달하는 기초 형식이며, 연성기초는 지반강성에 비하여 기초판의 강성이 상대적으로 작아서 지반반력이 등분포로 작용하는 기초 형식이다.

이론+ 얕은기초의 분류

종류	정의
독립(확대)기초	• 기둥으로부터의 축력을 독립으로 지반 또는 지정에 전달하도록 하는 기초(철근콘크리트구조에 적용) • 확대기초의 기초판 저면의 도심에 수직하중의 합력이 작용할 때에는 접지압이 균등하게 분포된 것으로 가정하여 산정 • 편심하중을 받는 확대기초판의 접지압은 직선적으로 분포된다고 가정하여 산정
복합기초	• 2개 또는 그 이상의 기둥으로부터의 응력을 하나의 기초판을 통해 지반 또는 지정에 전달하도록 하는 기초 • 복합기초의 접지압은 직선분포로 가정하고 하중의 편심을 고려하여 산정
연속기초	벽 아래를 따라 또는 일련의 기둥을 묶어 띠모양으로 설치하는 기초의 저판에 의하여 상부구조로부터 받는 하중을 지반에 전달하는 형식의 기초
줄기초	벽체를 지중으로 연장한 기초로서 길이 방향으로 긴 기초
전면기초	• 상부구조의 광범위한 면적 내의 응력을 단일 기초판으로 연결하여 지반 또는 지정에 전달하도록 하는 기초(연약한 지반에 적용) • 전면기초는 그 강성이 충분할 때 복합기초와 동일하게 취급할 수 있고 접지압은 복합기초와 같이 산정 • 강성이 적거나 기둥 하중의 분포에 심한 차이가 있는 연속기초나 전면기초에 대해서는 접지압 분포 고려가 필요

정답 ③

17 다음 〈보기〉에서 옳은 내용을 모두 고른 것은?

―| 보기 |―

㉠ 부동침하가 발생하면 마감재가 변형되고, 인장력 방향으로 균열이 발생하게 된다.
㉡ 기존 건물 가까이에 신축공사를 할 때 기존 건물보다 지반을 깊이 굴착하는 공법을 언더피닝공법이라고 한다.
㉢ 기둥 또는 벽체에 작용하는 하중을 지중에 전달하기 위하여 기초가 펼쳐진 부분을 기초판이라고 한다.
㉣ 상부구조의 광범위한 면적 내의 응력을 단일 기초판으로 연결하여 지반 또는 지정에 전달하는 기초를 전면기초라고 한다.
㉤ 동일 구조물에서 하중이 다르게 작용하는 곳에는 지지말뚝과 마찰말뚝을 혼용해서 사용한다.
㉥ RCD 공법은 케이싱을 깊은 심도까지 삽입하지 못하고, 비트의 회전에 의해서 굴착한 다음 철근콘크리트말뚝을 형성하는 공법이다.

① ㉢, ㉣
② ㉢, ㉣, ㉥
③ ㉡, ㉢, ㉣, ㉥
④ ㉠, ㉡, ㉢, ㉣, ㉥
⑤ ㉠, ㉡, ㉢, ㉣, ㉤, ㉥

키워드 지반특성 및 토공사

풀이 ㉠ 부동침하가 발생하면 마감재가 변형되고, 인장력에 직각방향으로 균열이 발생하게 된다.
㉡ 기존 건물 가까이에 신축공사를 할 때 기존 건물의 지반과 기초를 보강하는 공법을 언더피닝공법이라고 한다.
㉤ 동일 구조물에서 하중이 다르게 작용하는 곳에는 지지말뚝과 마찰말뚝을 혼용해서는 안 된다.
㉥ RCD 공법은 케이싱을 깊은 심도까지 삽입하고, 비트의 회전에 의해서 굴착한 다음 철근콘크리트말뚝을 형성하는 공법이다.

정답 ①

18 지지말뚝과 마찰말뚝에 관한 비교 설명으로 옳지 않은 것은?

① 지지말뚝은 지지층이 얕은 경우에 사용하며, 말뚝의 저항력은 주로 선단지지력에 의존한다.
② 마찰말뚝의 저항은 말뚝 선단에서 2/3되는 지점에서 가장 크다.
③ 마찰말뚝은 점토지반에서 가장 큰 지지력을 나타낸다.
④ 지지말뚝은 연약한 지반에 말뚝을 관통시켜 상부하중을 기둥처럼 굳은 지반에 직접 전달시키는 말뚝이다.
⑤ 마찰말뚝은 같은 수의 말뚝에서 간격이 좁을수록 지지력은 감소한다.

| 키워드 | 지지말뚝과 마찰말뚝 |
| 풀이 | 마찰말뚝의 저항은 말뚝 선단에서 1/3되는 지점에서 가장 크다. |

이론 ✚

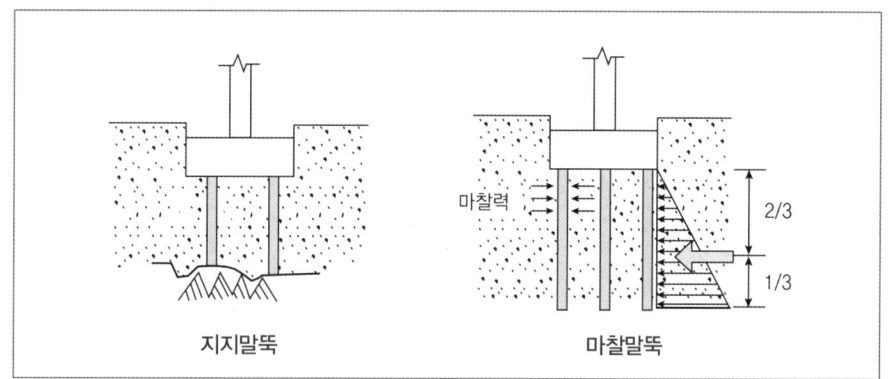

정답 ②

19 건축물의 기초에 관한 설명으로 옳지 않은 것은?

① 기초판에 전단력이 부족할 경우 우선적으로 철근량보다는 기초판의 콘크리트 두께를 증가시키는 것을 검토한다.
② 말뚝길이보다는 말뚝의 수량을 증대하는 것이 지지력 증대에 효과적이다.
③ 강재말뚝의 현장이음은 주로 용접으로 한다.
④ 말뚝은 설계도서에서 별도로 정하는 바가 없는 한 이음이 없는 것으로 한다.
⑤ 말뚝기초의 허용지지력은 말뚝의 지지력에 기초판 저면에 대한 지반의 지지력을 가산하여 산정한다.

| 키워드 | 기초구조 |
| 풀이 | 말뚝기초의 허용지지력은 말뚝의 지지력에 의한 것으로만 하고, 특별히 검토한 사항 이외는 기초판 저면에 대한 지반의 지지력은 가산하지 않는 것으로 한다. |

정답 ⑤

CHAPTER 03 철근콘크리트구조

▶ **연계학습** | 에듀윌 기본서 1차 [공동주택시설개론 上] p.101

대표기출

01 철근콘크리트구조의 특징에 관한 설명으로 옳지 않은 것은? 제28회

① 철근과 콘크리트의 선팽창계수는 거의 같다.
② 부착강도는 원형철근보다 이형철근이 우수하다.
③ 콘크리트는 압축력에 강하고 알칼리성이다.
④ 철근을 적절히 배치하면 건조수축 균열을 줄일 수 있다.
⑤ 피복두께는 주근 중심에서 콘크리트 표면까지의 최단 거리를 말한다.

키워드 철근콘크리트의 성질과 피복두께

풀이 철근의 피복두께는 철근콘크리트 단면에서 최외측의 철근표면과 콘크리트부재 표면까지의 최단 거리를 말한다.

정답 ⑤

02 그림은 철근 표면에 새겨지는 기호의 예를 표시한 것이다. (가)의 '4'가 의미하는 것으로 옳은 것은? 제28회

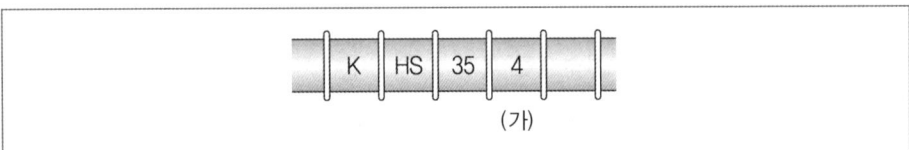
(가)

① 이형철근   ② 일반철근
③ 철근강도   ④ 철근리브
⑤ 철근지름

키워드 철근 표기 내용

풀이 K: 원산지(한국), HS: 제조사(현대제철), 35: 철근의 공칭지름(35mm), 4: 철근의 항복강도(400MPa)

정답 ③

01 철근콘크리트의 특성에 관한 설명으로 옳지 않은 것은?

① 콘크리트와 강재는 열에 대한 선팽창계수가 거의 동일하다.
② 구조설계 시 콘크리트의 인장강도는 무시한다.
③ 자체중량이 크고, 재료의 재사용이 곤란하며 구조물의 파괴, 철거가 곤란하다.
④ 플랫슬래브는 구조가 간단하고 층높이를 낮게 할 수 있으며, 뼈대의 강성이 크다.
⑤ 철근과 콘크리트가 일체화되어 전체적으로 강성이 크며 내구성, 내진성, 내화성이 우수하다.

키워드 철근콘크리트의 특성
풀이 플랫슬래브는 구조가 간단하고 층높이를 낮게 할 수 있지만, 뼈대의 강성에 난점이 있다.

정답 ④

02 철근콘크리트 부재에 이형철근 SD300을 사용한다고 하였을 때 SD300에서 300이 뜻하는 것은?

① 철근의 공칭지름
② 철근의 인장강도
③ 철근의 연신율
④ 철근의 항복강도
⑤ 철근의 압축강도

키워드 철근의 강도
풀이 철근의 강도는 항복강도를 말하며, SD300에서 300은 300MPa의 수치를 의미한다.
이론+ KS 규격에 의한 철근의 최소강도

KS 규격	기호	최소항복강도 (MPa)	최소인장강도 (MPa)	비고
KS D 3504 철근콘크리트용 봉강	SR 240	240	380	원형철근
	SR 300	300	440	
	SD 300	300	440	이형철근
	SD 400	400	560	
	SD 500	500	620	

정답 ④

03 철근콘크리트구조에 관한 설명으로 옳지 않은 것은?

① 철근콘크리트 구조물은 완성 후에는 그 내부 결함의 유무를 검사하기가 매우 어렵다.
② 고장력이형철근은 SD400으로 표시되고 철근의 항복강도가 400MPa 이상인 철근을 말한다.
③ 기초에서의 피복두께는 밑창콘크리트 두께를 제외한 것으로 한다.
④ D25 이하의 이형철근 주철근의 가공치수 허용오차는 ±20mm이다.
⑤ 철근은 조립한 다음 장기간 경과한 경우에는 콘크리트를 타설 전에 다시 조립검사를 하고 청소하여야 한다.

> **키워드** 철근콘크리트
> **풀이** D25 이하의 이형철근 주철근의 가공치수 허용오차는 ±15mm이다.

정답 ④

04 철근콘크리트 공사 중 철근공사에 관한 설명으로 옳지 않은 것은?

① 이형철근의 말단부에 갈고리를 만들면 정착길이는 짧게 된다.
② 콘크리트에 철근 매입 시 부착력 증대를 위해 녹막이칠을 하지 않는다.
③ 동일 강도일 경우 이형철근은 원형철근에 비해 정착길이는 짧게 된다.
④ 경량콘크리트의 정착길이는 보통콘크리트보다 길게 한다.
⑤ 외단기둥에 연결되는 큰보의 수평철근이 기둥중심선의 내측에서 수직으로 꺾어 내려져서 정착되도록 한다.

> **키워드** 철근의 정착
> **풀이** 외단기둥에 연결되는 큰보의 수평철근은 잘 빠지지 않도록 하기 위해서 기둥중심선의 외측에서 수직으로 꺾어 내려져서 정착한다.
> **이론 +** 철근의 정착 위치

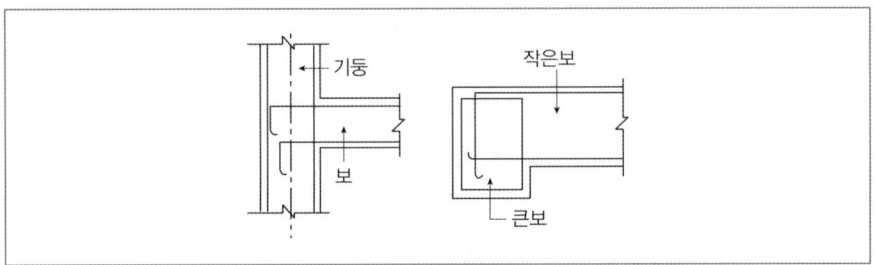

정답 ⑤

05 철근콘크리트에서 철근의 정착 위치로 옳지 않은 것은?

① 기둥의 주근은 기초 또는 바닥판에 정착한다.
② 작은보의 주근은 큰보에 정착한다.
③ 바닥철근은 기둥 또는 벽체에 정착한다.
④ 지중보의 주근은 기초 또는 기둥에 정착한다.
⑤ 직교하는 단부 보 밑에 기둥이 없을 경우 보 상호 간에 정착한다.

키워드 철근의 정착
풀이 바닥철근은 보 또는 벽체에 정착한다.

정답 ③

06 철근콘크리트에 사용되는 철근에 관한 설명으로 옳은 것은?

① 원형철근의 말단부에는 갈고리(Hook)를 반드시 설치한다.
② 콘크리트의 압축강도가 클수록 철근의 정착길이는 길게 설치하여야 한다.
③ 철근의 항복강도가 증가하면 탄성계수도 증가하고, 항복강도가 감소하면 탄성계수도 감소한다.
④ 철근의 이음위치는 인장력이 적은 위치에 설치하며, 양단 고정보에서 중앙부는 하부에서, 양단부는 상부에서 이음을 한다.
⑤ 경량콘크리트는 일반콘크리트에 비해 이음길이를 더 짧게 한다.

키워드 철근의 이음과 정착
풀이
② 콘크리트의 압축강도가 클수록 철근의 정착길이는 짧게 설치하여야 한다.
③ 철근의 항복강도가 증가 또는 감소하더라도 탄성계수는 일정하다.
④ 철근의 이음위치는 인장력이 적은 위치에 설치하며, 양단 고정보에서 중앙부는 상부에서, 양단부는 하부에서 이음을 한다.
⑤ 경량콘크리트는 일반콘크리트에 비해 이음길이를 더 길게 한다.

정답 ①

07 철근과 콘크리트의 부착력 증진에 관한 영향으로 옳지 않은 것은?

① 원형철근보다는 이형철근을 사용하는 것이 유리하다.
② 콘크리트의 압축강도가 큰 것이 유리하다.
③ 철근의 피복두께가 작은 것이 유리하다.
④ 철근의 단면적이 동일하다면 지름이 가는 철근 여러 개가 굵은 철근 1개보다 유리하다.
⑤ 철근의 항복강도와 탄성계수는 크게 영향을 미치지 않는다.

키워드 철근의 부착력
풀이 철근의 피복두께가 클수록 부착강도가 크다.
이론+ 부착력

구분	내용
정의	부착은 콘크리트와 철근 접촉면 사이의 상호 접착력과 콘크리트의 건조수축에 따른 철근 또는 철선에 대한 경화콘크리트의 압력과 같은 몇 가지 계수들의 조합으로 일어나게 된다.
부착력에 영향을 주는 요인	• 콘크리트 강도가 크면 부착 강도가 크다. • 이형철근(마디와 리브)이 원형철근보다 부착 강도가 크다. • 약간의 녹으로 표면이 거친 철근이 부착 강도가 크다. • 지름이 굵은 것 하나보다는 지름이 가는 여러 개를 사용하는 것이 부착 강도가 크다(둘레 길이, 즉 주장이 클수록 부착력이 크다). • 철근의 피복두께가 클수록 부착 강도가 크다. • 수직철근이 수평철근보다 부착 강도가 크다. • 수평철근에서는 하부철근이 상부철근보다 부착 강도가 크다.

정답 ③

08 철근콘크리트구조에 관한 설명으로 옳지 않은 것은?

① 철근콘크리트가 효율적으로 외력에 견디게 하기 위해서는, 압축은 주로 콘크리트가 받고 인장은 철근이 받도록 합성하는 것이 유리하다.
② 콘크리트가 알칼리성이므로 콘크리트 속에 묻힌 철근은 녹슬지 않는다.
③ 철근콘크리트구조는 강성은 크지만, 진동에 대한 저항성은 작다.
④ 철근지름이 클수록 피복두께도 증가한다.
⑤ 기둥의 주근은 기초 또는 바닥판에 정착하고, 큰보의 주근은 기둥에 정착한다.

키워드 철근콘크리트의 성질
풀이 철근콘크리트구조는 높은 강성과 질량으로 진동에 대한 저항성이 크다.

정답 ③

09 철근콘크리트 거푸집에 관한 설명으로 옳지 않은 것은?

① 폼타이(Form Tie)는 콘크리트를 부어 넣을 때 거푸집이 벌어지거나 변형되지 않게 연결 또는 고정하는 것을 말한다.
② 박리제(Form Oil)는 거푸집의 탈착이나 박리를 용이하게 하기 위한 것이다.
③ 격리재(Separator)는 거푸집 상호 간의 간격이나 측벽두께를 유지하기 위함이다.
④ 스페이서(Spacer)는 철근이 거푸집에 밀착하는 것을 방지하여 피복두께를 적정하게 유지시켜 준다.
⑤ 거푸집의 측압은 거푸집 재료의 강성이 작을수록 커진다.

키워드 거푸집 부속철물류
풀이 거푸집 재료의 강성이 작을수록 측압이 작아진다.

정답 ⑤

10 철근콘크리트 공사의 거푸집에 관한 설명으로 옳은 것은?

① 거푸집은 콘크리트 구조물을 소정의 형태 및 치수로 만들기 위하여 영구적으로 설치하는 재료이다.
② 보 밑면에 거푸집을 설계할 때, 고려하는 하중은 생콘크리트 중량, 측압 등이다.
③ 거푸집널을 일정한 간격으로 유지하는 동시에 콘크리트 측압을 지지하기 위하여 격리재(세퍼레이터)를 사용한다.
④ 콘크리트의 측압은 슬럼프값이 작을수록 크다.
⑤ 거푸집 부속철물 중 피복두께를 확보하기 위해서는 스페이서가 필요하다.

키워드 거푸집 설계
풀이 ① 거푸집은 콘크리트 구조물을 소정의 형태 및 치수로 만들기 위하여 일시적으로 설치하는 재료이다.
② 보 밑면에 거푸집을 설계할 때, 고려하는 하중은 생콘크리트 중량, 작업하중, 충격하중 등이다.
③ 거푸집널을 일정한 간격으로 유지하는 동시에 콘크리트 측압을 지지하기 위하여 긴결재(폼타이)를 사용한다.
④ 콘크리트의 측압은 슬럼프값이 작을수록 작다.

이론+ 부속철물류

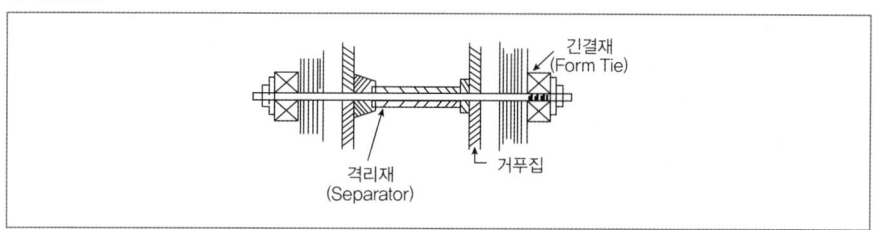

정답 ⑤

11 거푸집공사에 관한 설명으로 옳은 것은?

① 거푸집은 외력에 충분히 안전하여야 하고, 반복사용하지 않도록 하여야 한다.
② 온도가 낮을수록, 부배합일수록 측압은 크다.
③ 철골 또는 철근량이 많을수록 측압은 크다.
④ 표면이 매끈할수록 또는 마찰력이 작을수록 측압은 작다.
⑤ 단층구조인 경우 슬래브 밑면의 거푸집 해체시기는 최소 5MPa 이상이여야 한다.

키워드 거푸집공사

풀이 ① 거푸집은 외력에 충분히 안전하여야 하고, 반복사용이 가능하여야 한다.
③ 철골 또는 철근량이 적을수록 측압은 크다.
④ 표면이 매끈할수록 또는 마찰력이 작을수록 측압은 크다.
⑤ 단층구조인 경우 슬래브 밑면의 거푸집 해체시기는 최소 14MPa 이상이여야 한다.

이론 + 거푸집 측압(側壓)에 영향을 주는 요소

영향요소	측압이 크게 걸리는 경우
슬럼프값(반죽질기)	슬럼프(Slump)값이 클수록 측압은 크다.
벽두께(수평단면)	벽두께가 두꺼울수록 측압은 크다.
대기 중의 습도	습도가 높을수록 측압은 크다.
부어넣기(타설) 속도	속도가 빠를수록 측압은 크다.
콘크리트 배합(시멘트량)	부배합(富配合)일수록 측압은 크다.
온도	온도가 낮을수록 경화가 늦으므로 측압은 크다.
거푸집의 강성	강성이 클수록 측압은 크다.
철골 또는 철근량	철골 또는 철근량이 적을수록 측압은 크다.
거푸집 재료	흡수성이 적을수록 또는 내수성이 클수록 측압은 크다.
거푸집의 내측표면	표면이 매끈할수록 또는 마찰력이 작을수록 측압은 크다.

정답 ②

12 콘크리트에 사용되는 재료에 관한 설명으로 옳지 않은 것은?

① 시멘트 창고 바닥은 지면에서 30cm 이상 띄워 방습처리하고, 쌓기 높이는 최대 적재 13포대 이하로 보관한다.
② 중용열 포틀랜드 시멘트는 장기강도가 작으며, 건조수축에 대한 균열발생이 적게 일어난다.
③ 잔골재는 5mm 체를 거의 다 통과하고 0.08mm 체에 남는 골재를 말한다.
④ 시공연도(Workability)의 양부를 측정하는 시험방법은 슬럼프시험이다.
⑤ 물결합재비는 콘크리트의 강도에 영향을 미치는 가장 큰 요소이다.

키워드 콘크리트 사용재료
풀이 중용열 포틀랜드 시멘트는 조기강도가 작지만 장기강도는 크며, 건조수축에 대한 균열발생이 적게 일어난다.

정답 ②

13 콘크리트공사에 관한 설명으로 옳지 않은 것은?

① 시멘트의 분말도가 클수록 조기강도가 크고 수화작용이 빠르며, 균열발생이 작다.
② 보통콘크리트에 사용되는 골재의 강도는 시멘트 페이스트 강도 이상이어야 한다.
③ 3개월 이상 장기간 저장한 시멘트는 사용하기에 앞서 재시험을 실시하여 그 품질을 확인한다.
④ 중용열 포틀랜드 시멘트는 수화반응이 느리고 발열량이 적으며, 조기강도보다는 장기강도가 크다.
⑤ 혼화재는 방습적인 사일로 또는 창고 등에 품종별로 구분하여 저장하고 입하된 순서대로 사용하여야 한다.

키워드 시멘트
풀이 시멘트의 분말도가 클수록 조기강도가 크고 수화작용은 빠르지만, 균열발생은 크다.

정답 ①

14 콘크리트에 AE제 사용 시 공기량에 관한 설명으로 옳지 않은 것은?

① 콘크리트의 온도가 낮아지면 공기량은 증가한다.
② 진동기를 사용할수록 공기량은 감소한다.
③ 기계비빔보다 손비빔을 할수록 공기량은 감소한다.
④ 잔골재율이 클수록 공기량은 감소한다.
⑤ 시멘트의 분말도 및 단위시멘트량이 증가하면 공기량은 감소한다.

키워드 콘크리트 중의 공기량 변화
풀이 잔골재 미립분이 많으면 공기량은 증가하고, 잔골재율이 커지면 공기량은 증가한다.
이론+ 콘크리트 중의 공기량 변화

1. AE제의 혼입량이 증가하면 공기량은 증가하지만, 압축강도는 감소한다.
2. 시멘트의 분말도가 증가하면 공기량은 감소한다.
3. 잔골재 미립분(微粒粉)이 많으면 공기량은 증가하고, 잔골재율이 커지면 공기량은 증가한다.
4. 콘크리트의 온도가 낮아지면 공기량은 증가한다.
5. 컨시스턴시(Consistency)가 커지면, 즉 슬럼프(Slump)가 커지면 공기량은 증가한다.
6. 진동기(Vibrator) 사용 시 공기량은 감소한다.
7. 기계비빔(Mixer)은 손비빔(Hand-mixing)보다 공기량이 증가한다.

정답 ④

15 다음 〈보기〉에서 옳은 내용을 모두 고른 것은?

―| 보기 |―

㉠ 포대시멘트를 쌓아서 장기간 저장하는 경우, 시멘트를 쌓아 올리는 높이는 13포대 이하로 하는 것이 바람직하다.
㉡ AE제는 단위수량이 증가하여 동결융해에 대한 저항성이 증대한다.
㉢ 콘크리트 배합 시 골재의 함수상태는 절대건조상태 또는 그것에 가까운 상태로 사용하는 것이 바람직하다.
㉣ 용접철망의 이음은 일직선상에서 모두 이어지지 않도록 한다.
㉤ 철근을 용접이음하는 경우, 용접부의 강도는 철근 설계기준 항복강도의 150% 정도로 할 수 있다.
㉥ 수직철근이 수평철근보다 부착력이 크고, 수평철근에서는 하부철근이 상부철근보다 크다.

① ㉣, ㉥
② ㉡, ㉣, ㉥
③ ㉣, ㉤, ㉥
④ ㉠, ㉡, ㉣, ㉥
⑤ ㉠, ㉡, ㉢, ㉣, ㉤, ㉥

> **키워드** 철근콘크리트구조
> **풀이**
> ㉠ 포대시멘트를 쌓아서 단기간 저장하는 경우, 시멘트를 쌓아 올리는 높이는 13포대 이하로 하는 것이 바람직하다.
> ㉡ AE제는 단위수량이 감소하고, 동결융해에 대한 저항성은 증대한다.
> ㉢ 콘크리트 배합 시 골재의 함수상태는 표면건조내부포수상태 또는 그것에 가까운 상태로 사용하는 것이 바람직하다.
>
> **정답** ③

16 시공연도에 영향을 주는 요소에 관한 설명으로 옳지 않은 것은?

① 단위수량이 많으면 재료분리 우려가 있고 블리딩(Bleeding)이 증가한다.
② 표준배합보다 시멘트양이 다소 많은 경우를 부배합이라 하고, 다소 적은 경우를 빈배합이라고 하는데, 부배합이 빈배합보다 시공연도가 향상된다.
③ 시멘트의 분말도가 클수록 시공연도가 향상된다.
④ 골재가 불연속입도, 둥근골재일 때 시공연도가 향상된다.
⑤ 온도가 높으면 시공연도가 감소한다.

> **키워드** 콘크리트의 시공연도
> **풀이** 골재는 입도가 좋고, 둥근골재일 때 시공연도가 향상된다.
>
> **정답** ④

17 콘크리트에 관한 내용으로 옳지 않은 것은?

① AE제의 혼입량이 증가하면 공기량은 증가하지만, 압축강도는 감소한다.
② 잔골재 미립분이 많으면 공기량은 증가하고, 잔골재율이 커지면 공기량은 증가한다.
③ 시멘트의 온도가 너무 높을 때에는 그 온도를 낮춘 다음 사용하고, 일반적으로 50℃ 이하의 시멘트를 사용하여야 한다.
④ 콘크리트 구조물의 비파괴 압축강도 시험방법에는 반발경도법이 있다.
⑤ 슬럼프 치수는 콘크리트의 주저앉은 높이를 슬럼프판에서 측정한 높이를 말한다.

> **키워드** 콘크리트의 품질관리
> **풀이** 슬럼프 치수는 콘크리트의 주저앉은 높이를 슬럼프판에서 측정한 후 30cm에서 뺀 수치를 말한다.
>
> **정답** ⑤

18 콘크리트공사현장에 반입되는 콘크리트의 품질관리 및 검사항목에 관한 설명으로 옳지 않은 것은?

① 콘크리트 제조 시 혼화재의 양은 콘크리트 용적 계산에서 무시한다.
② 콘크리트에 포함된 염화물량은 $0.3kg/m^3$ 이하로 한다.
③ 물시멘트비가 크면 콘크리트의 압축강도와 철근의 부착력이 감소한다.
④ 콘크리트의 운반시간이 길 경우 슬럼프가 크게 저하된다.
⑤ 단위수량이 많을수록 작업이 용이하지만, 재료 분리 및 블리딩이 증가한다.

키워드 콘크리트공사
풀이 콘크리트 제조 시 혼화제의 양은 콘크리트 용적 계산에서 무시하며, 혼화재는 고려한다.

정답 ①

19 슬럼프 시험에 관한 설명으로 옳지 않은 것은?

① 아직 굳지 않은 콘크리트의 시공연도를 판단하는 기준으로 사용되는 시험이다.
② 슬럼프콘은 윗지름 100mm, 밑지름 200mm, 높이가 300mm 되는 것을 사용한다.
③ 슬럼프판을 수평으로 놓고 슬럼프콘을 철판 중앙에 밀착시켜 놓는다.
④ 슬럼프콘에 체적의 1/3씩 되게 콘크리트를 채우고 다짐막대로 25회 다지는 작업을 매회 되풀이한다.
⑤ 콘크리트의 주저앉은 높이를 슬럼프판에서 측정한 수치가 슬럼프 값이다.

키워드 콘크리트의 슬럼프
풀이 콘크리트의 주저앉은 높이를 슬럼프판에서 측정한 후 300mm에서 뺀 수치가 슬럼프 값이다.
이론 + 슬럼프 시험의 순서

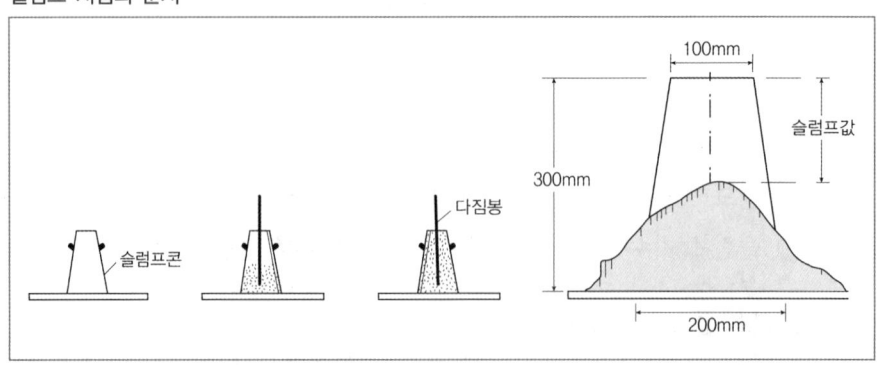

정답 ⑤

20 다음은 콘크리트의 균열에 관한 설명이다. (   )에 들어갈 용어로 옳은 것은?

- (㉠)균열은 콘크리트의 표면에서 물의 증발속도가 블리딩 수의 발생 속도보다 빠른 경우에 발생한다.
- (㉡)균열은 굵은 철근 아래의 공극 발생으로 콘크리트가 침하하여 철근 위에 발생한다.
- (㉢)균열은 콘크리트 내·외부의 온도차가 클수록, 단면치수가 클수록 발생하기 쉽다.
- (㉣)균열은 콘크리트 경화 후 수분의 증발에 의한 체적 감소로 발생한다.

	㉠	㉡	㉢	㉣
①	소성수축	침하	온도	건조수축
②	침하	온도	소성수축	건조수축
③	건조수축	소성수축	침하	망상
④	망상	건조수축	온도	침하
⑤	소성수축	건조수축	침하	망상

키워드 콘크리트의 균열

풀이
- (㉠ 소성수축)균열은 콘크리트의 표면에서 물의 증발속도가 블리딩 수의 발생 속도보다 빠른 경우에 발생한다.
- (㉡ 침하)균열은 굵은 철근 아래의 공극 발생으로 콘크리트가 침하하여 철근 위에 발생한다.
- (㉢ 온도)균열은 콘크리트 내·외부의 온도차가 클수록, 단면치수가 클수록 발생하기 쉽다.
- (㉣ 건조수축)균열은 콘크리트 경화 후 수분의 증발에 의한 체적 감소로 발생한다.

정답 ①

21 콘크리트의 건조수축에 관한 설명으로 옳지 않은 것은?

① 건조수축의 진행속도는 초기는 작고, 시간이 경과함에 따라 증가한다.
② 수중양생인 경우 건조수축은 거의 발생하지 않는다.
③ 부재의 변형이 구속된 라멘 등은 큰 수축 응력이 일어난다.
④ 굵은골재 최대 치수가 작으면 작을수록 건조수축은 증가하지만, 골재량이 많고 입도가 좋을수록 건조수축은 감소한다.
⑤ 철근을 많이 사용하면 수축이 억제되어 건조수축이 적다.

키워드 콘크리트의 건조수축

풀이 건조수축의 진행속도는 초기는 크고, 시간이 경과함에 따라 감소한다.

정답 ①

22 철근콘크리트 구조물의 사용성 및 내구성에 관한 설명으로 옳지 않은 것은?

① 온도가 높고 습도가 낮을수록 크리프는 증가한다.
② 보 및 슬래브의 피로는 휨 및 전단에 대하여 검토하여야 한다.
③ 중성화가 발생하면 철근이 부식되고, 콘크리트 내구성이 저하된다.
④ 수중양생인 경우 수화작용이 촉진되어 건조수축이 증가한다.
⑤ 시멘트의 이상응결과 수화열로 인하여 콘크리트에 균열이 발생한다.

> **키워드** 콘크리트 구조물의 사용성 및 내구성
> **풀이** 수중양생인 경우 수화작용이 촉진되어 건조수축이 거의 없다.

정답 ④

23 구조체 콘크리트의 압축강도에 관한 설명으로 옳은 것은?

① 콘크리트 강도시험용 시료는 하루에 1회 이상, 150m³당 1회 이상, 슬래브나 벽체의 표면적 500m²마다 1회 이상, 배합이 변경될 때마다 1회 이상 채취하여야 한다.
② 압축강도는 건조환경보다 습윤환경에서 양생된 콘크리트가 낮다.
③ 콘크리트의 공시체를 제작할 때 압축강도용 공시체를 ∅100 × 200mm를 사용할 경우 강도보정계수 0.97을 사용한다.
④ 시험용 공시체의 크기가 작을수록, 재하속도가 빠를수록 강도는 감소한다.
⑤ 코어강도의 시험 결과는 평균값이 콘크리트품질기준강도의 80%를 초과하고 각각의 값이 65%를 초과하면 적합한 것으로 판정한다.

> **키워드** 콘크리트의 품질관리
> **풀이** ① 콘크리트 강도시험용 시료는 하루에 1회 이상, 120m³당 1회 이상, 슬래브나 벽체의 표면적 500m²마다 1회 이상, 배합이 변경될 때마다 1회 이상 채취하여야 한다.
> ② 압축강도는 습윤환경보다 건조환경에서 양생된 콘크리트가 낮다.
> ④ 시험용 공시체의 크기가 작을수록, 재하속도가 빠를수록 강도는 증가한다.
> ⑤ 코어강도의 시험 결과는 평균값이 콘크리트품질기준강도의 85%를 초과하고 각각의 값이 75%를 초과하면 적합한 것으로 판정한다.

정답 ③

24 콘크리트 비빔 후 타설 시 주의사항에 관한 설명으로 옳지 않은 것은?

① 외기온도에 대한 적절한 조치를 취한 후에 타설한다.
② 운반 및 타설 시에는 콘크리트에 가수해서는 안 된다.
③ 벽과 기둥의 하부는 묽은비빔으로 하고, 상부로 올라올수록 된비빔으로 한다.
④ 보나 벽은 중앙부에서 양단으로 붓고, 기둥은 한 번에 넣지 말고 다지면서 천천히 붓는다.
⑤ 붓기는 아래에서 위로 기초, 기둥, 벽, 보, 바닥판의 순서로 하며 콘크리트의 낙하거리는 1m 이하로 수직타설하는 것이 원칙이다.

키워드 콘크리트 타설
풀이 보나 벽은 양단에서 중앙부로 붓고, 기둥은 한 번에 넣지 말고 다지면서 천천히 붓는다.
이론+ 타설이음부의 위치 표준

개소	이음위치 및 방법
기둥	기초판 및 바닥판 위에서 수평으로 이음
보, 슬래브	전단력이 가장 적은 스팬의 중앙 부근에서 주근과 직각방향으로 수직 이음(작은보가 있는 바닥판: 작은보 너비의 2배 떨어진 위치에서 이음)
아치	아치축에 직각되게 이음
벽	문틀, 끊기 좋고 이음자리 막이를 떼어내기 쉬운 곳에서 수직 또는 수평으로 이음
캔틸레버	이어치기 하지 않는 것이 원칙

정답 ④

25 콘크리트 다짐의 목적으로 옳지 않은 것은?

① 공극을 제거하여 밀실하게 충전시키기 위해서 다짐한다.
② 소요강도를 확보하기 위해서 다짐한다.
③ 수밀한 콘크리트를 만들기 위해서 다짐한다.
④ 재료분리 및 곰보를 방지하기 위해서 다짐한다.
⑤ 거푸집 및 철근조립을 용이하게 하기 위해서 다짐한다.

키워드 콘크리트 다짐
풀이 다짐은 콘크리트의 공극 발생을 방지하고 밀실한 콘크리트를 만들기 위해 필요한 작업으로서, 거푸집이나 철근조립이 완료된 이후에 이루어지는 작업이므로 거푸집 및 철근조립의 용이성은 다짐 목적과는 관련이 없다.

정답 ⑤

26 진동다짐 효과의 크기순서로 옳은 것은?

① 부배합의 묽은비빔 > 빈배합의 된비빔 > 빈배합의 묽은비빔
② 빈배합의 된비빔 > 빈배합의 묽은비빔 > 부배합의 묽은비빔
③ 빈배합의 묽은비빔 > 부배합의 묽은비빔 > 빈배합의 된비빔
④ 부배합의 묽은비빔 > 빈배합의 묽은비빔 > 빈배합의 된비빔
⑤ 빈배합의 된비빔 > 부배합의 묽은비빔 > 빈배합의 묽은비빔

키워드 콘크리트 다짐
풀이 진동기의 효과는 콘크리트 배합상태가 묽은비빔보다 된비빔일수록, 부배합보다 빈배합일수록 크다.

정답 ②

27 콘크리트 시공에 관한 내용으로 옳은 것은?

① 콘크리트 타설 시 슈트를 사용할 경우에는 원칙적으로 경사슈트를 사용하여야 한다.
② 콘크리트를 2층 이상으로 나누어 타설할 경우, 상층의 콘크리트 타설은 원칙적으로 하층의 콘크리트가 굳은 후에 해야 한다.
③ 기둥을 포함하는 벽에서 기둥부 위로 부어넣어 콘크리트를 옆으로 흘려보낸다.
④ 콜드 조인트는 이어치기 시간을 초과하는 경우에 발생하는 줄눈으로, 응결하기 시작한 콘크리트를 새로운 콘크리트로 이어칠 때 일체화가 저하되어 발생하는 의도하지 않은 줄눈이다.
⑤ 기둥은 한 번에 부어넣지 않으며, 하부 측은 된비빔으로 하고, 상부 측은 묽은비빔이 되도록 부어넣는다.

키워드 콘크리트 타설
풀이 ① 콘크리트 타설 시 슈트를 사용할 경우에는 원칙적으로 연직슈트를 사용하여야 한다.
② 콘크리트를 2층 이상으로 나누어 타설할 경우, 상층의 콘크리트 타설은 원칙적으로 하층의 콘크리트가 굳기 시작하기 전에 해야 한다.
③ 기둥을 포함하는 벽에서 기둥부 위로 부어넣어 콘크리트를 옆으로 흘려보내서는 안 된다.
⑤ 기둥은 한 번에 부어넣지 않으며, 하부 측은 묽은비빔으로 하고, 상부 측은 된비빔이 되도록 부어넣는다.

정답 ④

28 다음 〈보기〉에서 옳은 내용을 모두 고른 것은?

―| 보기 |―
㉠ 물시멘트비가 낮을수록 콘크리트의 강도는 증가한다.
㉡ 온도변화, 건조수축 등에 의한 균열을 제어하기 위해 추가적인 보강철근을 배치하여야 한다.
㉢ 비비기로부터 타설이 끝날 때까지의 시간은 원칙적으로 외기온도가 25℃ 이상일 때는 90분을 넘어서는 안 된다.
㉣ 보는 스팬의 중앙 부근에서 주근과 직각방향으로 수직으로 콘크리트 이어치기한다.
㉤ 크리프는 지속하중으로 인해 콘크리트에 발생하는 단기변형을 말한다.
㉥ 경량골재의 사용을 줄이고, 슬럼프값을 감소시키면 건조수축균열을 방지할 수 있다.

① ㉠, ㉡, ㉣, ㉥
② ㉠, ㉡, ㉢, ㉣, ㉤
③ ㉠, ㉡, ㉢, ㉣, ㉥
④ ㉠, ㉡, ㉣, ㉤, ㉥
⑤ ㉠, ㉡, ㉢, ㉣, ㉤, ㉥

키워드 콘크리트공사
풀이 ㉤ 크리프는 지속하중으로 인해 콘크리트에 발생하는 장기변형을 말한다.

정답 ③

29 한중(寒中) 콘크리트에 관한 설명으로 옳지 않은 것은?

① 타설일의 일평균기온이 4℃ 이하인 경우 한중 콘크리트로 시공해야 한다.
② 콘크리트 타설 완료 후 24시간 동안 일최저기온 0℃ 이하가 예상되는 조건이거나 그 이후라도 초기동해 위험이 있는 경우 한중 콘크리트로 시공해야 한다.
③ 가열한 재료를 믹서에 투입하는 순서는 시멘트가 급결하지 않도록 정하여야 한다.
④ 재료를 가열할 경우 물 또는 골재를 가열하는 것으로 하며, 시멘트는 어떠한 경우라도 직접 가열할 수 없다.
⑤ 공기연행콘크리트를 사용하지 않는 것을 원칙으로 한다.

키워드 한중 콘크리트
풀이 한중 콘크리트에는 공기연행콘크리트를 사용하는 것을 원칙으로 한다.

정답 ⑤

30 서중 콘크리트에 관한 설명으로 옳지 않은 것은?

① 단위수량 및 단위시멘트량은 될 수 있는 한 많게 되도록 한다.
② 고온의 시멘트는 사용하지 않는다.
③ 하루의 평균기온이 25℃를 초과하는 경우에 타설하는 콘크리트이다.
④ 물 및 골재는 되도록 낮은 온도의 것을 사용한다.
⑤ 부어넣을 콘크리트의 수분이 거푸집으로 흡수되지 않도록 미리 거푸집에 물을 뿌려 둔다.

키워드 서중 콘크리트
풀이 단위수량 및 단위시멘트량은 될 수 있는 한 적게 되도록 한다.

정답 ①

31 프리스트레스트 콘크리트구조의 특징으로 옳지 않은 것은?

① 프리스트레스트 콘크리트 구조물은 안전성이 높다.
② 프리스트레스트 콘크리트는 철근콘크리트보다 내화성에 있어서 유리하다.
③ 프리스트레스트 콘크리트는 균열이 발생하지 않도록 설계하기 때문에 부재는 강재의 부식 위험이 없고, 고강도 재료를 사용하여 내구적인 구조물이다.
④ 프리스트레스트 콘크리트 부재는 과다한 하중으로 인하여 일시적인 균열이 발생하더라도 하중이 제거되면, 균열은 다시 복원되므로 탄력성과 복원성이 강한 구조물이다.
⑤ 프리스트레스트 콘크리트 부재는 가볍고 복원성이 풍부하지만, 철근콘크리트에 비하여 단면이 작기 때문에 진동하기가 쉽다.

키워드 프리스트레스트 콘크리트
풀이 프리스트레스트 콘크리트는 철근콘크리트보다 내화성에 있어서는 불리하다.

정답 ②

32 콘크리트 종류에 관한 설명으로 옳지 않은 것은?

① AE콘크리트는 콘크리트에 미세한 기포를 발생시켜 시공연도를 좋게 한 것이다.
② 고강도 콘크리트는 설계기준압축강도가 보통(중량) 콘크리트에서 40MPa 이상, 경량골재 콘크리트에서 27MPa 이상인 경우의 콘크리트이다.
③ 프리팩트 콘크리트는 거푸집에 미리 채워 넣은 굵은골재 사이로 모르타르를 관을 통하여 주입한 것이다.
④ 중량콘크리트는 비중이 큰 골재를 사용하여 주로 방사선 차폐용으로 사용하는 것이다.
⑤ 프리스트레스트 콘크리트는 부재의 길이 방향으로 스트레스를 미리 가하여 부재에 압축응력이 발생하지 않게 한 것이다.

> **키워드** 특수 콘크리트
> **풀이** 프리스트레스트 콘크리트(Prestressed Concrete)는 피아노선, 특수강선 등을 사용해 미리 부재 내에 응력을 주어 사용 시 받는 외력을 없애 버리는 것으로 실질적으로 큰 인장변형력을 받지 않게 된다.
>
> 정답 ⑤

33 철근콘크리트구조에서 주근으로 볼 수 없는 것은?

① 캔틸레버 보 상단의 축방향 철근
② 압축력을 받는 기둥의 축방향 철근
③ 주변이 고정된 1방향 슬래브에서 장변방향의 긴 철근
④ 양단이 연속되어 있는 보에서 중앙부의 하단 철근
⑤ 양단이 연속되어 있는 보에서 단부의 상단 철근

> **키워드** 철근의 배근 위치
> **풀이** 1방향 슬래브의 경우 단변방향철근이 주철근이며 장변방향철근은 온도조절철근이다.
>
> 정답 ③

34 철근콘크리트 단순보에서 스터럽의 배근에 관한 설명으로 가장 적절한 것은?

① 스터럽은 일반적으로 보의 중앙부에 많이 배근한다.
② 스터럽은 일반적으로 보의 인장철근이 많은 곳에 많이 배근한다.
③ 스터럽은 일반적으로 압축철근이 많은 곳에 많이 배근한다.
④ 스터럽은 일반적으로 보의 양단부에 많이 배근한다.
⑤ 스터럽은 일반적으로 보의 중앙부와 양단부에 균등하게 배근한다.

키워드 전단보강근
풀이 스터럽은 전단보강철근이며 전단력이 크게 발생하는 보의 양단부 쪽에 많이 배근된다.

정답 ④

35 철근콘크리트 보에서 전단보강철근(늑근)으로 볼 수 없는 것은?

① 나선철근, 띠철근
② 주인장 철근에 30° 각도로 설치되는 스터럽(늑근)
③ 스터럽과 굽힘철근의 조합
④ 주인장 철근에 45° 각도로 구부린 굽힘철근
⑤ 부재축에 직각인 스터럽(Stirrup), 부재축에 직각으로 배치한 용접철망

키워드 전단보강근
풀이 전단보강철근으로 인정할 수 있는 범위는 주인장 철근에 45° 이상의 각도로 설치되는 스터럽, 주인장 철근에 30° 이상의 각도로 구부린 굽힘철근인 경우이다.

정답 ②

36 철근 배치에 따른 기둥의 특성으로 옳지 않은 것은?

① 띠철근 기둥의 주근의 최소 개수는 원칙적으로 4개이나 예외적으로 삼각형 단면은 3개 이상이며, 나선철근 기둥의 주근의 개수는 6개 이상이다.
② 띠철근의 간격은 단보다는 중앙부 쪽의 간격을 좁게 배치한다.
③ 나선철근 기둥은 축방향 철근에 나선철근(Spiral)을 촘촘하게 나선형으로 둘러 감은 압축부재이다.
④ 기둥 철근의 최소단면적 비율은 1% 이상이고, 최대단면적 비율은 8% 이하이다. 단, 주근이 겹침이음된 경우 4% 이하로 한다.
⑤ 나선철근의 순간격은 25~75mm 정도이고, 연성능력이 띠철근 기둥보다 우수하다.

키워드 철근콘크리트 기둥
풀이 띠철근의 간격은 중앙부보다는 단부 쪽의 간격을 좁게 배치한다.

정답 ②

37 철근콘크리트구조에 관한 설명으로 옳은 것은?

① 주근의 수평 순간격은 25mm 이상 또는 철근의 공칭직경 이상 중 작은 값을 사용하고, 굵은 골재의 유동성을 만족할 만한 치수 규정도 동시에 만족해야 한다.
② 캔틸레버 슬래브는 전단력이 적은 경간의 중앙부에서 수직방향으로 콘크리트를 이어붓기를 한다.
③ 보의 스팬이 길 경우 보의 단부에 전단력이 크게 작용하므로 이에 대한 저항력을 키우기 위해 단부의 춤과 너비를 크게 한 부분을 헤드(Head)라고 한다.
④ 철근의 이음길이와 정착길이는 인장강도에 의해 결정된다.
⑤ 중요한 보는 전 경간(Span)을 복근보로 한다.

키워드 철근콘크리트 부재설계
풀이
① 주근의 수평 순간격은 25mm 이상 또는 철근의 공칭직경 이상 중 큰 값을 사용하고, 굵은 골재의 유동성을 만족할 만한 치수 규정도 동시에 만족해야 한다.
② 콘크리트 이어붓기 시 캔틸레버 슬래브는 이어붓지 않는 것이 원칙이다.
③ 보의 스팬이 길 경우 보의 단부에 전단력이 크게 작용하므로 이에 대한 저항력을 키우기 위해 단부의 춤과 너비를 크게 한 부분을 헌치(Haunch)라고 한다.
④ 철근의 이음길이와 정착길이는 부착강도에 의해 결정된다.

정답 ⑤

38 철근콘크리트 구조물의 1방향 슬래브의 제한조건으로 옳지 않은 것은?

① 1방향 슬래브의 최소 두께는 100mm 이상이 되어야 한다.
② 주철근의 중심간격으로서 최대 휨모멘트 발생 단면은 슬래브 두께의 2배 이하, 300mm 이하로 한다.
③ 장방향 철근은 수축·온도철근으로 규정에 따른 철근비 이하로 배근해야 한다.
④ 주철근 중 기타 철근 단면에서 철근의 중심간격은 슬래브 두께의 3배 이하, 450mm 이하로 한다.
⑤ 수축·온도철근의 중심간격은 슬래브 두께의 5배 이하 또는 450mm 이하로 한다.

키워드 슬래브 및 배근
풀이 장방향 철근은 수축·온도철근으로 규정에 따른 철근비 이상을 배근해야 한다.

정답 ③

---

39 옹벽에 관한 설명으로 옳지 않은 것은?

① 중력식 옹벽은 자중으로 토압에 견디게 설계된 옹벽이다.
② 캔틸레버식 옹벽은 철근콘크리트로 만들어지며, T형 및 L형 등이 있다.
③ 부축벽식 옹벽은 캔틸레버식 옹벽에 일정한 간격으로 부축벽을 설치하여 보강한 옹벽이다.
④ 옹벽에 설치하는 전단키(Shear Key)는 벽체의 전단파괴를 방지하는 역할을 한다.
⑤ 옹벽은 전도에 대한 안정성이 있어야 한다.

키워드 옹벽
풀이 옹벽에 설치하는 전단키는 옹벽 저판과 지반 사이에 설치하여 활동에 대한 저항성을 증대하기 위해 설치한다.

이론+

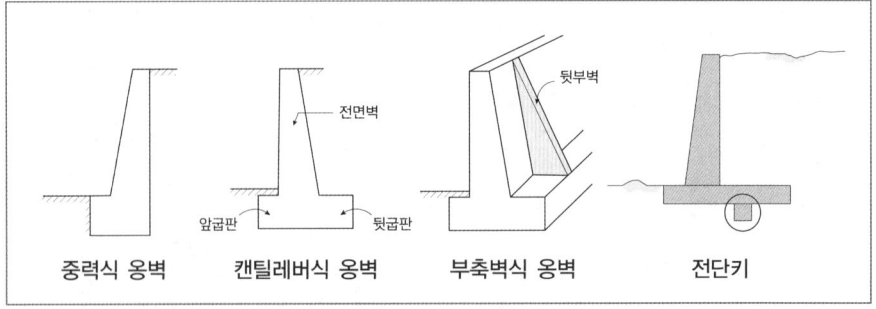

중력식 옹벽　캔틸레버식 옹벽　부축벽식 옹벽　전단키

정답 ④

40 철근콘크리트 부재설계에 관한 설명으로 옳지 않은 것은?

① 1방향 슬래브에서 주근을 단변에 평행한 방향으로 배근한다.
② 플랫슬래브는 뚫림 전단을 방지하기 위해서 지판을 설치한다.
③ 두께 200mm 이상의 벽체에 대해서는 수직 및 수평철근을 벽면에 평행하게 양면으로 배치하여야 한다.
④ 무근콘크리트조인 공동주택 각 세대 간의 경계벽 최소 두께는 200mm 이상으로 하여야 한다.
⑤ 옹벽 설계 시 전도, 활동, 침하에 대하여 안정되어야 한다.

키워드 철근콘크리트 부재설계

풀이 두께 250mm 이상의 벽체에 대해서는 수직 및 수평철근을 벽면에 평행하게 양면으로 배치하여야 한다.

이론+ 옹벽 설계 시 안정조건

조건	특징
전도 (Over Turn)	• 전도(Overturning)란 저판 끝단을 기준으로 작용하는 수평력에 의한 휨모멘트(전도 휨모멘트)가 연직력에 의한 휨모멘트(저항 휨모멘트)를 초과함으로 인해 옹벽 및 벽체 등이 넘어지려는 현상을 말한다. • 전도에 안전하기 위해서는 저항 휨모멘트가 횡토압에 의한 전도 휨모멘트보다 커야 하며, 설계기준에서는 전도에 대한 안전율을 2.0 이상 요구하고 있다.
활동 (Sliding, 滑動)	• 활동(Sliding)은 전단파괴가 일어나 어떤 연결된 면을 따라서 엇갈림이 생기는 경우를 말한다. • 활동에 대한 저항력은 옹벽에 작용하는 수평력의 1.5배 이상이어야 한다. • 활동방지벽(전단키, Shear Key)은 옹벽의 활동을 일으키는 수평하중에 충분히 저항할 만큼 큰 수동토압을 일으키기 위해 저판 아래에 만드는 벽체를 말한다.
침하 (沈下)	• 지반에 작용하는 최대하중이 지반의 허용지지력 이하가 되도록 하여야 한다. • 지반에 대한 저항력은 최대하중(옹벽자중 포함)의 1.0배 이상이어야 한다.

정답 ③

CHAPTER
04 강구조

▶ 연계학습 | 에듀윌 기본서 1차 [공동주택시설개론 上] p.206

대표기출

01 강판 두께가 20mm인 SM275 구조용 강재의 항복강도는? 제28회

① 235MPa　② 245MPa　③ 255MPa
④ 265MPa　⑤ 275MPa

키워드 구조용 강재의 재료강도

풀이 SM275 구조 강재의 항복강도는 판두께가 16mm 이하인 경우 275MPa, 판두께가 16mm 초과 40mm 이하인 경우 265MPa 이다.

이론+ 주요 구조용 강재의 재료강도(MPa)

강도	강재기호 판 두께	SS235	SS275	SM275 SMA275	SM355 SMA355	SN275	SN355	SHN275	SHN355
F_y	16mm 이하	235	275	275	355	275	355	275	355
	16mm 초과 40mm 이하	225	265	265	345				
	40mm 초과 75mm이하	205	245	255	335	255	335		
	75mm 초과 100mm 이하			245	325				
F_u	100mm 이하	330	410	410	490	410	490	410	490

정답 ④

02 그림에 나타낸 용접기호에 관한 설명으로 옳지 않은 것은? 제28회

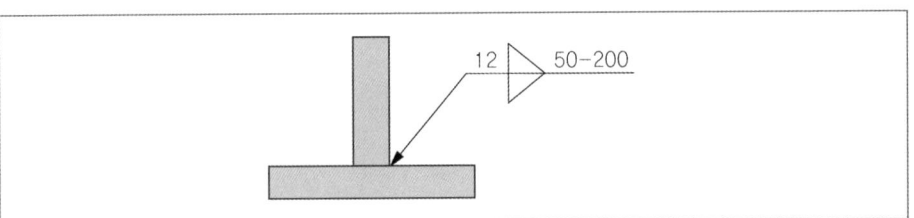

① 유효목두께는 12mm　② 용접길이는 50mm
③ 용접피치는 200mm　④ 모살(fillet)용접
⑤ 병렬용접

> **키워드** 필릿용접
> **풀이** 용접(모살)치수가 12mm이고, 유효목두께는 용접치수의 0.7배인 8.4mm가 된다.
>
> 정답 ①

01 강구조의 특징에 관한 설명으로 옳지 않은 것은?

① 다른 구조재료에 비해 자중은 가벼운 반면 고강도로 장스팬의 구조물과 고층건물에 적당하다.
② 재료가 균질하며 시공이 편리하고 조립 및 해체가 용이하여 재료의 재사용이 가능하다.
③ 부식으로 인한 결함을 방지하기 위해 도장 등을 사용하므로 유지관리비가 감소한다.
④ 강재는 인성이 커서 변위에 잘 견딘다.
⑤ 단면에 비해 부재가 세장하므로 변형 및 좌굴하기 쉽다.

키워드 강구조의 특징
풀이 부식으로 인한 결함을 방지하기 위해 도장 등을 사용하므로 유지관리비가 증대된다.

정답 ③

02 강재의 함유성분에 관한 설명으로 옳지 않은 것은?

① 니켈(Ni), 크롬(Cr)은 강재의 내식성을 증대시킨다.
② 탄소량이 증가할수록 인장강도는 증가한다.
③ 탄소량이 증가할수록 경도는 증가한다.
④ 탄소량이 증가할수록 연성(軟性)은 증가하고, 용접성은 저하된다.
⑤ 인(P), 황(S)은 강재의 가공성은 증대시키나 취성적(脆性的)인 성질을 가지게 된다.

키워드 강재를 구성하는 주요 원소
풀이 강재의 탄소량이 클수록 인장강도, 항복점, 경도는 증가하지만, 연신율, 연성, 용접성은 감소한다.

정답 ④

03 강구조에 관한 설명으로 옳지 않은 것은?

① 철근콘크리트에 비해 처짐이나 진동에 대한 고려를 충분히 하지 않으면 거주자가 불안감을 느낄 수 있다.
② 일반구조용 압연강재는 SS로 표시한다.
③ 용접선이 교차할 경우, 이를 피하기 위하여 오목하게 파 놓은 부분을 스캘럽이라고 한다.
④ 녹막이 도료의 배합비율 및 시너의 희석비율은 용적비로 표시한다.
⑤ 접합부는 부재에 발생하는 응력이 완전히 전달되도록 하고 이음은 가능한 응력이 작게 되도록 한다.

키워드 강구조 개요
풀이 녹막이 도료의 배합비율 및 시너의 희석비율은 질량비로 표시한다.

정답 ④

04 강구조에 관한 설명으로 옳은 것은?

① 강재에 인, 황은 많이 넣을수록 좋다.
② 일반구조용 압연강재의 표시기호는 SN으로 나타낸다.
③ SM275에서 숫자는 최저인장강도를 표시한다.
④ 판두께 20mm 이하 강재에 구멍을 뚫을 때에는 눌러 뚫기(펀칭)에 의하여 소정의 지름으로 뚫을 수 있으나 구멍 주변에 생긴 손상부는 깎아서 제거해야 한다.
⑤ 볼트 구멍의 직각도는 1/20 이하이어야 한다.

키워드 강구조 개요
풀이 ① 강재에 인, 황은 일정량 이상 사용되지 못하도록 규제하고 있다.
② 일반구조용 압연강재의 표시기호는 SS로 나타낸다.
③ SM275에서 숫자는 최저항복강도를 표시한다.
④ 판두께 13mm 이하 강재에 구멍을 뚫을 때에는 눌러 뚫기(펀칭)에 의하여 소정의 지름으로 뚫을 수 있으나 구멍 주변에 생긴 손상부는 깎아서 제거해야 한다.

정답 ⑤

05 구조용 강재의 재질표시 중 용접구조용 내후성 열간압연강재에 해당하는 것은?

① SSC
② SM
③ SMA
④ SN
⑤ SHN

키워드 구조용 강재의 명칭

풀이 용접구조용 내후성 열간압연강재는 SMA(Steel Marine Atmosphere)로 표시한다.
① SSC(Steel Structure Coldforming): 일반구조용 경량형강(냉간압연 형강재)
② SM(Steel Marine): 용접구조용 압연강재
④ SN(Steel New): 건축구조용 압연강재
⑤ SHN(Steel H-Beam New): 건축구조용 열간압연 H형강

정답 ③

06 철골접합에 관한 설명으로 옳지 않은 것은?

① 재축방향에 평행한 직선으로 볼트를 박는 볼트 중심선을 게이지라인이라고 한다.
② 볼트로 접합하는 판의 총두께를 그립이라고 한다.
③ 볼트 중심 간 사이의 거리를 피치라고 한다.
④ 시공 시 볼트접합을 할 경우 볼트 중심으로부터 수직 부재면과의 거리를 연단거리라고 한다.
⑤ 게이지라인과 게이지라인 사이의 거리를 게이지라고 한다.

키워드 볼트접합

풀이 시공 시 볼트접합을 할 경우 볼트 중심으로부터 수직 부재면과의 거리 또는 작업상 여유거리를 클리어런스라고 한다.

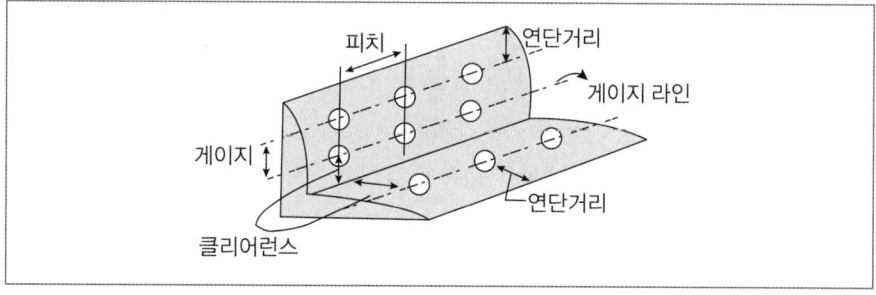

정답 ④

07 고장력볼트 조임방법에 관한 설명으로 옳지 않은 것은?

① 고장력볼트 접합은 고장력볼트를 강력히 조여서 얻어지는 원응력을 응력전달에 이용하여 접합재 간의 마찰저항(Friction)에 의해 힘이 전달되는 시스템이다.
② 조임방법은 토크관리법이나 너트회전법이 있고, 군(群)볼트는 양측단에서 중앙 쪽으로 조임을 한다.
③ 조임기구는 임팩트 렌치와 토크렌치를 사용한다.
④ 고장력볼트의 조임은 표준볼트장력을 얻을 수 있도록 1차조임과 본조임으로 나누어 시행하며, 볼트의 끼움에서 본조임까지의 작업은 같은 날 이루어지는 것을 원칙으로 한다.
⑤ 고장력볼트의 표준볼트 장력은 1차 조임 시 약 80%로 한다.

키워드 고장력볼트접합
풀이 조임방법은 토크관리법이나 너트회전법이 있고, 군(群)볼트는 중앙에서 양측단 쪽으로 조임을 한다.

정답 ②

08 고장력볼트접합에 관한 설명으로 옳지 않은 것은?

① 모든 볼트머리와 너트 밑에 각각 와셔 1개씩 끼우고, 너트를 회전시켜서 조인다. 다만, 토크-전단형(T/S) 고장력볼트는 볼트머리 측에만 1개의 와셔를 사용한다.
② 볼트의 조임 및 검사에 사용되는 기기 중 토크렌치와 축력계의 정밀도는 ±3% 오차범위 이내가 되도록 충분히 정비된 것을 이용한다.
③ 고장력볼트접합은 접합강도와 강성이 높고, 시공에 어려움이 없으며, 작업능률이 좋다.
④ 볼트의 조임 작업 시 본조임은 원칙적으로 강우 및 결로 등 습한 상태에서 조임해서는 안 된다.
⑤ 볼트의 조임은 설계볼트장력에 10%를 증가시킨 표준볼트장력을 얻을 수 있도록 한다.

키워드 고장력볼트접합
풀이 모든 볼트머리와 너트 밑에 각각 와셔 1개씩 끼우고, 너트를 회전시켜서 조인다. 다만, 토크-전단형(T/S) 고장력볼트는 너트 측에만 1개의 와셔를 사용한다.

정답 ①

09 다음은 고장력볼트(High-tension Bolt) 접합방식에 관한 설명이다. (   )에 들어갈 접합방식으로 옳은 것은?

> - (㉠): 고력볼트의 강력한 체결력에 의해 부재 간 발생하는 마찰력으로 응력을 전달하는 접합방법이다.
> - (㉡): 부재 간에 발생하는 마찰력과 볼트축의 전단력 및 부재의 지압력을 동시에 발생시켜 응력을 부담하는 접합방법이다.
> - (㉢): 마찰이 관여하지 않는 접합방법이다.

	㉠	㉡	㉢
①	지압접합	가접합	휨접합
②	휨접합	지압접합	휨접합
③	압축접합	인장접합	전단접합
④	마찰접합	지압접합	인장접합
⑤	마찰접합	가접합	인장접합

키워드 고장력볼트접합

풀이
- (㉠ 마찰접합): 고력볼트의 강력한 체결력에 의해 부재 간 발생하는 마찰력으로 응력을 전달하는 접합방법이다.
- (㉡ 지압접합): 부재 간에 발생하는 마찰력과 볼트축의 전단력 및 부재의 지압력을 동시에 발생시켜 응력을 부담하는 접합방법이다.
- (㉢ 인장접합): 마찰이 관여하지 않는 접합방법이다.

정답 ④

10 철골공사에 관한 설명으로 옳지 않은 것은?

① 용접의 경우 구멍에 의한 단면결손이 적다.
② 일반볼트접합은 일반적으로 처마높이 9m 이하이고, 스팬이 13m 이하의 건축물에 사용한다.
③ 철골이 콘크리트에 묻히는 부분은 특히 녹막이칠을 잘해야 한다.
④ 모든 접합부는 존재응력과 상관없이 반드시 45kN 이상 지지하도록 설계해야 한다.
⑤ 녹막이도장은 작업장소의 온도가 5℃ 미만, 또는 상대습도가 85% 초과일 때에는 작업을 중지한다.

키워드 강구조 부재의 접합방법
풀이 콘크리트에 묻히는 부분은 녹막이칠을 하지 않는다.

정답 ③

11 용접에 관련된 용어 설명으로 옳지 않은 것은?

① 루트(Root)는 그루브(맞댐)용접의 트임새 간격이다.
② 위빙(Weaving)은 용접작업 중에 용접봉을 용접하는 방향에 대하여 가로로 왔다 갔다 움직여 용착금속을 녹여 붙이는 것을 말한다.
③ 스패터(Spatter)는 용접 중에 튀어나오는 슬래그나 금속 입자를 말한다.
④ 플럭스(Flux)는 철골가공 및 용접에서 자동용접의 경우 용접봉의 피복재 역할로 쓰이는 분말상의 재료이다.
⑤ 그루브(Groove)는 홈 또는 개선이라고 하며 접합재를 동일평면으로 유지하기 위해 적당한 각도로 벌린 홈에 용착금속을 채워 넣는 부분이다.

키워드 용접접합의 용어
풀이 위빙(Weaving)은 용접방향과 직각으로 용접봉 끝을 움직여 용착나비를 증가시켜 용접층수를 작게 하여 효과적으로 운행하는 방법이고, 위핑(Weeping)은 용접작업 중에 용접봉을 용접하는 방향에 대하여 가로로 왔다갔다 움직여 용착금속을 녹여 붙이는 것을 말한다.

정답 ②

12 강구조와 관련된 용어 설명으로 옳지 않은 것은?

① 뒷댐재는 용접 시 루트간격 아래에 대는 판을 말한다.
② 고장력볼트의 접합력은 볼트의 장력에 의해 발생되는 마찰력이 좌우한다.
③ 턴버클(Turnbuckle)은 스터드 용접 시 용접불량을 방지하기 위해 사용된다.
④ 엔드탭(End Tab)은 용접의 시점과 종점에 용접불량을 방지하기 위해 설치하는 금속판이다.
⑤ 스캘럽(Scallop)은 용접선이 교차할 경우 이를 피하기 위하여 오목하게 파 놓은 것이다.

키워드 용접접합의 용어

풀이 턴버클(Turnbuckle)은 지지용 로프 등을 잡아당기거나 늦출 때 사용하는 연결 부품으로써 양 끝에 오른나사와 왼나사의 이음을 가지고 있다.

이론 +

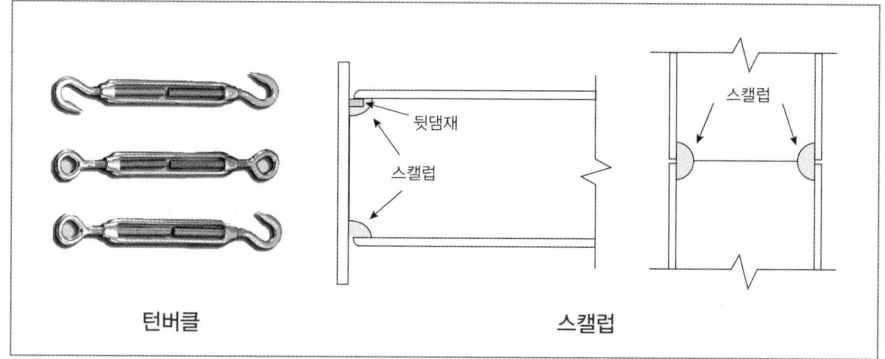

턴버클   스캘럽

정답 ③

13 용접접합의 이음형식 중 필릿(모살)용접에 관한 설명으로 옳지 않은 것은?

① 필릿용접은 모재의 끝을 가공하지 않고 모재와 모재의 교선을 따라 등변 또는 부등변의 삼각형 형태로 용접하는 방법이다.
② 플러그용접과 슬롯용접의 유효길이는 목두께의 중심을 잇는 용접 중심선의 길이로 한다.
③ 필릿용접의 유효목두께(a)는 용접치수(s)의 2.0배를 한다(단, 부재의 이음면이 직각인 경우이다).
④ 필릿용접의 유효면적은 유효길이에 유효목두께를 곱한 것으로 한다.
⑤ 필릿용접의 유효길이(ℓ)는 용접의 총길이(L)에서 2배의 용접치수(s)를 공제한 값으로 한다.

키워드 필릿용접
풀이 필릿용접의 유효목두께(a)는 용접치수(s)의 0.7배를 한다.
이론+ 필릿용접

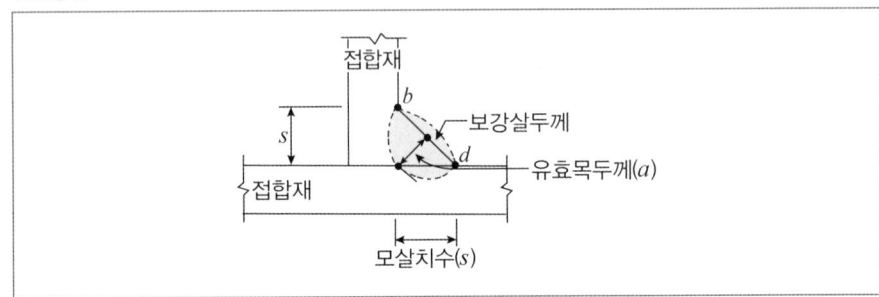

정답 ③

14 용접접합에서 발생하는 용접결함에 관한 설명으로 옳지 않은 것은?

① 공기구멍(Blow Hole)은 용접봉의 피복재와 모재가 변하여 생긴 회분이 용착금속에 말려들어가 혼입되는 것을 말한다.
② 크레이터(Crater)는 아크용접 시 항아리 모양으로 끝부분이 패인 부분을 말한다.
③ 언더컷(Under Cut)은 모재가 용융되어 용착금속이 채워지지 않고 홈으로 남게 된 부분으로 용접각도의 불량, 전류의 과대, 운봉속도가 빠를 때 발생한다.
④ 오버랩(Over Lap)은 용착금속과 모재가 융합되지 않고 겹쳐지는 것을 말한다.
⑤ 피시아이(Fish Eye)는 슬래그 혼입 및 블로우홀의 겹침현상으로 생선눈알 모양의 은색반점이 나타난다.

키워드 용접결함

풀이 공기구멍(Blow Hole)은 용융금속이 녹아들 때 또는 응고할 때 방출되어야 할 기포가 남아서 생기는 공처럼 길쭉하게 생긴 빈자리로 운봉시간이 느릴 때 발생한다. 용접봉의 피복재와 모재가 변하여 생긴 회분이 용착금속에 말려들어가 혼입되는 것은 슬래그(Slag) 섞임이다.

이론+ 용접결함의 종류

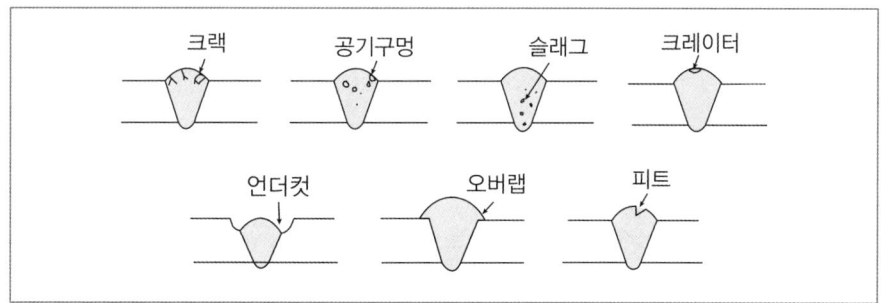

정답 ①

15 강재의 용접접합에 관한 설명으로 옳은 것은?

① 용접자세는 가능한 한 회전지그를 이용하여 아래보기 또는 수직자세로 한다.
② 고장력볼트와 용접을 병용할 때는 고장력볼트가 응력을 부담한다.
③ 용접부 비파괴검사 방법 중 내부결함검출에는 방사선투과시험, 자분탐상시험, 초음파탐상시험이 있다.
④ 용접은 기능공의 시공기술 및 용접자세에 따라 접합강도의 차이가 발생한다.
⑤ 용접부에 대한 코킹은 허용되지 않지만, 피이닝은 실시해도 된다.

키워드 용접시공

풀이 ① 용접자세는 가능한 한 회전지그를 이용하여 아래보기 또는 수평자세로 한다.
② 고장력볼트와 용접을 병용할 때는 용접이 응력을 부담한다. 단, 고장력볼트를 먼저 체결하고 용접을 했을 때는 각각 응력을 분담하는 것으로 본다.
③ 용접부 비파괴검사 방법 중 내부결함검출에는 방사선투과시험, 초음파탐상시험이 있고, 표면결함검출에 방사선투과시험, 자분탐상시험, 침투탐상시험이 있다.
⑤ 용접부에 대한 코킹은 허용되지 않으며, 피이닝도 실시해서는 안 된다.

정답 ④

16 철골공사에서 용접접합에 관한 설명으로 옳지 않은 것은?

① 기온이 −5℃ 이하의 경우, 용접해서는 안 된다.
② 바람이 강한 날은 바람막이를 하고 용접하며 비가 올 때나 습도가 높은 때는 비록 실내이더라도 모재의 표면 및 틈새 부근에 수분이 남아 있지 않는 것을 확인한 후 용접한다.
③ 그루브(맞댐)용접되는 부재의 판두께가 다를 경우에는 용접 표면이 두꺼운 판쪽부터 얇은 판쪽으로 원활하게 기울기를 주어 용접한다.
④ 용접공의 숙련도, 강재의 재질에 따라 용접부 내부의 결함이 좌우된다.
⑤ 응력전달이 확실하여 강성확보가 용이하다.

키워드 용접시공 시 주의사항

풀이 그루브(맞댐)용접되는 부재의 판두께가 다를 경우에는 용접 표면이 얇은 판쪽부터 두꺼운 판쪽으로 원활하게 기울기를 주어 용접한다.

정답 ③

17 강재 기둥에 작용하는 힘을 콘크리트 기초에 전달하려면 그 접촉부는 충분한 면적이 필요하다. 따라서 힘을 분산시켜 기초에 전달하는 과정에서 힘을 분산시키는 역할을 하는 것은?

① 앵커 볼트
② 윙 플레이트
③ 필러
④ 베이스 플레이트
⑤ 사이드 앵글

키워드 강구조의 주각부
풀이 주각은 기둥의 응력을 철근콘크리트 기초에 전달하는 작용을 한다. 기둥의 직압력을 직접 콘크리트 기초에 전달시키면 콘크리트의 지압 응력도는 기둥 강재에 비하여 매우 적어서 파괴될 우려가 있다. 그러므로 기둥 하부에 콘크리트가 부담할 수 있는 요소의 단면적에 상당하는 철판, 즉 밑판(Base Plate)을 대어 기둥의 응력을 분산시키도록 한다.

정답 ④

18 강구조 각 부재에 관한 설명으로 옳지 않은 것은?

① 큰보와 작은보의 접합은 단순지지의 경우가 많으므로 클립앵글 등을 사용하여 플랜지만을 상호 접합한다.
② 주각부는 기둥의 최하부로 베이스 플레이트를 통해 기둥이 받는 힘을 기초로 전하는 부분이다.
③ 판보의 웨브는 전단력에 저항하고, 스티프너로 보강한다.
④ 허니컴 보의 중공부는 설비덕트를 위한 공간으로 사용될 수 있다.
⑤ 데크 플레이트는 강구조에서 주로 슬래브에 사용된다.

키워드 강구조 부재의 각부 상세
풀이 큰보와 작은보의 접합은 단순지지의 경우가 많으므로 클립앵글 등을 사용하여 웨브만을 상호 접합한다.

정답 ①

19 조립 형강보에 관한 설명으로 옳지 않은 것은?

① 하이브리드 보(Hybrid Beam)는 고강도 플랜지와 저강도 웨브의 재질을 다르게 하여 조립시켜 휨성능을 높인 조립보이다.
② 허니컴 보(Honeycomb Beam)는 보 춤을 높이기 위해 압연형강의 웨브를 지그재그로 절단하여 돌출부끼리 용접접합한 것으로 6각형의 구멍이 규칙적으로 뚫린 보를 말한다.
③ 플레이트 보(Plate Girder)는 강판으로 조립한 H형강으로서 휨모멘트와 전단력이 커서 압연형강으로 내력 및 처짐을 만족시키기 힘들 때 사용하는 조립보이다.
④ 트러스보는 모든 구성부재에 축압축력이나 축인장력의 형태로 전달되기 때문에 구조체가 경량화될 수 있어서, 휨모멘트가 지배적인 장스팬 건물 등에 널리 사용되고 있다.
⑤ 래티스보는 상하 플랜지에 ㄱ형강을 쓰고 웨브재를 90°로 접합한 보이다.

키워드 강재보의 종류별 특징
풀이 래티스보는 상하 플랜지에 ㄱ형강을 쓰고 웨브재를 45°, 60° 경사로 어긋나게 접합한 보이고, 격자보가 상하 플랜지에 ㄱ형강을 쓰고 웨브재를 90°로 접합한 보이다.

이론 ✚

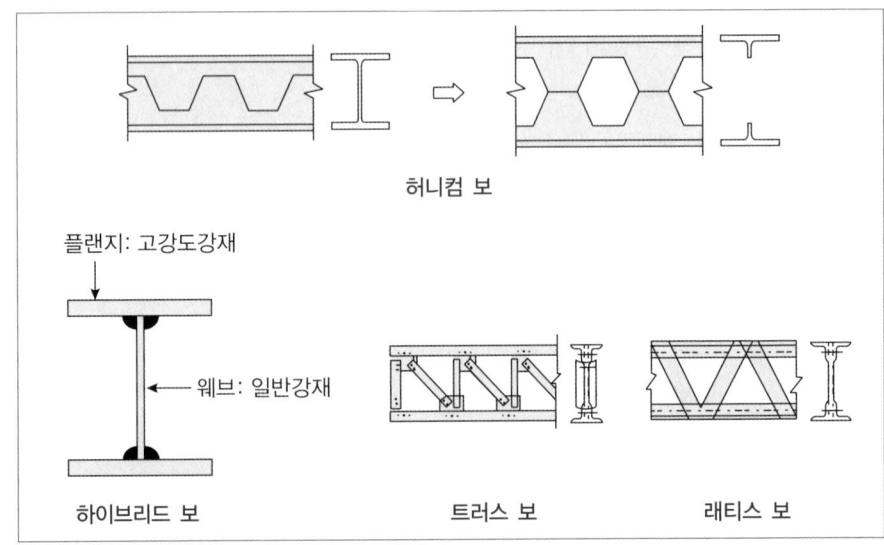

정답 ⑤

20 강재보 중 판보에 관한 설명으로 옳지 않은 것은?

① 플랜지는 주로 휨모멘트에 저항하며 커버 플레이트로 보강한다.
② 커버 플레이트의 전단면적은 플랜지 전단면적의 70% 이하로 한다.
③ 웨브는 주로 판보의 전단력에 저항한다.
④ 스티프너는 웨브의 휨력을 보강하고 좌굴을 방지한다.
⑤ 커버 플레이트의 길이는 계산상 필요한 길이보다 여유길이를 두어야 한다.

키워드 판보의 특징
풀이 스티프너는 웨브의 전단력을 보강하고 좌굴을 방지한다.

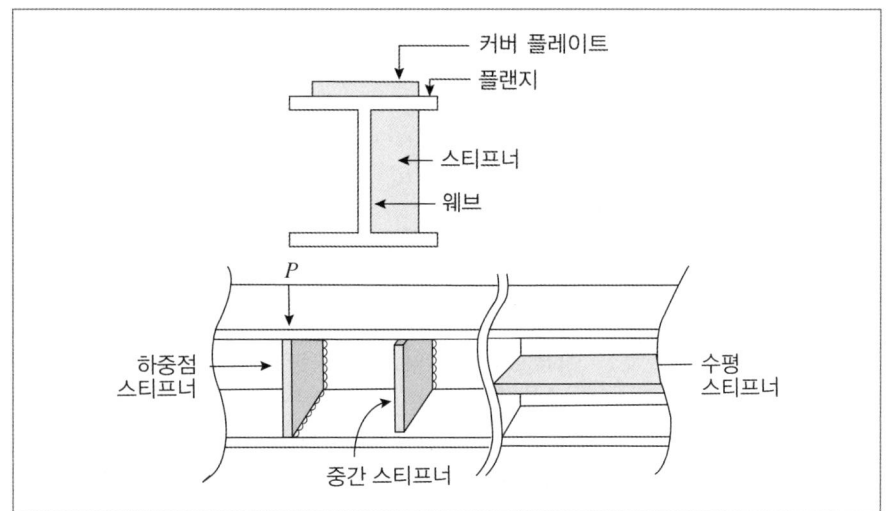

정답 ④

21 바닥슬래브와 철골보의 합성작용에 의해서 두 재료 간에 발생하는 전단력을 부담하도록 설계한 철물은?

① 커버 플레이트(Cover Plate)
② 스티프너(Stiffener)
③ 턴버클(Turn Buckle)
④ 하이브리드
⑤ 시어커넥터(강재앵커, Shear Connector)

키워드 시어커넥터
풀이 시어커넥터는 콘크리트슬래브와 철골보의 전단파괴를 보강해 주는 전단연결재이다.

정답 ⑤

22 철골 내화피복공법에 관한 설명으로 가장 거리가 먼 것은?

① 철골강재면의 외측은 PC판을 붙이고 내부는 석면성형판 또는 규산칼슘판을 부착하여 내화피복하는 공법을 이종재료 적층공법이라 한다.
② 구조용 강재는 온도가 500~600°C이면 응력이 50% 저하, 800°C 이상이면 응력이 0에 가깝게 되므로 내화피복 시공 시 철저한 품질관리가 요구된다.
③ 건식내화피복공법은 사용재료가 공장제품으로 품질신뢰 및 품질관리가 용이하다.
④ 두 종류 이상의 재료를 이용하여 적층하거나 이질재료의 접합으로 일체화하여 내화성능을 발휘하는 공법을 합성공법이라 한다.
⑤ 뿜칠공법은 복잡한 형상에 시공이 용이하고 작업속도가 빠르며, 가격이 저렴하다.

키워드 내화피복공법

풀이 철골강재면의 외측은 PC판을 붙이고 내부는 석면성형판 또는 규산칼슘판을 부착하여 내화피복하는 공법을 이질재료 접합공법이라 한다.

이론+ 내화피복공법의 종류

종류		특징
습식공법	뿜칠공법, 타설공법, 미장공법, 조적공법	• 콘크리트나 모르타르와 같이 물을 혼합한 재료를 타설 또는 미장 등의 공법으로 부착하는 내화피복공법 • 뿜칠공법은 복잡한 형상에 시공이 용이하고 작업속도도 빠르고, 가격이 저렴하지만 균일한 피복두께 및 밀도의 관리가 어려움
건식공법	성형판 붙임공법, 휘감기공법, 세라믹울 피복공법	• 내화 및 단열성이 좋은 경량 성형판을 연결철물 또는 접착제를 이용하여 부착하는 공법, 공장제품으로 품질신뢰 및 품질관리가 용이 • 작업능률이 우수하지만, 재료파손의 우려가 있음
도장공법	내화도료공법	• 불에 견디는 도료를 강재의 표면에 칠하여 피막을 형성시키는 내화피복공법 • 내화도료는 화재 시 강재의 표면 도막이 발포·팽창하여 단열층을 형성
합성공법	정의	이종재료의 적층이나 이질재료의 접합으로 일체화하여 내화성능을 발휘하는 공법
	종류 - 이종재료 적층공법	건식 및 습식 공법의 단점을 보완하여 바탕에 규산칼슘판을 부착하고 상부에 질석 플라스터로 마무리하는 공법
	이질재료 접합공법	강재면의 외측은 PC판을 붙이고 내부는 석면성형판 또는 규산칼슘판을 부착하여 내화피복하는 공법
복합공법		하나의 제품으로 2개의 기능을 충족시키는 내화피복공법으로 내화피복과 커튼월이나 천장판 등의 복합적인 기능을 갖게 하는 공법

정답 ①

23 강구조 부재의 내화피복공법에 관한 설명으로 옳은 것은?

① 화재발생 시 지정된 시간 동안 강구조 부재의 내력을 유지하기 위하여 내화피복을 실시한다.
② 뿜칠공법은 작업능률이 우수하나, 재료 파손의 우려가 있다.
③ 성형판 붙임공법은 복잡한 형상의 시공이 가능하나 균일한 피복두께 확보는 어렵다.
④ 미장공법은 거푸집을 설치하여 강구조 부재에 콘크리트 등을 타설하는 공법이다.
⑤ 타설공법은 시공면적 5m²당 1개소 단위로 핀 등을 이용하여 두께를 확인한다.

키워드 강구조 부재의 내화피복공법

풀이 ② 작업능률이 우수하나, 재료 파손의 우려가 있는 것은 성형판 붙임공법이다.
③ 복잡한 형상의 시공이 가능하나 균일한 피복두께 확보가 어려운 것은 뿜칠공법이다.
④ 거푸집을 설치하여 강구조 부재에 콘크리트 등을 타설하는 공법은 타설공법이다.
⑤ 시공면적 5m²당 1개소 단위로 핀 등을 이용하여 두께를 확인하는 것은 미장공법이다.

이론+ 내화피복공법의 종류

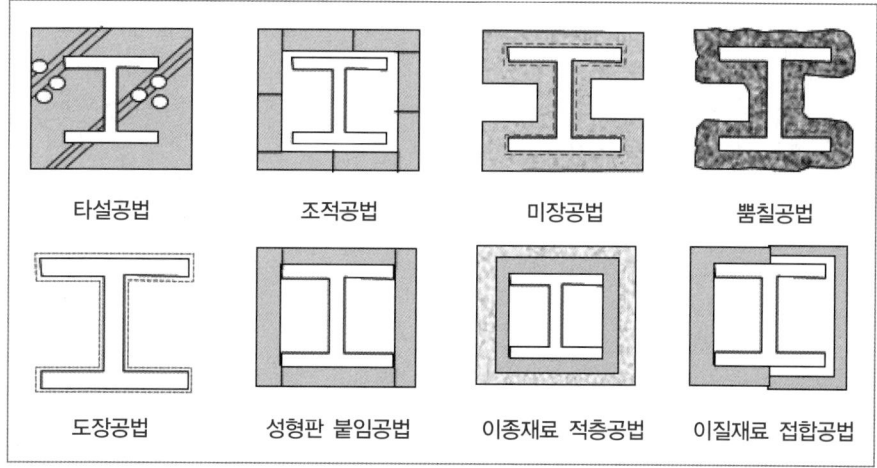

정답 ①

24 철골의 내화피복공사에 관한 설명으로 옳지 않은 것은?

① 내화도장공법에 사용되는 도료는 일반도료 등 다른 재료와 혼합사용하는 것이 원칙이며, 도장 전에 도료상태가 균일하게 될 때까지 충분히 교반한 다음 사용하여야 한다.

② 타설공법은 철골구조체 주위에 거푸집을 설치하고 경량콘크리트나 모르타르 등을 타설하는 공법으로 복잡한 접합부가 없을 경우에는 적합하나 타설과 양생에 시간이 소요되고 균열 발생이 우려된다.

③ 내화도장공법은 발포성 내화도료를 철골보 및 기둥에 붓칠 또는 뿜칠로 일정 두께를 도장하여 화재 시 도료가 발포되어 고열이 철골부재에 전달하지 못하게 하는 시공방법을 말한다.

④ 시공시기는 천장 덕트공사, 배관공사 등에 필요한 앵커, 행거 등 천장부착물을 위한 기초공사가 완료된 시점에서 시공하는 것을 원칙으로 한다.

⑤ 미장공법은 철골에 메탈라스나 용접철망을 부착하고 단열모르타르로 미장하는 방법으로 신뢰성은 있으나 작업 소요기간이 길고 넓은 면적의 시공이 곤란하다.

키워드 강구조 부재의 내화피복공법

풀이 내화도장공법에 사용되는 도료는 일반도료 등 다른 재료와 혼합사용을 해서는 안 되며, 도장 전에 도료상태가 균일하게 될 때까지 충분히 교반한 다음 사용하여야 한다.

정답 ①

25 강구조 내화피복공사에 관한 설명으로 옳은 것은?

① 내화재 뿜칠 시와 완료 후 건조될 때까지 주위온도는 2℃ 이상 되어야 하고, 내화재 뿜칠 중, 뿜칠 후에는 자연환기로 건조시키며 부득이할 경우 강제 환기시킨다.
② 미장공법의 시공 시에는 시공면적 50m²당 1개소 단위로 핀 등을 이용하여 두께를 확인하면서 시공한다.
③ 뿜칠공법의 경우 시공 후 두께나 비중은 코어를 채취하여 측정하며, 측정 빈도는 층마다 또는 바닥면적 1,500m²마다 부위별 1회를 원칙으로 하고, 1회에 5개소로 하되, 연면적이 1,500m² 미만의 건물에 대해서는 2회 이상으로 한다.
④ 조적공법, 붙임공법, 멤브레인공법, 도장공법의 경우 재료반입 시 재료의 두께 및 비중을 확인한다.
⑤ 조적공법, 붙임공법, 멤브레인공법, 도장공법의 경우 두께 및 비중의 측정빈도는 층마다 또는 바닥면적 1,500m²마다 부위별 1회, 1회에 3개소로 하고, 연면적이 1,500m² 미만의 건물에 대해서는 2회 이상으로 한다.

키워드 강구조 부재의 내화피복공법

풀이 ① 내화재 뿜칠 시와 완료 후 건조될 때까지 주위온도는 4℃ 이상 되어야 하고, 내화재 뿜칠 중, 뿜칠 후에는 자연환기로 건조시키며 부득이할 경우 강제 환기시킨다.
② 미장공법의 시공 시에는 시공면적 5m²당 1개소 단위로 핀 등을 이용하여 두께를 확인하면서 시공한다.
③ 뿜칠공법의 경우 시공 후 두께나 비중은 코어를 채취하여 측정하며, 측정 빈도는 층마다 또는 바닥면적 500m²마다 부위별 1회를 원칙으로 하고, 1회에 5개소로 하되, 연면적이 500m² 미만의 건물에 대해서는 2회 이상으로 한다.
⑤ 조적공법, 붙임공법, 멤브레인공법, 도장공법의 경우 두께 및 비중의 측정빈도는 층마다 또는 바닥면적 500m²마다 부위별 1회로 하며, 1회에 3개소로 하고, 연면적이 500m² 미만의 건물에 대해서는 2회 이상으로 한다.

정답 ④

CHAPTER 05 조적구조

▶ **연계학습** | 에듀윌 기본서 1차 [공동주택시설개론 上] p.256

대표기출

벽돌 쌓기에 관한 설명으로 옳지 않은 것은? (단, 설계도서에 정한 바가 없는 경우) 제28회

① 내쌓기는 1켜씩 1/8B 또는 2켜씩 1/4B 내쌓는다.
② 기초쌓기는 1/4B로 1켜 또는 2켜씩 내어 쌓으며 기초 벽돌 맨 밑면의 너비는 벽두께로 한다.
③ 공간쌓기는 바깥쪽을 주벽체로 하고 안쪽을 0.5B 쌓기로 한다.
④ 내화벽돌의 줄눈너비는 6mm를 표준으로 한다.
⑤ 창대벽돌 윗면은 15° 정도의 경사로 옆세워 쌓는다.

키워드 벽돌쌓기법
풀이 기초쌓기는 1/4B로 1켜 또는 2켜씩 내어 쌓으며 기초 벽돌 맨 밑면의 너비는 벽두께의 2배로 한다.
이론 +

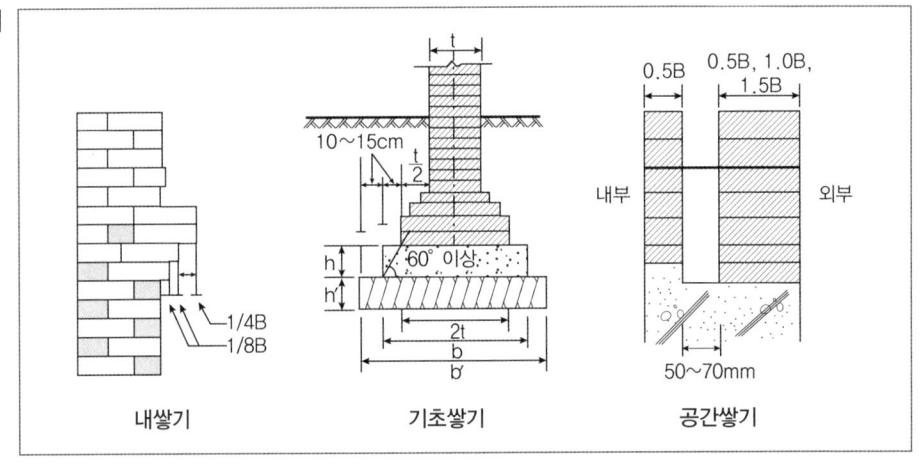

내쌓기 　　　 기초쌓기 　　　 공간쌓기

정답 ②

01 조적구조의 특징에 관한 설명으로 옳지 않은 것은?

① 내구·내화적인 구조이고, 방한·방서에 유리하다.
② 압축력에 대해 상당한 내구력이 있다.
③ 고층건물이나 집중하중을 받는 건축에는 적당하지 않다.
④ 벽두께가 두꺼워 실내의 유효면적이 줄어든다.
⑤ 횡력 및 지진력에 강하다.

키워드 조적구조의 특징
풀이 조적구조는 횡력 및 지진력에 취약하다.

정답 ⑤

02 조적식구조에 사용되는 모르타르에 관한 설명으로 옳지 않은 것은?

① 벽돌벽에 실린 하중이 골고루 널리 퍼져 전달되게 하려면 세로줄눈의 아래·위가 통하지 않고 엇갈리게 하는 것이 좋다.
② 블록공사에서는 블록강도 이상의 것을 사용한다.
③ 붉은벽돌은 벽돌쌓기 하루 전에 벽돌더미에 물 호스로 충분히 젖게 하여 표면에 습도를 유지한 상태로 준비하고, 더운 하절기에는 벽돌더미에 여러 시간 물뿌리기를 하여 표면이 건조하지 않게 해서 사용한다.
④ 접합모르타르의 두께는 가로와 세로 모두 10mm를 기준으로 하고, 내화벽돌인 경우만 6mm를 표준으로 한다.
⑤ 조적조의 내력벽에서는 막힌줄눈이 원칙이고, 보강블록조에서는 통줄눈이 원칙이다.

키워드 조적구조 일반사항
풀이 블록공사에서의 모르타르 강도는 블록강도의 1.3~1.5배 이상의 것을 사용한다.

정답 ②

03 벽돌쌓기 방식에 관한 설명으로 옳은 것은?

① 영식쌓기는 한 켜는 길이쌓기, 다음 켜는 마구리쌓기로 하여 통줄눈이 발생하지 않도록 하고, 길이켜의 모서리에 반절 또는 이오토막을 사용한다.
② 화란식쌓기는 영식쌓기와 거의 동일한 방식이나, 마구리켜의 벽 끝, 모서리에 칠오토막을 사용하여 모서리가 상대적으로 튼튼하다.
③ 불식쌓기는 같은 켜에 길이와 마구리가 번갈아 나오는 방식으로 외관상으로 막힌 줄눈처럼 보이며, 내부에도 통줄눈이 발생하지 않는다.
④ 엇모쌓기는 담장이나 처마 부분에 45° 각도로 모서리 면이 나오도록 내쌓는 방법이다.
⑤ 미식쌓기는 5켜 정도는 마구리쌓기로 하고 다음 한 켜는 길이쌓기로 본 벽돌에 물리고 뒷면은 영식쌓기로 한다.

키워드 벽돌쌓기 종류

풀이
① 영식쌓기는 한 켜는 길이쌓기, 다음 켜는 마구리쌓기로 하여 통줄눈이 발생하지 않도록 하고, 마구리켜의 모서리에 반절 또는 이오토막을 사용한다.
② 화란식쌓기는 영식쌓기와 거의 동일한 방식이나, 길이켜의 벽 끝, 모서리에 칠오토막을 사용하여 모서리가 상대적으로 튼튼하다.
③ 불식쌓기는 같은 켜에 길이와 마구리가 번갈아 나오는 방식으로 외관상으로 막힌줄눈처럼 보이나 내부에 통줄눈이 많이 발생한다.
⑤ 미식쌓기는 5켜 정도는 길이쌓기로 하고 다음 한 켜는 마구리쌓기로 본 벽돌에 물리고 뒷면은 영식쌓기로 한다.

이론 ✚

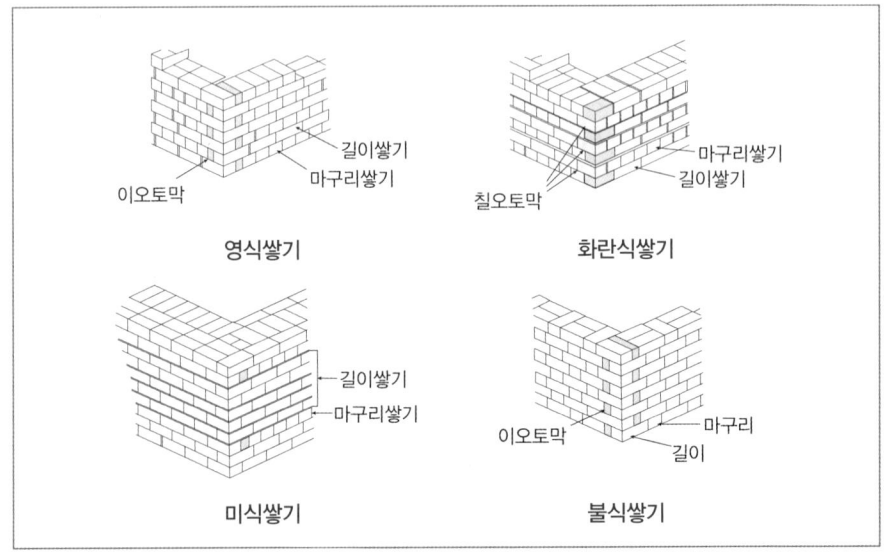

정답 ④

04 벽돌구조에서 공간쌓기에 관한 설명으로 옳지 않은 것은?

① 일종의 이중벽체로서 내부 공간의 방습, 방한, 방서, 방음, 결로방지 등의 효과를 얻기 위해 중간에 공간을 두고 안팎으로 쌓는 방법이다.
② 공간 사이는 50~70mm(0.5B 정도)로 기밀하고 폐쇄된 공간층을 만들어 열차단성을 증가시킨다.
③ 도면이나 특기시방에서 정한 바가 없을 경우에는 안쪽을 주벽체로 하고, 바깥쪽 벽은 반장쌓기로 한다.
④ 연결재의 배치거리는 수직과 수평간격은 각각 400mm와 900mm를 초과할 수 없다.
⑤ 내력벽 두께는 유리한 한쪽 벽의 두께만으로 산정함을 원칙으로 한다.

키워드 공간쌓기
풀이 도면이나 특기시방에서 정한 바가 없을 경우에는 바깥쪽을 주벽체로 하고, 안쪽벽은 반장쌓기로 한다.

정답 ③

05 벽돌구조 쌓기에 관한 설명으로 옳은 것은?

① 특별히 규정한 바가 없으면 영식이나 화란식으로 쌓는다.
② 아치쌓기에서 막만든아치는 보통벽돌을 사용하고 줄눈을 쐐기모양으로 한 것을 말한다.
③ 내쌓기는 마구리쌓기로 하며, 한 켜는 1/4B 이하, 두 켜는 1/8B 이하로 하고, 최대 내미는 정도는 2.0B 이내로 한다.
④ 창대쌓기는 빗물을 벽체 하부로 흘려보내고 물끊기를 하여 벽체를 보호하기 위해 창대벽돌의 윗면을 30° 정도 경사지게 옆세워 쌓는다.
⑤ 모서리가 상대적으로 튼튼하고 쌓기가 편리하며 우리나라에서 주로 사용하는 방식은 영식쌓기이다.

키워드 벽돌쌓기 시공

풀이 ② 아치쌓기에서 막만든아치는 보통벽돌을 쐐기모양으로 다듬어 사용한 것이고, 보통벽돌을 사용하고 줄눈을 쐐기모양으로 한 것은 거친아치이다.
③ 내쌓기는 마구리쌓기로 하며, 한 켜는 1/8B 이하, 두 켜는 1/4B 이하로 하고, 최대 내미는 정도는 2.0B 이내로 한다.
④ 창대쌓기는 빗물을 벽체 하부로 흘려보내고 물끊기를 하여 벽체를 보호하기 위해 창대벽돌의 윗면을 15° 정도 경사지게 옆세워 쌓는다.
⑤ 모서리가 상대적으로 튼튼하고 쌓기가 편리하며 우리나라에서 주로 사용하는 방식은 화란식쌓기이다.

정답 ①

06 벽돌쌓기에 관한 설명으로 옳은 것은?

① 줄눈 모양은 특별한 지정이 없을 때에는 시공상 가장 많이 사용하는 평줄눈으로 하고, 치장줄눈의 깊이는 6mm로 한다.
② 환기구멍 등 작은 개구부에는 아치를 틀지 않는 것이 원칙이다.
③ 공간쌓기에서 연결재는 위·아래층의 것이 서로 엇갈리지 않게 배치한다.
④ 벽돌 쌓는 일이 끝나면 쌓기 모르타르가 단단하게 굳은 후 치장줄눈 파기를 하고, 치장줄눈은 가능한 한 짧은 시간에 하는 것이 좋다.
⑤ 표준형 벽돌의 치수는 190 × 80 × 47mm이다.

키워드 벽돌쌓기 시공
풀이 ② 환기구멍 등 작은 개구부라도 아치를 트는 것이 원칙이다.
③ 공간쌓기에서 연결재는 위·아래층의 것이 서로 엇갈리게 배치한다.
④ 벽돌 쌓는 일이 끝나면 쌓기 모르타르가 굳기 전 치장줄눈 파기를 하고, 치장줄눈은 가능한 한 짧은 시간에 하는 것이 좋다.
⑤ 표준형 벽돌의 치수는 190 × 90 × 57mm이다.

정답 ①

07 벽돌쌓기에 관한 설명으로 옳지 않은 것은?

① 하루 쌓기높이는 1.2m를 표준으로 하고 최대 1.5m 이내로 한다.
② 세로줄눈에 통줄눈이 생기지 않도록 한다.
③ 붉은벽돌은 쌓기 하루 전에 충분한 물축임을 하여야 한다.
④ 벽체 중간에 공간층을 두어 쌓는 가장 중요한 목적은 방음이다.
⑤ 한랭기 및 극한기에는 벽돌공사를 가급적 하지 않도록 한다.

키워드 벽돌쌓기 시공
풀이 공간쌓기는 방습을 목적으로 바깥벽을 이중으로 하여 투수되어도 실내에는 직접 영향을 주지 않게 하고 공간에 들어온 물은 배수관이나 배수구를 통해 배출하는 방법으로 방습이 주목적이며 방수, 단열, 방음의 목적도 있다.

정답 ④

08 다음 중 설계상의 미비로 인한 균열발생 원인이 아닌 것은?

① 문꼴 크기의 불합리 및 불균형 배치
② 철근량의 부족
③ 기초의 부동침하
④ 콘크리트의 건조수축
⑤ 건물의 불균형 배치

키워드 벽돌조 건물의 균열
풀이 콘크리트의 건조수축에 의한 균열발생은 시공상의 결함에 의한 균열이다.
이론+ 균열의 원인

계획 및 설계상의 미비	• 기초의 부동침하 • 건물의 평면, 입면의 불균형 및 벽의 불합리한 배치 • 불균형 하중, 큰 집중하중, 횡력 및 충격 • 벽의 길이, 높이에 비해 두께가 부족하거나 벽체 강도 부족 • 문꼴 크기의 불합리 및 불균형 배치(개구부 크기의 불합리)
시공상의 결함	• 벽돌 및 모르타르의 강도 부족 • 온도 및 습기에 의한 재료의 건조수축 • 이질재와의 접합부, 불완전 시공 • 콘크리트보 밑 모르타르 다져넣기의 부족(장막벽의 상부) • 모르타르, 회반죽 바름의 신축 및 들뜨기 • 온도 변화와 신축을 고려한 신축줄눈 설치 미흡

정답 ④

09 조적벽의 균열원인 중 시공상의 결함으로 볼 수 없는 것은?

① 벽돌 및 모르타르의 강도 부족
② 벽의 길이, 높이에 대한 두께와 벽체 강도의 부족
③ 이질재와의 접합부
④ 콘크리트보 밑의 모르타르 다져넣기 부족
⑤ 시공줄눈, 신축줄눈의 설치 미흡

키워드 벽돌조 건물의 균열
풀이 벽의 길이, 높이에 대한 두께와 벽체 강도의 부족은 계획 및 설계상의 미비로 발생하는 균열이다.

정답 ②

10 건축물의 외관을 해치는 백화에 관한 설명으로 옳지 않은 것은?

① 백화는 주로 시멘트의 가용성 성분이 용해되어 건물의 표면에 올라와 공기 중의 탄산가스 또는 유황성분과 결합하여 생긴다.
② 백화는 주로 여름철에 많이 발생되며, 기온이 높고 습도가 낮을 때 많이 발생한다.
③ 백화를 예방하기 위해서는 질이 좋고 잘 소성된 벽돌을 사용하며, 빗물의 침투를 방지하기 위해 차양 등을 설치한다.
④ 묽은 염산으로 백화를 제거했을 때에는 반드시 물로 씻어낸다.
⑤ 세척제를 사용하기 전에 벽체 일부분에 바른 후 2주일 정도 경과한 후 그 효과를 보고 선택하여 백화를 제거한다.

키워드 백화현상
풀이 백화는 주로 겨울철에 많이 발생하며, 기온이 낮고 습도가 높을 때 많이 발생한다.

정답 ②

11 벽돌구조체의 줄눈 재시공에 관한 설명으로 옳지 않은 것은?

① 먼저 손상된 줄눈을 완전히 파내고 깨끗이 청소한 다음 물로 완전히 적신다.
② 줄눈은 새로 섞은 줄눈 모르타르를 이용하여 한 번에 6.5mm 이하의 두께로 앞에 시공한 줄눈층의 물기가 마르는 즉시 압력을 가하여 층층이 채워 간다.
③ 줄눈도구를 이용하여 기존 줄눈과 같은 형태로 마감한다.
④ 마감된 줄눈은 담당원의 지시에 따라 강모솔질 또는 낮은 압력의 물을 분무하여 외관상 기존 줄눈과 조화되도록 시공하여야 한다.
⑤ 마감된 줄눈은 습윤한 상태에서 3일간 보양하도록 한다.

키워드 줄눈 재시공
풀이 마감된 줄눈은 습윤한 상태에서 5일간 보양하도록 한다.

정답 ⑤

12 블록쌓기에 관한 설명으로 옳지 않은 것은?

① 블록은 살두께가 상이할 경우 두꺼운 쪽을 밑으로 하여 쌓는다.
② 수평줄눈에 와이어 메시(Wire Mesh)를 묻어 쌓을 경우 횡력 저항, 균열방지 등에 효과가 있다.
③ 보강블록조의 경우 벽체 강성면에서는 유리하나 시공성 및 공사기간 측면에서는 불리하다.
④ 1일 쌓기 높이는 균일한 높이로 1.5m 이내를 표준으로 한다.
⑤ 블록을 쌓기 전에는 모르타르 접착부분만 물축임하는 것이 좋다.

키워드 블록쌓기 시공

풀이 블록은 살두께가 상이할 경우 하중분산을 위해 두꺼운 쪽을 위로 하여 쌓는다.

이론+

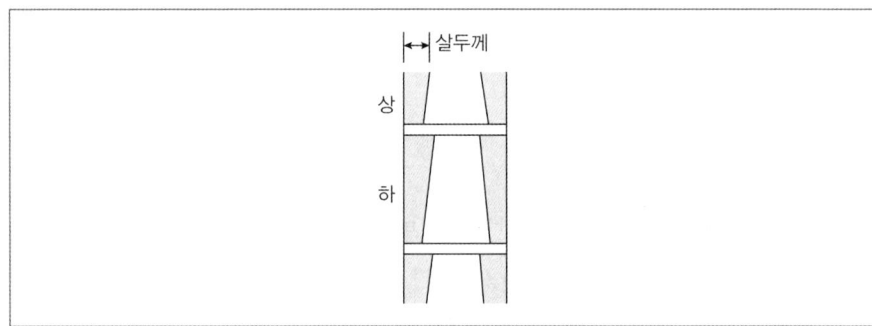

정답 ①

13 보강블록조에 관한 설명으로 옳지 않은 것은?

① 보강블록조와 라멘구조가 접합하는 부분은 보강블록조를 먼저 쌓고 라멘구조를 나중에 시공한다.
② 작업상 편리를 위해 통줄눈으로 하지만, 내력벽으로 취급한다.
③ 철근을 사용한 부분에만 콘크리트나 모르타르로 3켜 이내의 높이로 사춤한다.
④ 보강블록조의 세로철근은 하중이 집중되지 않는 곳에서 이음하며, 철근의 말단부분은 테두리보와 기초에 각각 정착시킨다.
⑤ 하루작업 종료 시의 세로줄눈 공동부의 모르타르 타설은 수평줄눈과 일치되지 않도록 블록의 상단에서 50mm 정도 아래에 둔다.

키워드	보강블록공사 시공
풀이	세로철근은 도중에 이음하지 않고 기초에서 테두리보까지 한 개의 철근을 사용한다.
이론+	모르타르 사춤

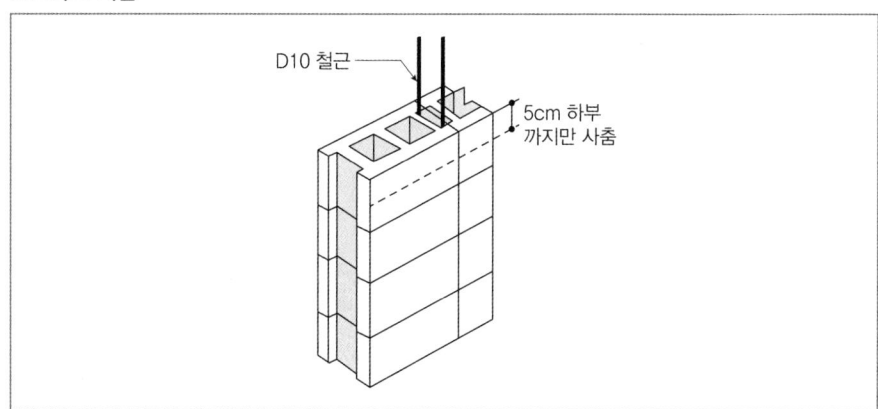

정답 ④

14 조적구조에 관한 설명으로 옳지 않은 것은?

① 압축력에 강하고, 풍압력, 지진력 등의 횡력에 약하여 고층건물에 적합하지 않다.
② 콘크리트벽돌과 붉은벽돌은 쌓기 직전에 물을 축이지 않는다.
③ 벽돌조 청소 시 부득이하게 산세척을 실시하는 경우는 벽돌을 건조 상태로 한 후에 3% 이하의 묽은 염산을 사용하여 실시한다.
④ 블록 제작에 쓰이는 골재의 최대치수는 블록 최소 살두께의 1/3 이하로 한다.
⑤ 테두리보의 춤은 내력벽 두께의 1.5배 이상, 너비는 벽길이의 1/20 이상으로 한다.

키워드 조적구조
풀이 벽돌조 청소 시 부득이하게 산세척을 실시하는 경우는 벽돌을 표면수가 안정하게 잔류하도록 물축임한 후에 3% 이하의 묽은 염산을 사용하여 실시한다.

정답 ③

15 조적구조에 관한 내용으로 옳지 않은 것은?

① 개구부 너비가 1.0m 이하일 때는 평아치를 할 수 있다.
② 창대 벽돌은 도면 또는 공사시방서에서 정한 바가 없을 때에는 그 윗면을 30° 정도의 경사로 옆세워 쌓는다.
③ 줄눈 재시공 시 마감된 줄눈은 담당원의 지시에 따라 강모솔질 또는 낮은 압력의 물을 분무하여 외관상 기존 줄눈과 조화되도록 시공하여야 한다.
④ 블록은 깨끗한 건조상태로 저장되어야 하고, 콘크리트용 블록은 물축임하지 않는다.
⑤ 내력벽 두께는 마감재 두께를 포함하지 않는다.

키워드 조적구조
풀이 창대 벽돌은 도면 또는 공사시방서에서 정한 바가 없을 때에는 그 윗면을 15° 정도의 경사로 옆세워 쌓는다.

정답 ②

16 석재에 관련된 설명으로 옳지 않은 것은?

① 안산암은 강도 및 내화성이 우수한 편으로 콘크리트의 쇄석용으로 적합하다.
② 일반적으로 흡수율의 크기순서는 대리석 < 화강암 < 안산암 < 사암 < 응회암 순이다.
③ 대리석은 실내장식용에는 적합하나 산성 및 풍화에 약해서 외장용에는 부적당하며, 대리석 붙이기용 모르타르의 배합은 시멘트 : 석고 = 1 : 1의 석고모르타르를 사용한다.
④ 석재는 비중이 클수록 강도가 큰 것이 일반적이지만 석회암, 대리석 등은 화강암보다 비중은 크나 강도가 작다.
⑤ 화강암은 강도도 크고 풍화 및 동해가 적어 온돌마루판으로 가장 적합한 석재이다.

키워드 석재의 종류
풀이 화강암의 경우 내화성이 작아 온돌마루판에는 부적당하며 점판암을 사용한다.

정답 ⑤

17 돌공사에 관한 설명으로 옳지 않은 것은?

① 버너마감은 석재표면을 화염으로 가열하여 조면마감을 하는 방법이다.
② 대리석 판재는 내구성, 내산성이 우수하여 공동주택 저층부의 외벽마감재로 적합하다.
③ 앵커긴결공법으로 시공할 경우, 상부석재의 하중이 하부석재에 전달되지 않는다.
④ 습식공법은 연결철물과 모르타르를 사용하여 석재를 구조체에 일체화시키는 공법이다.
⑤ 석재는 재료의 특성상 장대재를 얻기 어렵고, 화재 시 균열이 생기거나 파괴되어 재사용이 곤란하다.

키워드 석재시공
풀이 대리석은 강도가 크고 빛깔과 광택이 미려하나 산이나 화열에 약하고 내구성이 적으므로 외장재 사용은 어려워 주로 내부 장식재나 조각재로 사용한다.

정답 ②

18 조적구조에서 테두리보에 관한 설명으로 옳지 않은 것은?

① 모든 층에 테두리보를 반드시 설치한다.
② 테두리보는 벽체를 일체로 연결하여 하중을 균등히 분배시키는 역할을 한다.
③ 테두리보 바로 밑에 개구부를 위치시킬 때에는 테두리보가 인방보 역할도 한다.
④ 단층 건물인 테두리보의 너비는 벽두께 이상으로 한다.
⑤ 2층 건물인 테두리보의 춤은 벽두께의 1.5배 이상 또는 300mm 이상으로 한다.

키워드 테두리보
풀이 테두리보는 벽체를 일체로 연결하여 하중을 균등히 분포시키고 수직균열을 방지하는 것으로 최상층을 콘크리트 바닥판으로 할 때를 제외하고는 테두리보를 두는 것이 원칙이다.

이론 + 테두리보의 구조제한

춤(높이)		너비	
단층	2층 또는 3층	단층	2층 또는 3층
250mm 이상	300mm 이상 또는 벽두께의 1.5배 이상	벽두께 이상	벽길이의 1/20 이상

정답 ①

19 조적조 테두리보에 관한 설명으로 옳지 않은 것은?

① 최상층이 철근콘크리트 바닥판으로 구성된 경우를 제외하고는 원칙적으로 조적조에서는 테두리보를 설치하여야 한다.
② 테두리보의 너비는 단층 건물인 경우 벽두께 이상, 2층 건물인 경우 벽 중심 간 거리의 1/20 이상으로 한다.
③ 테두리보 바로 밑에 개구부를 위치시킬 때에는 테두리보가 인방보 역할을 한다.
④ 테두리보의 춤은 단층 건물인 경우 최소 250mm 이상으로 한다.
⑤ 테두리보의 목적은 보강블록조에 철근배근 시 가로철근을 정착시키기 위해서이다.

키워드 테두리보
풀이 테두리보 목적은 보강블록조에 철근배근 시 세로철근을 정착시키기 위해서이다.

정답 ⑤

20 건축물의 벽량에 관한 설명으로 옳은 것은?

① 내력벽 길이의 합을 그 층의 바닥면적으로 곱한 값이다.
② 모든 벽체길이의 합을 건물의 연면적으로 나눈 값이다.
③ 비내력벽 길이의 합을 건물의 연면적으로 나눈 값이다.
④ 모든 벽체길이의 합을 그 층의 바닥면적으로 나눈 값이다.
⑤ 내력벽 길이의 합을 그 층의 바닥면적으로 나눈 값이다.

키워드 내력벽의 길이 및 벽량

풀이 벽량이란 $\dfrac{\text{내력벽 길이의 총합계}}{\text{그 층의 바닥면적}}$ 을 말한다.

정답 ⑤

21 조적 구조물의 구조기준에 관한 설명으로 옳은 것은?

① 조적식구조인 건축물 중 2층 건축물에 있어서 2층 내력벽의 높이는 3m를 넘을 수 없다.
② 조적식구조인 내력벽의 길이는 10m를 넘을 수 없고, 내력벽으로 둘러싸인 부분의 바닥면적은 60m²를 넘을 수 없다.
③ 조적식구조인 내력벽의 두께는 마감재료를 포함한 두께이며, 바로 위층의 내력벽의 두께 이상이어야 한다.
④ 조적식구조의 내력벽 두께가 벽돌인 경우에는 해당 벽높이의 1/16 이상, 블록인 경우에는 해당 벽높이의 1/20 이상으로 하여야 한다.
⑤ 건물높이가 11m, 벽길이 8m인 2층 건물의 1층 내력벽 두께는 최소 290mm 이상이다.

키워드 조적구조의 구조기준

풀이 ① 조적식구조인 건축물 중 2층 건축물에 있어서 2층 내력벽의 높이는 4m를 넘을 수 없다.
② 조적식구조인 내력벽의 길이는 10m를 넘을 수 없고, 내력벽으로 둘러싸인 부분의 바닥면적은 80m²를 넘을 수 없다.
③ 조적식구조인 내력벽의 두께는 마감재료를 포함하지 않은 두께이며, 바로 위층의 내력벽의 두께 이상이어야 한다.
④ 조적식구조가 벽돌인 경우에는 해당 벽높이의 1/20 이상, 블록인 경우에는 해당 벽높이의 1/16 이상으로 하여야 한다.

정답 ⑤

22 조적조 벽두께에 관한 설명으로 옳지 않은 것은?

① 토압을 받는 내력벽은 조적식구조로 하여서는 안 된다. 다만, 토압을 받는 부분의 높이가 2.5m를 넘지 아니하는 경우에는 조적식구조인 벽돌구조로 할 수 있다.
② 조적식구조인 경계벽의 두께는 90mm 이상으로 하여야 한다.
③ 조적식구조인 경계벽의 바로 위층에 조적식구조인 경계벽이나 주요 구조물을 설치하는 경우에는 해당 경계벽의 두께는 190mm 이상으로 하여야 한다.
④ 내력벽의 두께는 마감재료의 두께를 포함한다.
⑤ 건물 높이와 길이에 따른 내력벽 두께는 최소 150mm 이상이다.

키워드 벽체의 두께 제한
풀이 내력벽의 두께는 마감재료의 두께를 포함하지 아니한다.

정답 ④

23 조적구조의 구조기준에 관한 설명으로 옳은 것은?

① 테두리보는 횡력에 의한 벽면의 수평균열을 방지한다.
② 내력벽의 길이는 8m, 내력벽으로 둘러싸인 부분의 바닥면적은 60m²로 설계할 수 있다.
③ 내력벽으로 둘러싸인 바닥면적이 60m²를 넘는 단층 건물인 경우 1층 내력벽의 두께는 150mm 이상이어야 한다.
④ 최상층이 철근콘크리트 바닥판으로 구성된 경우를 제외하고는 원칙적으로 조적조에서는 테두리보를 설치하지 않는다.
⑤ 석재붙임공법 중 앵커 긴결공법에서 상부석재하중이 하부로 전달되도록 한다.

키워드 조적구조의 구조기준
풀이 ① 테두리보는 횡력에 의한 벽면의 수직균열을 방지한다.
③ 내력벽으로 둘러싸인 바닥면적이 60m²를 넘는 단층 건물인 경우 1층 내력벽의 두께는 190mm 이상이어야 한다.
④ 최상층이 철근콘크리트 바닥판으로 구성된 경우를 제외하고는 원칙적으로 조적조에서는 테두리보를 설치하여야 한다.
⑤ 석재붙임공법 중 앵커 긴결공법에서 앵커체가 단위재를 지지하기 때문에 상부하중이 하부로 전달되지 않는다.

정답 ②

24 조적식구조인 벽에 있는 창 및 출입구 그 밖의 개구부에 관한 기준 설명으로 옳지 않은 것은?

① 각 층의 대린벽으로 구획된 각 벽에 있어서 개구부 폭의 합계는 그 벽 길이의 2분의 1 이하로 하여야 한다.
② 하나의 층에 있어서의 개구부와 그 바로 위층에 있는 개구부와의 수직거리는 300mm 이상으로 하여야 한다.
③ 같은 층의 벽에 상하의 개구부가 분리되어 있는 경우 그 개구부 사이의 거리도 600mm 이상으로 하여야 한다.
④ 조적식구조인 벽에 설치하는 개구부에 있어서는 각 층마다 그 개구부 상호간 또는 개구부와 대린벽 중심과의 수평거리는 그 벽 두께의 2배 이상으로 하여야 한다.
⑤ 개구부에 인방보를 설치할 경우 벽체의 블록에 최소 200mm 이상 걸치고 위에서 오는 하중을 전달할 충분한 길이로 한다.

키워드 벽체 개구부 설치 시 제한사항

풀이 하나의 층에 있어서의 개구부와 그 바로 위층에 있는 개구부와의 수직거리는 600mm 이상으로 하여야 한다.

이론 +

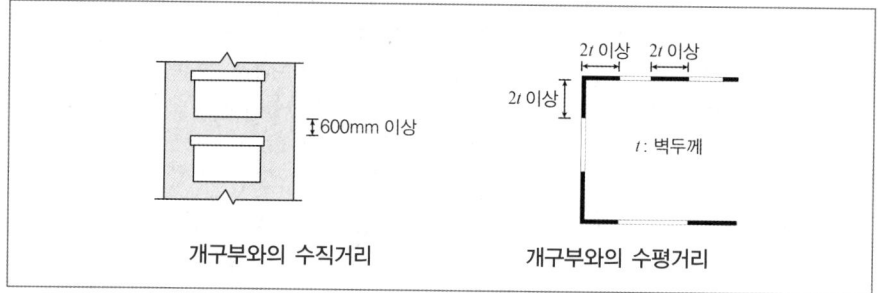

개구부와의 수직거리 / 개구부와의 수평거리

정답 ②

CHAPTER 06 방수 및 방습공사

▶ **연계학습** | 에듀윌 기본서 1차 [공동주택시설개론 上] p.299

대표기출

방수공사에 관한 설명으로 옳은 것은? 제28회

① 건조한 바탕을 전제로 할 때, 바탕면 함수상태는 12% 이하로 관리하여야 한다.
② 바탕표면에 발생한 요철은 방수재료와의 부착에 유리하므로 존치해도 된다.
③ 구배는 방수층보다는 구조체에 두어 하중증가를 막고 배수를 원활하게 한다.
④ 바탕청소를 위한 고압 물세척은 방수에 불리하므로 실시하지 않는다.
⑤ 바탕표면 강도가 부족하더라도 방수층으로 덮이므로 청소 후 방수공사를 진행한다.

키워드 방수공사 일반사항

풀이
① 건조한 바탕을 전제로 할 때, 바탕면 함수상태는 8% 이하로 관리하여야 한다.
② 바탕표면에 발생한 요철은 방수재료와의 부착에 불리하므로 존치하지 않도록 평탄하게 조정되어 있어야 한다.
④ 방수층의 접착력을 저하시킬 우려가 있는 지나치게 치밀한 표면은 고압수세척기 등을 이용하여 거칠게 하는 등 접착력 확보를 위한 적절한 조치가 취해져 있어야 한다.
⑤ 바탕의 청소는 방수층의 접착력을 떨어뜨리는 먼지, 유지류, 오염, 녹 또는 거푸집 박리제 등이 없도록 세심하게 되어 있어야 한다.

정답 ③

---

01 방수법 종류 중 멤브레인(Membrane) 방수공법의 종류로 옳지 않은 것은?

① 도막 방수 ② 아스팔트 방수
③ 시트 방수 ④ 개량 아스팔트 방수
⑤ 시멘트 액체 방수

키워드 방수공사의 분류

풀이 멤브레인(Membrane) 방수란 지붕, 차양, 외벽 등의 전면에 얇은 피막상의 방수층을 덮는 것으로 아스팔트 방수, 개량 아스팔트 방수, 시트 방수, 도막 방수 등이 있다.

정답 ⑤

02 방수공사 시공 시 주의사항에 관한 설명으로 옳지 않은 것은?

① 펠트겹치기는 평행, 직교 또는 비늘형으로 겹쳐대지만 직교형으로 하는 것이 가장 유리하다.
② 바탕형상에 오목모서리는 아스팔트 방수층의 경우에는 삼각형으로 면처리하고, 아스팔트 외의 방수층은 직각으로 면처리하지만, 볼록모서리는 각이 없는 완만한 면처리로 한다.
③ 기온이 5°C 미만으로 낮고 바탕이 동결되어 있어 시공에 지장이 있다고 예상되는 경우에는 시공하지 않는 것이 원칙이다.
④ 루핑의 겹침폭은 길이 및 폭 방향 100mm 정도로 하고, 루핑은 원칙적으로 물흐름을 고려하여 물매의 위쪽으로부터 아래를 향해 붙인다.
⑤ 방수층 보호용 누름층은 50mm 이상의 아스팔트 콘크리트를 2층으로 나누어 롤러로 전압하여 시공한다.

키워드 방수공사 시공
풀이 루핑의 겹침폭은 길이 및 폭 방향 100mm 정도로 하고, 루핑은 원칙적으로 물흐름을 고려하여 물매의 아래쪽으로부터 위를 향해 붙인다.

정답 ④

03 옥상방수에 관한 설명으로 옳지 않은 것은?

① 옥상방수에 사용되는 아스팔트 재료는 지하실방수보다 연화점이 높고 침입도가 큰 것을 사용한다.
② 옥상방수의 바탕은 물의 고임방지를 위해 물흘림경사를 둔다.
③ 옥상방수층 누름 콘크리트 부위에는 온도에 의한 콘크리트의 수축 및 팽창에 대비하여 신축줄눈을 설치한다.
④ 아스팔트 방수층의 부분적 보수를 위해서는 일반적으로 시멘트 모르타르가 사용된다.
⑤ 시트 방수의 결함 발생 시에는 부분적 교체 및 보수가 가능하다.

키워드 옥상방수공사
풀이 아스팔트 방수층의 보수범위는 국부적으로 하지 않고, 광범위하게 실시하게 되며, 부분적 보수를 위해서 시멘트 모르타르가 사용되는 것은 시멘트 액체 방수이다.

정답 ④

04 방수공사에 관한 일반적 설명으로 옳은 것은?

① 실링(sealing)재는 건축물의 부재와 부재 접합부 줄눈에 충전하면 경화 후 양 부재에 접착하여 수밀성, 기밀성을 확보하는 재료로서, 특히 형상이 고정된 정형의 재료를 가리킨다.
② 아스팔트 방수공사는 방수지를 용융된 아스팔트로 접착시키고 여러 층으로 적층 시공하여 방수층을 구성하는 방수공법이다.
③ 시멘트 모르타르 방수는 결함부 발견이 용이하지 않다.
④ 시멘트 모르타르 방수는 모체인 콘크리트에 균열이 발생하여도 시공이 가능한 방수이다.
⑤ 드레인 설치 시에는 드레인 몸체의 높이를 주변 콘크리트 표면보다 약 30mm 올린다.

키워드 방수공사

풀이 ① 실링(sealing)재는 건축물의 부재와 부재 접합부 줄눈에 충전하면 경화 후 양 부재에 접착하여 수밀성, 기밀성을 확보하는 재료로서, 특히 부정형의 재료를 가리킨다.
③ 시멘트 모르타르 방수는 결함부 발견이 용이하다.
④ 시멘트 모르타르 방수는 모체인 콘크리트에 균열이 발생하면 시공이 곤란한 방수공법이다.
⑤ 드레인 설치 시에는 드레인 몸체의 높이를 주변 콘크리트 표면보다 약 30mm 내린다.

정답 ②

05 개량 아스팔트 시트 방수 시공 시 유의사항으로 옳지 않은 것은?

① 바탕을 충분히 청소한 후 프라이머를 솔, 롤러, 뿜칠기구 및 고무주걱 등으로 균일하게 도포한다.
② 개량 아스팔트 방수시트는 토치로 개량 아스팔트 시트의 뒷면과 바탕을 균일하게 가열하여 개량 아스팔트를 용융시키고 눌러서 붙이는 방법을 표준으로 한다.
③ 개량 아스팔트 방수시트의 겹침폭은 길이 방향으로 200mm, 너비 방향으로 100mm 이상으로 하고, 물매의 낮은 부위에 위치한 시트가 겹침 시 아랫면에 오도록 접합한다.
④ 치켜올림의 개량 아스팔트 방수시트의 끝부분은 누름철물을 이용하여 고정하고, 실링재로 실링처리한다.
⑤ 지하 외벽 및 수영장 등의 벽면에 개량 아스팔트 방수시트 시공 시, 미리 개량 아스팔트 방수시트를 4m 정도로 재단하여 시공한다. 최상단부 및 높이가 10m를 넘는 벽에서는 10m마다 누름철물을 이용하여 고정한다.

키워드 개량 아스팔트 시트 방수공사

풀이 지하 외벽 및 수영장 등의 벽면에 개량 아스팔트 방수시트 시공 시, 미리 개량 아스팔트 방수시트를 2m 정도로 재단하여 시공한다. 최상단부 및 높이가 10m를 넘는 벽에서는 10m마다 누름철물을 이용하여 고정한다.

정답 ⑤

06 도막 방수 시공 시 주의사항에 관한 설명으로 옳지 않은 것은?

① 도막두께는 원칙적으로 사용량을 중심으로 관리한다.
② 방수재 겹쳐 바르기는 원칙적으로 앞의 공정에서 칠방향과 직교해서 실시하며, 겹쳐 바르기 또는 이어바르기의 폭은 100mm 내외로 한다.
③ 설계도서에 명시된 도막두께(설계두께)를 확보하기 위해서는 방수재 도포 전에 사용량을 정확히 산출하여 해당량을 전부 도포하여야 한다.
④ 도막 방수층의 설계두께는 건조막 두께를 기준으로 관리한다.
⑤ 고무 아스팔트계 도막 방수재의 외벽에 대한 스프레이 시공은 아래에서부터 위의 순서로 실시한다.

키워드 도막 방수공사

풀이 고무 아스팔트계 도막방수재의 외벽에 대한 스프레이 시공은 위에서부터 아래의 순서로 실시한다.

정답 ⑤

07 신축줄눈과 보호누름에 관한 설명으로 옳지 않은 것은?

① 신축줄눈 깊이는 방수층 밑면까지 도달하도록 설치한다.
② 신축줄눈은 도면 또는 시방서에 따라 일정한 간격을 유지한다.
③ 방수층은 보호누름을 하여 내구, 신축, 파손, 수압 등에 안전하게 한다.
④ 방수층의 보호누름은 온열에 의한 신축, 들뜨기, 파손 및 내구, 수압 등에 안전하도록 하기 위한 것이다.
⑤ 보호누름 재료는 수평부는 모르타르, 신더 콘크리트, 보도블록, 자갈, 클링커 타일 등으로 하고 수직부는 벽돌쌓기, 모르타르 등으로 마감한다.

> **키워드** 방수층과 보호누름
> **풀이** 신축줄눈 깊이는 보호층 밑면까지 도달하도록 설치한다. 신축줄눈 깊이가 방수층까지 닿아 방수성능을 저하시켜서는 안 된다.

정답 ①

08 방수에 관한 설명으로 옳은 것은?

① 시멘트 액체 방수는 온도에 의한 수축·팽창에 대한 신축성이 크다.
② 아스팔트 방수는 결함부 발견이 용이하지 못하여, 보수범위가 광범위하다.
③ 도막 방수는 액체로 된 방수도료를 한 번 또는 여러 번 칠하여 상당한 두께의 방수막을 형성하지만, 시공이 어려운 단점이 있다.
④ 시트 방수는 합성고무 또는 합성수지를 주성분으로 하는 두께 0.8mm 정도의 합성고분자 루핑을 여러 겹 접착재로 바탕에 붙여서 방수층을 형성하는 공법이다.
⑤ 도막 방수공법은 이음매가 있어 일체성이 떨어진다.

> **키워드** 방수공사의 재료상 분류
> **풀이** ① 시멘트 액체 방수는 온도에 의한 수축·팽창에 대한 신축성이 적다.
> ③ 도막 방수는 액체로 된 방수도료를 한 번 또는 여러 번 칠하여 상당한 두께의 방수막을 형성하고, 시공은 간편하나 균일두께의 시공이 곤란한 단점이 있다.
> ④ 시트 방수는 합성고무 또는 합성수지를 주성분으로 하는 두께 0.8mm 정도의 합성고분자 루핑 한 겹을 접착제로 바탕에 붙여서 방수층을 형성하는 공법이다.
> ⑤ 도막 방수공법은 이음매가 없어 일체성이 좋다.

정답 ②

09 방수공사에 관한 설명으로 옳은 것은?

① 아스팔트의 용융 중에는 최소한 30분에 1회 정도 온도를 측정하고, 접착력 저하 방지를 위하여 100℃ 이하가 되지 않도록 한다.
② 시트의 접합부는 원칙적으로 물매 위쪽의 시트가 물매 아래쪽 시트의 위에 오도록 겹친다.
③ 지하 외벽에는 미리 개량 아스팔트 방수시트를 4m 정도로 재단하여 시공한다.
④ 도막 방수의 보강포 붙이기는 치켜올림 부위, 오목모서리, 볼록모서리, 드레인 주변 및 돌출부 주위에서 끝나도록 한다.
⑤ 마스킹 테이프는 실링재를 접착시키지 않기 위해 줄눈 바닥에 붙이는 테이프형의 재료이다.

> **키워드** 방수공사의 재료상 분류
> **풀이** ① 아스팔트의 용융 중에는 최소한 30분에 1회 정도 온도를 측정하고, 접착력 저하 방지를 위하여 200℃ 이하가 되지 않도록 한다.
> ③ 지하 외벽에는 미리 개량 아스팔트 방수시트를 2m 정도로 재단하여 시공한다.
> ④ 도막 방수의 보강포 붙이기는 치켜올림 부위, 오목모서리, 볼록모서리, 드레인 주변 및 돌출부 주위에서부터 시작한다.
> ⑤ 본드 브레이커는 실링재를 접착시키지 않기 위해 줄눈 바닥에 붙이는 테이프형의 재료이다.
>
> 정답 ②

10 건축물에 많이 사용되는 실링재의 요구성능과 거리가 먼 것은?

① 부재와의 접착성이 좋고 수밀성이 있을 것
② 온도의 변화에 따라 변형이 자유로울 것
③ 조인트 부위의 변형에 추종할 수 있을 것
④ 불침투성 재료일 것
⑤ 내부응집력 변화에 따른 내부파괴가 없을 것

> **키워드** 실링 방수공사
> **풀이** 실링재란 밀봉하는 재료로 균열부위, 줄눈, 이질재의 접촉부 등에 채워 넣어 방수성을 갖게 하는 재료로 유성코킹, 아스팔트 코킹재, 탄성 실란트 등이 있으며 온도의 변화에 변하지 않아야 한다.
>
> 정답 ②

11 실링 방수공사 시 주의사항에 관한 설명으로 옳지 않은 것은?

① 강우·강설 후 피착체가 아직 건조되지 않은 경우에는 시공해서는 안 된다.
② 습도가 너무 높을 경우(85% 이상)에는 시공을 중지한다.
③ 백업재 및 본드 브레이커는 실링재와 접착하지 않고 또한 실링재의 성능을 저하시키지 않는 것을 사용한다.
④ 이종 실링재의 이음을 실시한다.
⑤ 실링재의 응집파괴와 박리를 막기 위해서는 거동이 큰 워킹조인트는 2면 접착되는 것이 유리하며, 거동이 거의 없는 논워킹조인트는 3면 접착을 하는 것이 좋다.

| 키워드 | 실링 방수공사
| 풀이 | 이종 실링재의 이음은 원칙적으로 피한다.

정답 ④

---

12 방수공사에 관한 설명으로 옳지 않은 것은?

① 안방수는 수압이 작은 곳에 사용하며, 공사 시기가 자유롭고 보호누름이 필요하다.
② 바깥방수는 수압이 큰 곳에서도 공사가 가능하며, 공사 시기가 본공사에 선행되어야 한다.
③ 합성고분자계 시트 방수의 시공순서는 바탕처리 ⇨ 프라이머 칠 ⇨ 접착제 칠 ⇨ 시트붙임 ⇨ 보호층 설치 순으로 시공한다.
④ 아스팔트 방수공사에서 펠트겹치기는 평행, 직교 또는 비늘형으로 겹쳐대지만 비늘형으로 하는 것이 가장 유리하다.
⑤ 합성고분자계 시트 방수의 시공 시 시트 상호 간의 접합폭은 종횡으로 가황고무계 방수시트는 100mm, 비가황고무계 방수시트는 70mm로 하며, 염화비닐 수지계 방수시트는 40mm로 한다.

| 키워드 | 방수공사의 재료별, 시공부위별 분류
| 풀이 | 아스팔트 방수공사에서 펠트겹치기는 평행, 직교 또는 비늘형으로 겹쳐대지만 직교형으로 하는 것이 가장 유리하다.

정답 ④

13 방수법에 관한 설명으로 옳지 않은 것은?

① 바깥방수는 비교적 수압이 높은 지하실에 적합하다.
② 시트 방수는 아스팔트 방수보다 방수능력이 우수하고 공기가 짧다.
③ 아스팔트방수는 완전 건조 상태에서 시공해야 하므로 강우 시에는 시공을 하지 않는다.
④ 안방수는 공사시기가 본공사에 선행되어야 한다.
⑤ 아스팔트 방수는 다층방식으로 방수층의 균열 발견이 어렵다.

키워드 방수공사의 재료별, 시공부위별 분류
풀이 안방수는 공사시기를 자유로이 선택할 수 있으며, 방수공사와 관계없이 본공사를 추진할 수 있다.
이론+ 안방수와 바깥방수의 비교

구분	안방수	바깥방수
수압	수압이 작고 얕은 지하실	수압이 크고 깊은 지하실
바탕 만들기	따로 만들 필요 없음	따로 만들어야 함
공사시기	자유로이 선택	구조체 공사에 선행 (외벽은 구조체 공사 후 실시)
공사 및 보수 용이성	용이함	어려움
경제성	비교적 쌈	비교적 고가
보호누름	절대 필요	없어도 무방(외벽은 필요)

정답 ④

14 시공 개소별 방수층 구조에 관한 설명으로 옳지 않은 것은?

① 지하실에 있어서 안방수는 비교적 수압이 적은 소규모 지하실에 적당하다.
② 드라이 에어리어(Dry Area)는 지하층의 간접방수 및 채광, 통풍, 환기 등의 목적에 사용된다.
③ 옥상방수에서 배수구 주위는 배수가 잘 되도록 물흘림 경사를 둔다.
④ 아스팔트 방수는 지하실의 안방수, 바깥방수 어느 쪽이라도 보호층이 필요하다.
⑤ 시멘트 모르타르 방수는 온도차가 적은 습윤상태의 장소에 효과적이다.

키워드 방수공사의 재료별, 시공부위별 분류
풀이 바깥방수의 경우 보호누름은 없어도 무방하다.

정답 ④

15 방습자재 중 신축성 시트계에 해당하는 것을 모두 고른 것은?

> ㉠ 비닐 필름 방습지
> ㉡ 폴리에틸렌 방습층
> ㉢ 펠트, 아스팔트 필름 방습층
> ㉣ 보강된 플라스틱 필름 형태의 방습자재
> ㉤ 교착성이 있는 플라스틱 아스팔트 방습층
> ㉥ 방습층 테이프

① ㉠, ㉡, ㉢, ㉣
② ㉠, ㉡, ㉤, ㉥
③ ㉠, ㉢, ㉤, ㉥
④ ㉡, ㉢, ㉣, ㉤
⑤ ㉢, ㉣, ㉤, ㉥

키워드 신축성 시트계 방습재료
풀이 ㉢, ㉣ 박판시트계 방습재료이다.
이론+ 방습재료

종류	내용
박판시트계 방습재료	종이 적층 방습재료, 적층된 플라스틱 또는 종이 방습재료, 펠트 및 아스팔트 필름 방습층, 플라스틱 금속박 방습재료, 금속박과 종이로 된 방습재료, 금속박과 비닐직물로 된 방습재료, 금속과 크라프트지로 된 방습재료, 보강된 플라스틱 필름 형태의 방습재료 등이 있다.
아스팔트계 방습재료	아스팔트 방수공사에서 정하는 품질 이상의 것으로 한다.
시멘트 모르타르계 방습재료	시멘트 액체 방수공사에서 정하는 품질 이상의 것으로 한다.
신축성 시트계 방습재료	비닐필름 방습지, 폴리에틸렌 방습층, 교착성이 있는 플라스틱 아스팔트 방습층, 방습층 테이프 등이 있다.

정답 ②

16 방습공사에 관한 설명으로 옳지 않은 것은?

① 아스팔트 펠트, 아스팔트 루핑 등의 너비는 벽체 등의 두께보다 15mm 내외로 좁게 하고, 직선으로 잘라 쓴다.
② 방수 모르타르의 바름두께 및 횟수는 정한 바가 없을 때 두께 15mm 내외의 1회 바름으로 한다.
③ 외부 표면에는 피치나 아스팔트 방습재 중의 어느 하나를 사용하도록 하고, 실내 표면에는 피치만을 사용하도록 한다.
④ 콘크리트, 블록, 벽돌 등의 벽체가 지면에 접하는 곳은 지상 100~200mm 내외 위에 수평으로 방수 모르타르 바름의 방습층을 설치한다.
⑤ 수직 방습공사는 벽을 따라 지표면부터 기초의 윗부분까지 연장하고, 기초 윗부분에는 최소한 150mm 정도 기초의 외면까지 돌려 덮는다.

키워드 방습시공
풀이 외부 표면에는 피치나 아스팔트 방습재 중의 어느 하나를 사용하도록 하고, 실내 표면에는 아스팔트만을 사용하도록 한다.

정답 ③

17 각종 방습층에 적용되는 공법에 관한 설명으로 옳지 않은 것은?

① 아스팔트 펠트, 아스팔트 루핑 등의 방습층은 밑바탕 면을 경사지고 거칠게 바르고 아스팔트로 교착하여 댄다.
② 비닐지의 방습층은 지정하는 품질과 두께가 있는 재료를 시공하고, 교착제는 동종의 비닐수지계 교착제 또는 아스팔트를 사용한다.
③ 금속판의 방습층은 지정하는 품질과 두께가 있는 재료를 시공하고, 이음은 거멀접기 납땜하거나 겹치고 수밀도장 또는 수밀 교착법으로 한다.
④ 아스팔트 펠트, 아스팔트 루핑 등의 방습층에서 아스팔트 펠트나 루핑 등의 이음은 100mm 이상 겹쳐 아스팔트로 교착한다.
⑤ 아스팔트계 방습공사에서 외벽 표면의 가열 아스팔트 방습은 보통 지표면 아래 구조벽에 사용되고, 바탕면에 거품이 생길 경우에는 가열 아스팔트를 사용하지 않는다.

키워드 방습공사 시공법
풀이 아스팔트 펠트, 아스팔트 루핑 등의 방습층은 밑바탕 면을 수평지게 평탄히 바르고 아스팔트로 교착하여 댄다.

정답 ①

CHAPTER 07 지붕 및 홈통공사

▶ **연계학습** | 에듀윌 기본서 1차 [공동주택시설개론 上] p.345

대표기출

지붕경사에 관한 설명으로 옳은 것은? 제28회

① 지붕경사란 수직방향의 높이에 대한 수평방향 길이의 비이다.
② 평지붕이란 지붕의 경사가 1/5 이하인 지붕이다.
③ 완경사지붕이란 경사가 1/7~1/4 미만인 지붕이다.
④ 일반경사지붕이란 경사가 1/4~3/4 미만인 지붕이다.
⑤ 급경사지붕이란 경사가 3/5 이상인 지붕이다.

키워드 지붕의 경사
풀이 ① 지붕경사란 수평방향 길이에 대한 수직방향 높이의 비이다.
② 평지붕이란 지붕의 경사가 1/6 이하인 지붕이다.
③ 완경사지붕이란 경사가 1/6~1/4 미만인 지붕이다.
⑤ 급경사지붕이란 경사가 3/4 이상인 지붕이다.

정답 ④

---

01 지붕 재료의 요구조건으로 볼 수 없는 것은?

① 모양 및 빛깔이 좋아 건물과 조화되어 미관이 수려해야 한다.
② 흡수율이 작아 동해를 받지 않고 외력에 저항성이 커야 한다.
③ 수밀성 및 내수성, 내풍성, 내후성, 내구성이 커야 한다.
④ 경량 불연재로 열전도율이 커서 방화적·내화적이며 차단성이 커야 한다.
⑤ 온도 및 습도에 대한 저항성이 커서 신축 및 팽창이 작아야 한다.

키워드 지붕재료의 요구사항
풀이 경량 불연재로 열전도율이 작아 방화적·내화적이며 차단성이 커야 한다.

정답 ④

02 지붕경사가 1/50일 때 적당한 지붕구조는 다음 중 어느 것인가?

① 금속기와
② 아스팔트 싱글
③ 기와지붕
④ 아스팔트 지붕
⑤ 평잇기 금속지붕

키워드 재료별 지붕의 물매
풀이 ① 금속기와는 1/4 이상, ② 아스팔트 싱글, ③ 기와지붕은 1/3 이상, ⑤ 평잇기 금속지붕은 1/2 이상이다.
이론+ 물매의 최소한도

지붕구조	물매
합성고분자시트 지붕, 아스팔트 지붕, 폼 스프레이 단열 지붕	1/50 이상
금속기와, 금속판지붕, 금속절판	1/4 이상
기와지붕, 아스팔트 싱글	1/3 이상
평잇기 금속지붕	1/2 이상

정답 ④

03 다음은 지붕의 경사(물매)에 관한 설명이다. ( )에 들어갈 내용으로 옳은 것은?

- (㉠)물매는 지붕경사 45도를 초과하는 물매이다.
- 급경사 지붕은 지붕의 경사가 (㉡) 이상인 지붕이다.
- 평지붕은 지붕의 경사가 (㉢) 이하인 지붕이다.

	㉠	㉡	㉢
①	되	2/3	1/4
②	된	3/4	1/3
③	간	2/3	1/4
④	귀	3/4	1/6
⑤	된	3/4	1/6

키워드 지붕의 경사
풀이
- (㉠ 된)물매는 지붕경사 45도를 초과하는 물매이다.
- 급경사 지붕은 지붕의 경사가 (㉡ 3/4) 이상인 지붕이다.
- 평지붕은 지붕의 경사가 (㉢ 1/6) 이하인 지붕이다.

정답 ⑤

04 지붕공사에 관한 설명으로 옳지 않은 것은?

① 지붕재료는 열전도율이 작은 것일수록 좋은 품질이다.
② 기와지붕의 기울기는 1/3 이상으로 한다.
③ 되물매는 지붕경사 45도의 물매이다.
④ 지붕의 기울기는 지붕의 형태, 재료의 성질 및 강우량 등에 의해 결정된다.
⑤ 아스팔트 싱글공사에서 못은 싱글의 모서리로부터 50mm 지점에 위치되도록 하고, 못의 사용량은 싱글의 형태에 관계없이 싱글 한 장에 2개씩 사용한다.

키워드 지붕공사 개요
풀이 아스팔트 싱글공사에서 못은 싱글의 모서리로부터 50mm 지점에 위치되도록 하고, 못의 사용량은 싱글의 형태에 관계없이 싱글 한 장에 4개씩 사용한다.

정답 ⑤

05 금속판 지붕공사에 관한 설명으로 옳지 않은 것은?

① 동판은 산과 알칼리성에 약하므로 화장실 등의 암모니아가 발생하는 곳에는 사용하지 않는다.
② 아연판은 산과 알칼리성에 약하여 매연과 해풍에 부식되기 쉽다.
③ 함석판은 아연 도금한 강판으로 산에 약하고, 구공탄 가스(일산화탄소)에 약한 단점이 있다.
④ 알루미늄판은 염에 약해 해안지방에서는 부적합하다.
⑤ 연(납)판은 산에 대한 내구성은 크지만, 온도에 대한 신축성이 크고, 목재·회반죽과 접촉하면 부식이 발생한다.

키워드 금속판 지붕
풀이 동판은 산에는 강하나, 알칼리성에 약하므로 화장실 등의 암모니아가 발생하는 곳에는 사용하지 않는다.

정답 ①

06 홈통공사에 관한 설명으로 옳지 않은 것은?

① 낙수받이돌은 선홈통에서 내려오는 우수를 받아 처리함으로써 선홈통에서 직접 지면에 빗물이 떨어질 경우 지면이 움푹 패일 수 있는 것을 방지한다.
② 장식홈통은 선홈통 상부에 설치되어 우수방향을 돌리며, 장식적인 역할을 한다.
③ 처마홈통의 이음부는 겹침부분이 최소 20mm 이상으로 제작한다.
④ 선홈통 하부는 건물의 외부방향으로 물이 배출되도록 바깥으로 꺾어 마감하는 것이 통상적이다.
⑤ 처마홈통 연결관과 선홈통 연결부의 겹침길이는 최소 100mm 이상이 되도록 한다.

키워드 홈통 시공
풀이 처마홈통의 이음부는 겹침부분이 최소 30mm 이상으로 제작한다.
이론+ 홈통

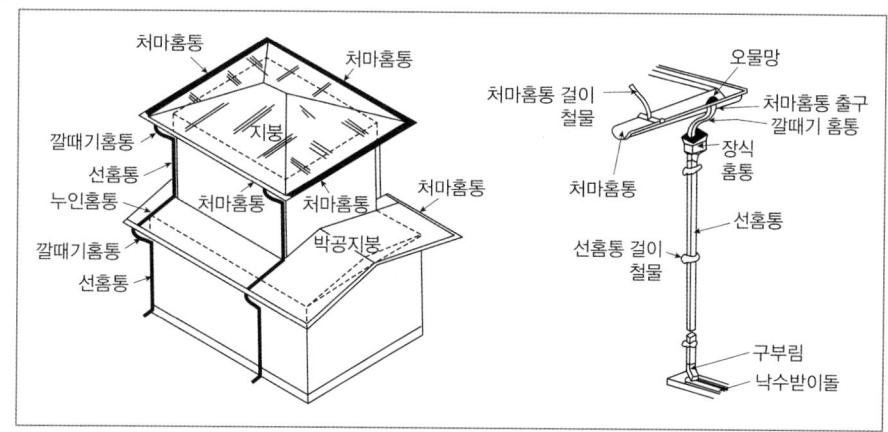

정답 ③

07 홈통공사에 관한 설명으로 옳지 않은 것은?

① 선홈통은 처마 끝에 수평으로 설치하여 빗물을 받는 홈통을 말한다.
② 우수흐름순서는 처마홈통 ⇨ 깔때기홈통 ⇨ 장식홈통 ⇨ 선홈통 순이다.
③ 선홈통과 벽면 사이에 이격거리는 최소 30mm 이상의 간격을 유지한다.
④ 처마홈통의 외단부의 높이는 처마 쪽 처마홈통의 높이보다 최소 25mm 또는 처마홈통 최대 폭의 1/12 중 큰 치수 이상으로 높이가 낮게 제작한다.
⑤ 장식홈통은 깔때기홈통과 선홈통 사이에 설치하여 장식적으로 연결하는 홈통으로 우수흐름 전환, 장식역할 등을 위해 설치한다.

키워드 홈통공사 일반사항
풀이 처마홈통은 처마 끝에 수평으로 설치하여 빗물을 받는 홈통을 말한다.

정답 ①

08 지붕 및 홈통공사에 관한 내용으로 옳은 것은?

① 지붕재료 한 개의 크기가 클수록 물매는 크게 한다.
② 아스팔트 지붕에 사용되는 두루마리 형태의 제품은 반드시 수평으로 세워서 보관한다.
③ 위(상부)층 선홈통의 빗물을 받아 아래(하부)층 지붕의 처마홈통이나 선홈통에 넘겨주는 홈통을 수평지붕골홈통이라고 한다.
④ 처마 쪽 처마홈통의 높이는 처마홈통의 외단부의 높이보다 최소 25mm 또는 처마홈통 최대 폭의 1/12 중 큰 치수 이상으로 높이가 높게 제작한다.
⑤ 처마홈통 연결관과 선홈통 연결부의 겹침길이는 최소 30mm 이상이 되도록 한다.

키워드 지붕공사와 홈통공사
풀이 ① 지붕재료 한 개의 크기가 클수록 물매는 작게 한다.
② 아스팔트 지붕에 사용되는 두루마리 형태의 제품은 반드시 수직으로 세워서 보관한다.
③ 위(상부)층 선홈통의 빗물을 받아 아래(하부)층 지붕의 처마홈통이나 선홈통에 넘겨주는 홈통을 누인홈통이라고 하며, 지붕면과 벽면이 만나는 홈통을 수평지붕골이라고 한다.
⑤ 처마홈통 연결관과 선홈통 연결부의 겹침길이는 최소 100mm 이상이 되도록 한다.

정답 ④

CHAPTER 08 창호 및 유리공사

▶ **연계학습** | 에듀윌 기본서 1차 [공동주택시설개론 上] p.363

대표기출

01 목재 창호공사에 관한 설명으로 옳지 않은 것은? 제28회

① 수장용 집성재의 두께 및 너비에 대한 치수의 허용치는 ±2.0mm 이하이다.
② 창호철물류의 설치에서 모서리의 앵커간격은 150mm 내외, 중앙의 앵커간격은 500mm 내외로 한다.
③ 문틀은 위틀, 선틀, 밑틀 등으로 구성되며 고창 및 옆문 등이 있을 때에는 중간틀, 중간선틀이 추가로 구성된다.
④ 합판, 집성재가 아닌 목재의 건조 정도에 따른 함수율은 설계도서에 정한 바가 없는 경우에 18% 이하로 한다.
⑤ 풍소란은 방풍을 목적으로 미서기 창호의 마중대에 턱솔 등을 두어 서로 접하는 부분에 틈새가 발생하지 않도록 하는 것이다.

키워드 창호공사
풀이 수장용 집성재의 두께 및 너비에 대한 치수의 허용치는 ±1.0mm 이하이다.
이론+ 문틀의 구성

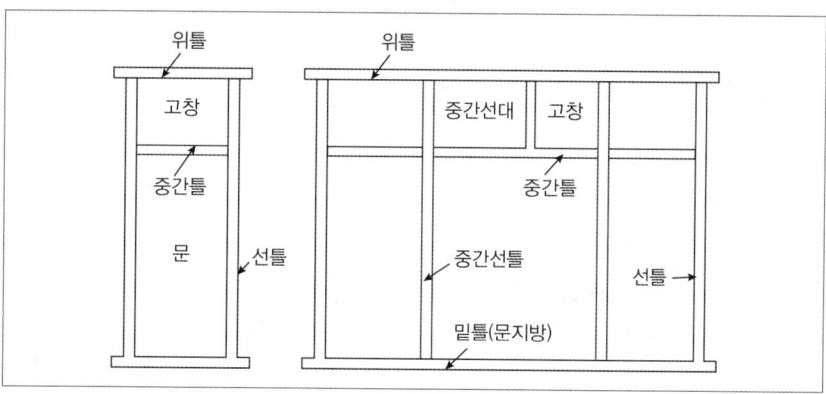

정답 ①

02 유리공사에 관한 설명으로 옳지 않은 것은? 제28회

① 4℃ 미만에서 실란트 시공 시, 피접착 표면은 반드시 용제로 닦은 후 마른 걸레로 닦아내고 담당원의 승인을 받은 후 시공해야 한다.
② 복층유리는 20매 이상 겹쳐서 적치하여서는 안 된다.
③ 배수구멍(Weep Hole)은 일반적으로 직경 5mm 이상, 2개 이상으로 한다.
④ 실란트 작업은 상대습도가 90% 이상이면 작업을 하여서는 안 된다.
⑤ 세팅블록은 유리 폭의 1/3지점에 각각 1개씩 설치하여 유리의 하단부가 하부 프레임에 닿지 않도록 한다.

키워드 유리공사
풀이 세팅블록은 유리 폭의 1/4지점에 각각 1개씩 설치하여 유리의 하단부가 하부 프레임에 닿지 않도록 한다.

정답 ⑤

---

01 창호에 사용되는 용어 설명으로 중 옳지 않은 것은?

① 박배는 창문을 돌쩌귀나 경첩을 이용하여 창문틀에 다는 작업을 말한다.
② 풍소란은 유리끼우기에 사용되는 탄성재로 방수성, 기밀성을 갖는 밀봉재를 말한다.
③ 멀리온은 창면적이 클 때, 창의 보강 및 미관을 목적으로 사용하는 보강재를 말한다.
④ 여밈대는 미서기, 오르내리기창이 서로 여며지는 선대를 말한다.
⑤ 마중대는 미닫이, 여닫이 문짝이 서로 맞닿는 선대를 말한다.

키워드 창호 용어
풀이 풍소란은 마중대와 여밈대가 서로 접하는 부분의 틈새에 댄 바람막이로 방풍을 목적으로 사용된다. 유리끼우기에 사용되는 탄성재로 방수성, 기밀성을 갖는 밀봉재는 개스킷이라고 한다.

이론 +

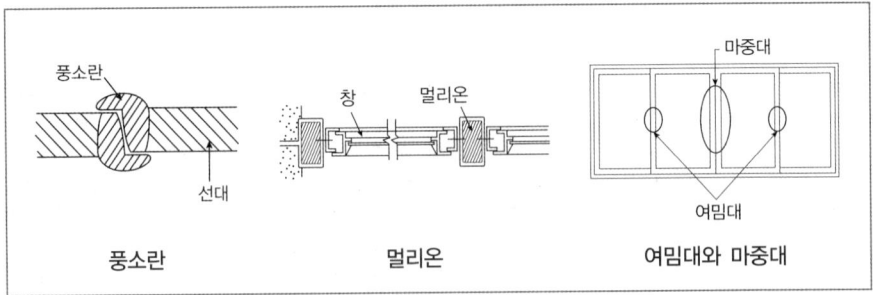

풍소란 　　　　멀리온 　　　　여밈대와 마중대

정답 ②

02 창호에 관한 설명으로 옳지 않은 것은?

① 여닫이창호는 창호의 한 쪽에 경첩 등을 선틀 또는 기둥에 달아 한쪽으로 여닫게 한 것이다.
② 미닫이창호는 창호받이재에 홈을 한 줄 파거나 레일을 붙여 문을 이중벽 속 등에 밀어 넣은 것이다.
③ 오르내리창은 수평 홈에 문을 달아 좌우로 슬라이딩시키는 창으로 추를 매달아 균형을 유지한다.
④ 회전문은 통풍, 기류를 방지하고 출입인원을 조절하는 목적으로 사용한다.
⑤ 접문은 여러 장의 문을 경첩으로 연결하고 큰 방을 분할하거나 전체를 개방할 때 사용한다.

키워드 개폐방식에 의한 창호의 분류
풀이 오르내리창은 수직 홈에 문을 달아 상하로 슬라이딩시키는 창으로 추를 매달아 균형을 유지한다.
이론+ 창호의 개폐 기호

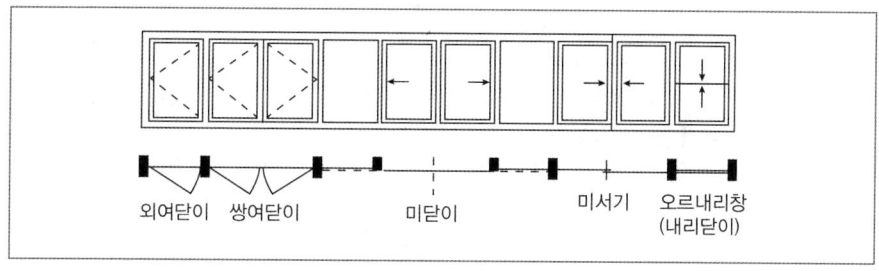

정답 ③

03 창호의 분류 중 각각의 특징을 설명한 것으로 옳은 것은?

① 미닫이문은 홈을 두 줄 파서 문 두 짝을 달고 문 한 짝을 다른 한 짝 옆에 밀어 붙이게 된 것이다.
② 접문은 여러 개의 문짝을 경첩을 이용하여 연결하고 문 위틀에 도어체크를 설치하여 접을 수 있도록 한 문이다.
③ 플러시문은 울거미를 짜고 그 안쪽에 얇고 넓은 살을 약 3cm 간격, 45° 방향으로 빗대어 댄 것으로 차양과 통풍을 목적으로 한다.
④ 아코디언 도어는 넓은 방을 필요에 따라 나누어 막기 위하여 만든 커튼이나 병풍 모양의 문으로 방화용으로 활용한다.
⑤ 자재문은 여닫이문의 일종으로 안팎으로 자유롭게 여닫을 수 있게 한 문으로 손잡이가 없으며 자유경첩 또는 플로어 힌지를 사용한다.

키워드 창호의 분류

풀이 ① 미닫이문은 문짝을 상하 문틀에 홈을 파서 끼우고, 옆벽에 문짝을 몰아붙이거나 이중벽 중간에 몰아넣는 식의 문으로, 홈을 두 줄 파서 문 두 짝을 달고 문 한 짝을 다른 한 짝 옆에 밀어 붙이게 된 것은 미서기문이다.
② 접문은 여러 개의 문짝을 경첩을 이용하여 연결하고 문 위틀에 도르래나 도어행거를 설치하여 접을 수 있도록 한 문이다.
③ 플러시문은 울거미를 짜고 중간 살은 간격 25cm 이내로 배치하여 양면에 합판을 교착한 것을 말하고, 울거미를 짜고 그 안쪽에 얇고 넓은 살을 약 3cm 간격, 45° 방향으로 빗대어 댄 것으로 차양과 통풍을 목적으로 한 것은 비늘살문이다.
④ 아코디언 도어는 넓은 방을 필요에 따라 나누어 막기 위하여 만든 커튼이나 병풍 모양의 문으로 칸막이용으로 활용한다.

정답 ⑤

04 창호철물에 관한 설명으로 옳지 않은 것은?

① 플로어힌지(Floor Hinge)란 바닥지도리라고도 하며 한쪽에서 열면 저절로 닫혀지는 장치이다.
② 도어체크(Door Check)는 열려진 여닫이문이 저절로 닫혀지게 하는 장치이다.
③ 피봇힌지(Pivot Hinge)란 열려진 문을 버티어 고정하는 개폐조정기이다.
④ 창개폐조정기(Sash Adjuster)는 여닫이창을 열어 젖혔을 때 문짝이 바람에 의하여 움직이지 않게 조정하는 장치이다.
⑤ 도어스톱(Door Stop)은 열려진 문을 받쳐서 벽과 문의 충돌을 방지하기 위한 장치이다.

> **키워드** 창호철물
> **풀이** 피봇힌지는 암돌쩌귀와 숫돌쩌귀를 서로 끼워 회전하여 여닫게 한 장치이고, 열려진 문을 버티어 고정하는 개폐조정기는 문버팀쇠(Door Stay)이다.
>
> 정답 ③

05 창호공사에 사용되는 철물의 용도에 관한 설명으로 옳지 않은 것은?

① 자유경첩(Spring Hinge)은 창호를 안팎으로 자유로이 여닫을 수 있게 하는 철물이다.
② 레버토리힌지(Lavatory Hinge)는 열려진 문이 자동으로 닫힐 때 완전히 닫히지 않고 조금 열려 있게 하는 철물이다.
③ 도어체크(Door Check)는 문을 열 때 벽과 문의 충돌을 방지하기 위하여 벽이나 문에 부착하는 철물이다.
④ 크레센트(Crecent)는 미서기창 또는 오르내리창의 잠금용 철물이다.
⑤ 플로어힌지(Floor Hinge)는 보통 경첩으로 지지하기 곤란한 무거운 문을 자동으로 닫히게 하는 철물이다.

> **키워드** 창호철물
> **풀이** 도어체크(Door Check), 도어클로저(Door Closer)는 열려진 여닫이문이 자동으로 닫히게 하는 장치이고, 도어스톱(Door Stop)은 열려진 문을 받아 충돌에 의한 벽의 파손을 보호하는 장치로 벽용과 바닥용이 있다.
>
> 정답 ③

06 유리종류별 특징에 관한 설명으로 옳지 않은 것은?

① 망입유리는 유리 내부에 금속망(철, 놋쇠, 알루미늄 망 등)을 삽입, 압축 성형한 유리를 말한다.
② 스팬드럴유리는 판유리의 한쪽 면에 세라믹 컬러를 도포하고 열처리하여 만든 불투명의 강화유리이다.
③ 복층유리는 2장 또는 3장의 판유리를 밀실하게 접합하고 기밀하게 금속테두리를 한 유리이다.
④ 로이유리는 외부의 열에너지를 최소화시켜 겨울철에는 건물 내의 장파장의 열선을 실내로 재반사시켜 보온성능을 증대시킨다.
⑤ 유리블록은 속이 빈 사각형, 원형모양의 유리 두 개를 잘 맞추어 저압공기를 넣어 녹인 물유리를 접착제로 양면은 모르타르가 잘 부착하도록 합성수지 풀로 돌가루를 붙여 고온에서 용착시켜 일체로 만든 것이다.

> **키워드** 유리의 종류
> **풀이** 복층유리는 2장 또는 3장의 판유리를 일정한 간격으로 겹치고 기밀하게 금속테두리를 한 다음 유리 사이의 내부에 공기를 봉입한 유리이다.
>
> 정답 ③

07 안전유리이면서 현장에서 가공이 불가능한 유리에 해당되는 것은?

① 망입유리   ② 복층유리
③ 접합유리   ④ 강화유리
⑤ 유리블록

> **키워드** 안전유리
> **풀이** 안전유리에는 망입유리, 강화유리, 접합유리가 있으며, 현장에서 가공이 불가능한 유리에는 강화유리, 복층유리, 유리블록 등이 있다.
>
> 정답 ④

08 유리제품의 사용용도 및 특징을 옳게 연결하지 못한 것은?

① 복층유리 – 단열, 방음, 결로방지
② 강화유리 – 무테문
③ 망입유리 – 방화용, 방도용
④ 유리블록 – 계단실 채광용
⑤ 자외선차단유리 – 온실, 요양소

> **키워드** 유리의 종류
> **풀이** 자외선차단유리는 물질의 노화와 변색을 방지하기 위하여 사용하는 것으로 의류진열장, 박물관 진열장에 주로 사용된다.
>
> 정답 ⑤

09 유리 시공 시 주의사항에 관한 설명으로 옳지 않은 것은?

① 유리는 먼지가 끼지 않게 무늬가 돋은 면 또는 흐림 갈기면은 각각 실외에 두고 끼운다.
② 유리 이동 시 압착기를 사용하여야 하며, 단부 손상방지를 위해 지렛대로 유리를 들어 올리거나 옮기지 않는다.
③ 현장에 반입되는 모든 재료는 제조회사의 상표가 표기되어 있어야 하며, 목재상자, 팔레트로 운반해 온 유리는 그대로 보관한다.
④ 유리 끼우기 공사에서 내부유리는 내부 마감공사 직전에, 외부에 접한 유리는 미장공사 직전에 설치한다.
⑤ 유리의 보관은 시원하고 건조하며 그늘진 곳에 통풍이 잘되게 하고, 직사광선이나 비에 맞을 우려가 있는 곳은 피해야 한다.

> **키워드** 유리의 시공
> **풀이** 유리는 먼지가 끼지 않게 무늬가 돋은 면 또는 흐림 갈기면은 각각 실내에 두고 끼운다.
>
> 정답 ①

10 유리공사에 관한 설명으로 옳은 것은?

① 세팅블록은 실링 시공인 경우에 부재의 측면과 유리면 사이의 면 클리어런스 부위에 연속적으로 충전하여 유리를 고정하고 시일 타설 시 시일 받침 역할을 하는 부자재를 말한다.
② 로이유리는 판유리 한쪽 면에 열선반사를 위한 얇은 금속산화물 코팅막을 형성시켜 반사성능을 높인 유리로, 태양의 열선차단으로 냉방부하를 줄일 수 있다.
③ 유리 시공은 항상 4℃ 이상의 기온에서, 실란트 작업의 경우 상대습도 90% 이상에서 작업을 실시한다.
④ 복층유리는 20매 미만 겹쳐서 적치하여야 하며, 각각의 판유리 사이는 완충재를 두어 보관한다.
⑤ 창호의 배수구멍은 일반적으로 5mm 이상의 직경으로 1개 이상이어야 하며, 세팅블록은 유리폭의 1/4 지점에 각각 1개씩 설치하여 유리의 하단부가 하부 프레임에 닿지 않도록 해야 한다.

키워드 유리의 시공

풀이 ① 백업재는 실링 시공인 경우에 부재의 측면과 유리면 사이의 면 클리어런스 부위에 연속적으로 충전하여 유리를 고정하고 시일 타설 시 시일 받침 역할을 하는 부자재를 말한다.
② 열선반사유리는 판유리 한쪽 면에 열선반사를 위한 얇은 금속산화물 코팅막을 형성시켜 반사성능을 높인 유리로, 태양의 열선차단으로 냉방부하를 줄일 수 있다.
③ 유리 시공은 항상 4℃ 이상의 기온에서 시공하여야 하며, 실란트 작업의 경우 상대습도 90% 이상이면 작업을 하여서는 안 된다.
⑤ 창호의 배수구멍은 일반적으로 5mm 이상의 직경으로 2개 이상이어야 하며, 세팅블록은 유리폭의 1/4 지점에 각각 1개씩 설치하여 유리의 하단부가 하부 프레임에 닿지 않도록 해야 한다.

이론 + 세팅블록, 백업재, 개스킷 시공

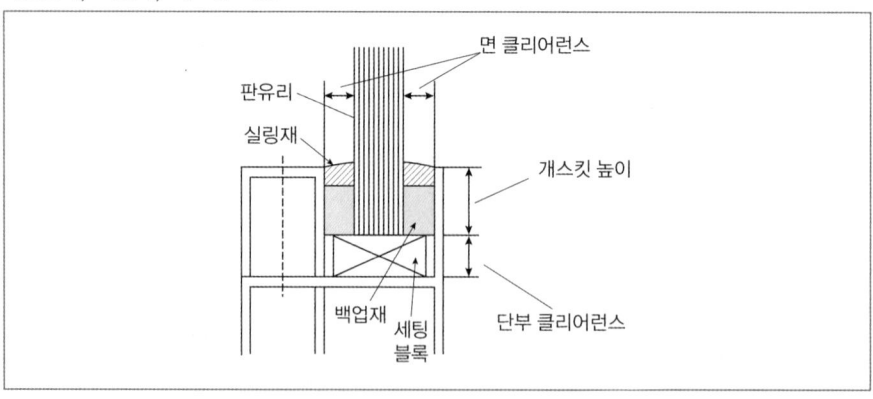

정답 ④

11 유리공사에 관한 일반적 설명으로 옳은 것은?

① 수직에서 15° 이상 기울기로 시공된 경사 유리는 풍하중에 의한 파손 확률이 1,000장당 1장을 초과하지 않아야 한다.
② 보통 창유리의 강도는 압축강도를 말한다.
③ 강화유리는 판유리를 연화점 이하의 온도에서 가열한 후 서냉하여 만든 유리이다.
④ 유리 이동 시 지렛대를 사용하여야 한다.
⑤ 목재상자, 팔레트가 없는 경우 벽, 바닥에 고무판, 나무판을 대고 유리를 눕혀서 보관한다.

키워드 유리의 시공

풀이 ② 보통 창유리의 강도는 휨강도를 말한다.
③ 강화유리는 판유리를 연화점(유리가 유동성 상태를 갖는 온도) 이상의 온도에서 가열한 후 급랭강화한 유리이며, 판유리를 연화점 이하의 온도에서 가열한 후 서냉하여 만든 유리는 배강도유리이다.
④ 유리 이동 시 압착기를 사용하여야 하며, 단부 손상방지를 위해 지렛대로 유리를 들어 올리거나 옮기지 않는다.
⑤ 목재상자, 팔레트가 없는 경우 벽, 바닥에 고무판, 나무판을 대고 유리를 세워서 보관한다.

정답 ①

CHAPTER 09 미장 및 타일공사

▶ **연계학습** | 에듀윌 기본서 1차 [공동주택시설개론 上] p.388

대표기출

01 미장공사에 관한 설명으로 옳지 않은 것은? 제28회

① 바름면의 흙손작업은 갈라지거나 들뜨는 것을 방지하기 위해 바름층이 굳기 전에 끝낸다.
② 압송뿜칠기계로 바름하는 두께가 20mm를 넘는 경우에 초벌, 정벌 2회로 나누어 뿜칠 바름을 한다.
③ 콘크리트바탕의 표면 경화 불량은 두께가 2mm 이하의 경우에 와이어 브러시 등으로 불량부분을 제거한다.
④ 미장바름 주변의 온도가 5℃ 이하일 때는 공사를 중단하거나 난방하여 5℃ 이상으로 유지한다.
⑤ 경석고 플라스터는 무수석고, 모래, 여물 등을 물에 혼합한 것으로 경화속도가 빠르고 수축이 거의 없다.

키워드 미장공사 시공
풀이 압송뿜칠기계로 바름하는 두께가 20mm를 넘는 경우에 초벌, 재벌, 정벌 3회로 나누어 뿜칠 바름을 한다.

정답 ②

02 타일공사의 보양 및 검사에 관한 설명으로 옳지 않은 것은? 제28회

① 접착력 시험은 타일 시공 후 3주 이상일 때 실시한다.
② 접착력 시험 결과의 판정은 인장부착강도가 0.39N/mm² 이상이어야 한다.
③ 일반건축물인 경우에 접착력 시험은 타일면적 200m²당 1장씩 시험한다.
④ 줄눈을 넣은 후 24시간 이내에 비가 올 우려가 있는 경우, 폴리에틸렌 필름 등으로 차단·보양한다.
⑤ 접착력 시험할 타일의 크기가 40mm 미만인 경우, 타일 4매를 1개조로 하여 부속장치에 붙여 시험한다.

> **키워드** 타일공사의 보양 및 검사
> **풀이** 접착력 시험은 타일 시공 후 4주 이상일 때 실시한다.
>
> 정답 ①

01 미장재료 및 시공방법에 관한 설명으로 옳은 것은?

① 바탕을 거칠게 하고 모르타르를 한 번에 두껍게 발라 접착력을 높이는 것이 좋다.
② 콘크리트 바탕은 이물질이 없도록 잘 청소하고, 부착력을 증가시키기 위해서 완전히 굳기 전에 초벌바름을 시작한다.
③ 벽, 기둥 등의 모서리를 보호하기 위하여 보호용 철물인 논슬립을 사용한다.
④ 개구부 주변의 바탕 면에는 메탈라스를 설치하는 것이 좋다.
⑤ 상당히 긴 벽면의 미장면에는 신축줄눈을 설치하지 않는 것이 좋다.

> **키워드** 미장공사 시공 및 재료
> **풀이** ① 바탕을 거칠게 하고 모르타르를 얇게 여러 번 바르는 것이 들뜸현상이나 균열방지에 유리하다.
> ② 콘크리트 바탕은 잘 청소하고 충분히 건조시킨 후 초벌바름을 시작한다.
> ③ 벽, 기둥 등의 모서리를 보호하기 위하여 보호용 철물인 코너비드를 사용한다.
> ⑤ 상당히 긴 벽면의 미장면에는 신축줄눈을 설치하는 것이 좋다.
>
> 정답 ④

02 미장공사 시공 시 바름순서에 관한 설명으로 옳지 않은 것은?

① 위에서 아래로 시공한다.
② 실내 미장공사는 천장, 벽, 바닥 순으로 실시한다.
③ 벽과 수평으로 교차되는 밑벽을 먼저 바르고 처마 밑, 반자·차양 밑 등의 순으로 바르는 것이 원칙이다.
④ 천장돌림, 벽돌림 등의 규준이 되는 부분을 먼저 정확히 바른 후 천장, 벽면 등의 넓은 면을 바르는 순으로 한다.
⑤ 외벽 미장공사는 옥상난간에서부터 지층으로 시공한다.

> **키워드** 미장공사 시공
> **풀이** 벽과 수평으로 교차되는 처마 밑, 반자·차양 밑 등을 먼저 바르고 그 밑벽의 순으로 바르는 것이 원칙이다.
>
> 정답 ③

03 미장공사와 관련된 용어정의로 옳지 않은 것은?

① 건비빔: 혼합한 미장재료에 아직 반죽용 물을 섞지 않은 상태
② 결합재: 시멘트, 플라스터, 소석회, 벽토, 합성수지 등으로서, 잔골재, 종석, 흙, 섬유 등 다른 미장재료를 결합하여 경화시키는 재료
③ 손질바름: 바름두께 또는 마감두께가 두꺼울 때 혹은 요철이 심할 때 적정한 바름두께 또는 마감두께가 될 수 있도록 초벌 바름 위에 발라 붙여주는 것 또는 그 바름층
④ 눈먹임: 인조석 갈기 또는 테라조 현장갈기의 갈아내기 공정에 있어서 작업면의 종석이 빠져나간 구멍 부분 및 기포를 메우기 위해 그 배합에서 종석을 제외하고 반죽한 것을 작업면에 발라 밀어 넣어 채우는 것
⑤ 덧먹임: 바르기의 접합부 또는 균열의 틈새, 구멍 등에 반죽된 재료를 밀어 넣어 때워주는 것

키워드 미장공사 용어
풀이 손질바름은 콘크리트, 콘크리트 블록 바탕에서 초벌바름하기 전에 마감두께를 균등하게 할 목적으로 모르타르 등으로 미리 요철을 조정하는 것을 말하며, 바름두께 또는 마감두께가 두꺼울 때 혹은 요철이 심할 때 적정한 바름두께 또는 마감두께가 될 수 있도록 초벌 바름 위에 발라 붙여주는 것 또는 그 바름층은 고름질이다.

정답 ③

04 미장공사에 관한 설명으로 옳지 않은 것은?

① 바름면의 오염방지와 조기건조를 위해 통풍 및 일조량을 확보한다.
② 미장 바름작업 전에 근접한 다른 부재나 마감면 등은 오염되지 않도록 적절히 보양한다.
③ 미장 바름 주변의 온도가 5℃ 이하일 때에는 원칙적으로 공사를 중단하거나 난방을 하여 5℃ 이상으로 유지한다.
④ 시멘트 모르타르 바름공사에서 초벌바름의 바탕두께가 너무 두껍거나 얼룩이 심할 때는 고름질을 한다.
⑤ 바람 등에 의하여 작업장소에 먼지가 날려 작업면에 부착될 우려가 있는 경우는 방풍조치를 한다.

키워드 미장공사 시공
풀이 바름면의 오염방지 외에 조기건조를 방지하기 위해 통풍이나 일조를 피할 수 있도록 한다.

정답 ①

05 석고 플라스터 바름에 관한 설명으로 옳지 않은 것은?

① 바름 작업이 끝난 후 실내를 밀폐하지 않고 가열과 동시에 환기하여 바름면이 서서히 건조되도록 한다.
② 실내온도가 10℃ 이하일 때는 공사를 중단한다.
③ 미장재료 중 경화속도가 가장 빠르고 팽창성이 있으며, 경화된 것은 사용치 않는다.
④ 바름 작업 중에는 될 수 있는 한 통풍을 방지한다.
⑤ 석고 플라스터에 시멘트, 소석회, 돌로마이트 플라스터 등을 혼합하여 사용하면 안 된다.

> 키워드 석고 플라스터 바름
> 풀이 실내온도가 5℃ 이하일 때는 공사를 중지하고, 보온장치를 설치하여 5℃ 이상으로 유지하도록 한다.
> 정답 ②

06 미장재료 및 시공방법에 관한 설명으로 옳지 않은 것은?

① 수경성 재료는 경화과정에 물이 필요한 재료로서 시멘트 모르타르, 석고 플라스터 등이 있다.
② 바탕을 거칠게 하고 모르타르를 한 번에 두껍게 발라 접착력을 높이는 것이 좋다.
③ 벽, 기둥 등의 모서리를 보호하기 위하여 보호용 철물인 코너비드를 사용한다.
④ 실내미장은 천장 ⇨ 벽 ⇨ 바닥의 순서로 하고, 실외미장은 옥상난간 ⇨ 지상층의 순서로 한다.
⑤ 석고 플라스터는 회반죽에 비하여 경화가 빠르고 단단하다.

> 키워드 미장재료별 바름공법
> 풀이 모르타르를 한번에 두껍게 바르면 균열이 발생할 수 있으므로 얇게 여러 번(초벌, 재벌, 정벌) 발라야 한다.
> 정답 ②

07 미장공사에 관한 설명으로 옳은 것은?

① 코너비드는 계단의 디딤판 끝부분의 보강 및 미끄러지지 않도록 하는 철물이다.
② 압송뿜칠기계에 사용하는 재료의 비빔은 반드시 손비빔으로 한다.
③ 천장돌림, 벽돌림 등의 규준이 되는 부분을 먼저 정확히 바른 후 천장, 벽면 등의 넓은 면을 바르는 순으로 한다.
④ 바름두께는 바탕의 표면부터 측정하는 것으로서, 라스 먹임의 바름두께를 포함한다.
⑤ 상당히 긴 벽면의 미장면에는 미관상 신축줄눈을 설치하지 않는 것이 좋다.

키워드 미장공사 시공
풀이 ① 논슬립은 계단의 디딤판 끝부분의 보강 및 미끄러지지 않도록 하는 철물이다.
② 압송뿜칠기계에 사용하는 재료의 비빔은 반드시 기계비빔으로 한다.
④ 바름두께는 바탕의 표면부터 측정하는 것으로서, 라스 먹임의 바름두께를 포함하지 않는다.
⑤ 상당히 긴 벽면의 미장면에는 신축줄눈을 설치하는 것이 좋다.

정답 ③

08 시멘트 모르타르 시공에 관한 설명으로 옳지 않은 것은?

① 바닥과 외벽면은 24mm, 내벽면은 18mm, 천장과 차양은 15mm 이하로 바른다.
② 천장은 탈락을 피하기 위해 가급적 두껍게 눌러 바른다.
③ 셀프레벨링 바닥공사는 시공을 하기 전에 미리 틈을 실링처리하여야 하며, 셀프레벨링재가 바닥에 설치된 후 통풍을 방지하여야 한다.
④ 얇게 여러 번 바르는 것이 한번에 두껍게 바르는 것보다 좋다.
⑤ 급격한 통풍과 건조를 피한다.

키워드 시멘트 모르타르 바름
풀이 천장은 탈락을 피하기 위해 가급적 얇게 바른다.

정답 ②

09 미장공사에서 단열 모르타르 바름에 관한 설명으로 옳지 않은 것은?

① 보강재로 사용되는 유리섬유는 내알칼리 처리된 제품이어야 한다.
② 초벌바름은 10mm 이하의 두께로, 기포가 생기지 않도록 바른다.
③ 보양기간은 별도의 지정이 없는 경우는 7일 이상 자연건조되도록 한다.
④ 재료의 저장은 바닥에서 150mm 이상 띄워서 수분에 젖지 않도록 보관한다.
⑤ 지붕에 바탕단열층으로 초벌바름할 경우에는 신축줄눈을 설치하지 않는다.

키워드 단열 모르타르 바름
풀이 지붕에 바탕단열층으로 초벌바름할 경우에는 신축줄눈을 설치한다.

정답 ⑤

10 미장 재료별 바름공법에 관한 설명으로 옳지 않은 것은?

① 온수온돌바닥 모르타르 바르기의 최종 미장은 미장기계나 쇠흙손을 사용하여 마감한다.
② 시멘트 모르타르 미장공사 시 재료의 배합은 마무리의 종류, 바름층 등에 따라 다르지만 원칙적으로 바탕에 가까운 바름층일수록 부배합으로 하고, 정벌바름에 가까울수록 빈배합으로 한다.
③ 시멘트 모르타르 바름의 모래는 시공성이 허용하는 한 거친 입자의 것을 사용한다.
④ 돌로마이트 플라스터 바름은 해초풀을 사용하여, 경화가 느리나 점도가 커서 시공이 용이하다.
⑤ 미장바탕면의 균열 발생을 억제하기 위해 메탈라스, 와이어라스 등을 사용한다.

키워드 미장재료별 바름공법
풀이 돌로마이트 플라스터 바름은 점성이 좋아 해초풀을 사용하지 않고, 경화가 느리나 점도가 커서 시공이 용이하다.

정답 ④

11 미장공사에 관한 설명으로 옳지 않은 것은?

① 미장두께는 바름층 전체의 두께를 말하며, 손질바름은 제외한다.
② 옥상바닥 등 신축에 대응할 목적으로 설치하는 플라스틱 줄눈대는 콘크리트나 시멘트 모르타르가 경화한 후 제거할 수 있는 구조로 된 것으로 한다.
③ 바름면의 오염방지 외에 조기건조를 방지하기 위해 통풍이나 일조를 피할 수 있도록 한다.
④ 단열 모르타르에 유리섬유, 부직포 등의 보강재를 사용할 경우에는 유리섬유는 내알칼리처리된 제품이어야 하며, 부직포는 난연처리된 제품이어야 한다.
⑤ 온돌바닥 모르타르 바르기의 최종 미장은 미장기계나 쇠흙손을 사용하여 마감한다.

키워드 미장공사 시공
풀이 마감두께는 바름층 전체의 두께를 말하며, 손질바름은 제외한다.

정답 ①

12 타일공사의 바탕처리 및 만들기에 관한 설명으로 옳지 않은 것은?

① 타일을 붙이기 전에 바탕의 들뜸, 균열 등을 검사하여 불량부분을 보수한다.
② 바닥면은 물고임이 없도록 구배를 유지하되 1/100을 넘지 않도록 한다.
③ 여름에 외장타일을 붙일 경우에는 부착력을 높이기 위해 바탕면을 충분히 건조시킨다.
④ 타일붙임 바탕의 건조상태에 따라 뿜칠 또는 솔을 사용하여 물을 골고루 뿌린다.
⑤ 흡수성이 있는 타일에는 제조업자의 시방에 따라 물을 축여 사용한다.

키워드 타일공사의 바탕 만들기 및 바탕처리
풀이 여름에 외장타일을 붙일 경우에는 부착력을 높이기 위해 바탕면을 충분히 물축임하여야 한다.

정답 ③

13 벽체의 타일공사에 관한 설명으로 옳지 않은 것은?

① 하절기에 외장타일을 붙일 경우 하루 전에 바탕면에 물을 충분히 적셔둔다.
② 치장줄눈은 타일을 붙인 후 바로 줄눈파기를 실시하고, 줄눈부분을 청소한다.
③ 타일의 치장줄눈은 세로줄눈을 먼저 시공하고, 가로줄눈은 위에서 아래로 마무리한다.
④ 창문선, 문선 등 개구부 둘레와 설비 기구류와의 마무리 줄눈 너비는 10mm 정도로 한다.
⑤ 타일은 충분한 뒷굽이 붙어 있는 것을 사용하고, 뒷면은 유약이 묻지 않고 거친 것을 사용한다.

키워드 타일 붙이기 일반사항
풀이 치장줄눈은 타일을 붙인 후 3시간이 경과한 다음 줄눈파기를 실시하고, 줄눈부분을 청소한다.

정답 ②

14 타일공사에 관한 설명으로 옳은 것은?

① 시유타일은 표면에 유약을 바른 타일로 외장용, 바닥용으로 사용된다.
② 내부에 사용되는 대형타일 줄눈 너비는 도면 또는 공사시방서에서 정한 바가 없을 때에는 10mm 정도로 한다.
③ 타일을 붙이고 1시간이 경과한 후 줄눈파기를 한다.
④ 외장공사에 주로 사용하는 접착붙이기는 합성수지 계통의 접착제를 바탕에 바르고 타일을 눌러 붙이는 공법이다.
⑤ 도기질 타일보다 자기질 타일이 흡수율이 낮고, 소성온도는 높다.

키워드 타일의 종류 및 타일공사
풀이 ① 시유타일은 표면에 유약을 바른 타일로 외장용으로 사용되지만, 바닥에는 사용하지 않는다.
② 내부에 사용되는 대형타일 줄눈 너비는 도면 또는 공사시방서에서 정한 바가 없을 때에는 5~6mm 정도로 한다.
③ 타일을 붙이고 3시간이 경과한 후 줄눈파기를 한다.
④ 내장공사에 주로 사용하는 접착붙이기는 합성수지 계통의 접착제를 바탕에 바르고 타일을 눌러 붙이는 공법이다.

정답 ⑤

15 타일의 동해방지를 위한 설명으로 옳지 않은 것은?

① 줄눈누름을 충분히 하여 빗물의 침투를 방지하고 타일 바름 밑바탕의 시공을 잘 한다.
② 타일은 흡수성이 높은 것일수록 모르타르가 잘 밀착되므로 동해방지에 대한 효과가 크다.
③ 도기질 타일보다는 자기질 타일을 사용한다.
④ 압착공법으로 시공할 경우 타일을 충분히 두드려 밀착시킨다.
⑤ 붙임용 모르타르의 배합비를 좋게 한다.

> 키워드 타일 붙이기 일반사항
> 풀이 흡수성이 높은 타일의 경우 수화반응의 진행이 원활하지 않아 동해의 우려가 있다.

정답 ②

16 타일공사에 관한 설명으로 옳지 않은 것은?

① 압착붙이기는 평탄하게 마무리한 바탕 모르타르면에 붙임 모르타르를 바르고, 타일 뒷면에도 붙임 모르타르를 발라 붙이는 방법이다.
② 여름에 외장타일을 붙일 경우에는 바탕면에 건조가 급격히 이루어지므로 물축임 후 시공한다.
③ 타일을 붙이기 전에 바탕의 들뜸, 균열 등을 검사하여 불량부분을 보수한다.
④ 떠붙이기는 타일 뒷면에 붙임 모르타르를 바르고 빈틈이 생기지 않게 바탕에 눌러 붙이는 방법으로 백화가 발생하기 쉽기 때문에 외장용으로는 사용하지 않는 것이 좋다.
⑤ 흡수율이 작은 자기질 타일은 외장 또는 바닥용으로 사용한다.

> 키워드 타일 붙임공법
> 풀이 개량압착붙이기는 평탄하게 마무리한 바탕 모르타르면에 붙임 모르타르를 바르고, 타일 뒷면에도 붙임 모르타르를 발라 붙이는 방법이다.

정답 ①

17 바탕면에 붙임 모르타르를 바르고 타일 뒷면에도 붙임 모르타르를 발라 눌러 붙이는 벽타일붙임공법은?

① 떠붙임공법
② 개량떠붙임공법
③ 압착공법
④ 개량압착공법
⑤ 동시줄눈붙이기

키워드 타일붙임공법

풀이 개량압착공법은 평탄하게 마무리한 바탕 모르타르면에 붙임 모르타르를 바르고, 타일 뒷면에도 붙임 모르타르를 발라 나무망치 등으로 두들겨 붙이는 방법이다.

이론+ 벽타일붙임공법

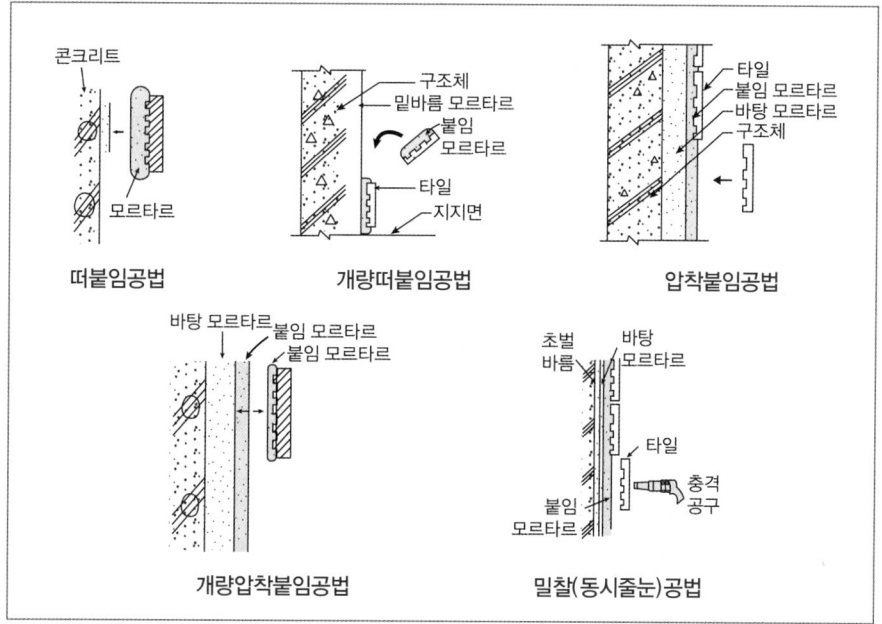

정답 ④

18 타일공사에 관한 설명으로 옳은 것은?

① 바닥용 타일은 유약을 바르지 않고, 재질은 자기질 또는 석기질로 한다.
② 모르타르 배합비는 연질타일은 1 : 2, 경질타일은 1 : 3 정도로 한다.
③ 벽체타일이 시공되는 경우, 벽체타일은 바닥타일을 먼저 붙인 후 시공한다.
④ 동시줄눈붙이기의 1회 붙임 면적은 $1.5m^2$ 이하로 하고, 붙임 시간은 30분 이내로 한다.
⑤ 줄눈넣기가 완료된 후 3일 동안은 바닥에 설치된 타일 위를 보행하거나 통행해서는 안 된다.

키워드 타일 붙임공법 및 검사
풀이 ② 모르타르 배합비는 연질타일은 1 : 3, 경질타일은 1 : 2 정도로 한다.
③ 벽체타일이 시공되는 경우, 바닥타일은 벽체타일을 먼저 붙인 후 시공한다.
④ 동시줄눈붙이기의 1회 붙임 면적은 $1.5m^2$ 이하로 하고, 붙임 시간은 20분 이내로 한다.
⑤ 줄눈넣기가 완료된 후 7일 동안은 바닥에 설치된 타일 위를 보행하거나 통행해서는 안 된다.

정답 ①

19 다음은 타일 접착력 시험에 관한 설명이다. ( )에 들어갈 내용으로 옳은 것은?

- 타일의 접착력 시험은 일반건축물의 경우 타일면적 $200m^2$당, 공동주택은 (㉠)호당 1호에 한 장씩 시험한다. 시험 위치는 담당원의 지시에 따른다.
- 시험은 타일 시공 후 (㉡)주 이상일 때 실시한다.
- 시험 결과의 판정은 타일 인장 부착강도가 (㉢)N/mm^2 이상이어야 한다.

	㉠	㉡	㉢
①	10	4	0.39
②	15	3	3.9
③	20	4	0.39
④	30	3	0.39
⑤	50	4	3.9

키워드 접착력 시험
풀이 • 타일의 접착력 시험은 일반건축물의 경우 타일면적 $200m^2$당, 공동주택은 (㉠ 10)호당 1호에 한 장씩 시험한다. 시험 위치는 담당원의 지시에 따른다.
• 시험은 타일 시공 후 (㉡ 4)주 이상일 때 실시한다.
• 시험 결과의 판정은 타일 인장 부착강도가 (㉢ 0.39)N/mm^2 이상이어야 한다.

정답 ①

CHAPTER 10 도장 및 수장공사

▶ 연계학습 | 에듀윌 기본서 1차 [공동주택시설개론 上] p.430

대표기출

천장판의 이음이 밀착되어 우수한 방음효과를 얻을 수 있는 매립형 경량천장 공법은? 제28회

① A-Bar공법
② I-Bar공법
③ L-Bar공법
④ M-Bar공법
⑤ T-Bar공법

키워드 경량철골 천장공사 공법
풀이 M-Bar 공법은 천장에 특수한 M자 형상의 금속 바(Bar)를 사용하여 보드를 고정하는 시스템으로, 천장판의 이음이 밀착되어 우수한 방음효과를 얻을 수 있는 매립형 경량천장 공법이다.

정답 ④

01 도장해서는 안 되는 장소의 환경 및 기상조건으로 옳지 않은 것은?

① 도장하는 장소의 기온이 낮거나 습도가 높고, 환기가 충분하지 못하여 도장건조가 부적당할 때
② 주위의 기온이 10℃이거나 상대습도가 80%일 때
③ 눈, 비가 올 때 및 안개가 끼었을 때
④ 강설우, 강풍, 지나친 통풍, 도장할 장소의 더러움 등으로 인하여 물방울, 들뜨기, 흙먼지 등이 도막에 부착되기 쉬울 때
⑤ 주위의 다른 작업으로 인해 도장작업에 지장이 있거나 도막이 손상될 우려가 있을 때

키워드 도장공사 시 일반사항
풀이 주위의 기온이 5℃ 미만이거나 상대습도가 85%를 초과할 때

정답 ②

02 도장공사 및 재료에 관한 설명으로 옳지 않은 것은?

① 도장공사의 목적은 방부, 방습, 방청 등의 특수목적의 달성, 물체의 보호, 외관의 미화 등이다.
② 도료를 사용하기 위해 개봉할 때에는 담당원이 입회하여 개봉하는 것을 원칙으로 한다.
③ 별도의 지시가 없을 경우 스테인리스강, 크롬판, 동, 주석 또는 이와 같은 금속으로 마감된 재료는 도장하지 않는다.
④ 가소제는 건조된 도막의 내구력을 증가시키는 데 사용된다.
⑤ 안료는 분산제로서 도장의 색상을 내며 햇빛으로부터 결합재의 손상을 방지한다.

키워드 도장공사 시 일반사항
풀이 안료는 분산제가 아닌 착색분말제로서 도료의 색채를 나타내고, 기름층을 두껍게 해 기밀하게 하며 물체의 내구력 증진을 위해 사용된다.

정답 ⑤

03 도료의 보관 및 장소에 관한 설명으로 옳지 않은 것은?

① 독립된 단층건물로 주위 건물과 1.5m 이상 이격시킨다.
② 건물 내의 일부를 도료의 저장장소로 이용할 때는 내화구조 또는 방화구조로 된 구획된 장소를 선택한다.
③ 지붕은 불연재료를 사용하고 천장이나 반자틀을 설치한다.
④ 전용창고에 보관하는 것을 원칙으로 하며, 적절한 보관온도를 유지한다.
⑤ 도료가 묻은 헝겊 등 자연발화의 우려가 있는 것을 도료보관 창고 안에 두어서는 안 되며, 반드시 소각시켜야 한다.

키워드 가연성 도료의 보관 및 장소
풀이 지붕은 불연재료를 사용하고 천장이나 반자틀을 설치하지 않는다.

정답 ③

04 수성페인트에 관한 설명으로 옳지 않은 것은?

① 취급이 간편하고 작업성이 좋다.
② 내구성, 내수성이 커서 옥외에 주로 사용한다.
③ 알칼리에 침해되지 않아 모르타르면, 회반죽면에 적당하다.
④ 성분은 안료(카세인)와 아교 또는 전분과 물을 섞어서 만든다.
⑤ 에멀션 수성페인트는 수성페인트에 합성수지와 유화제를 섞은 것으로 수성과 유성페인트의 성질을 겸비하여 옥내·옥외의 도장, 모르타르면, 회반죽면 등 광범위하게 사용한다.

키워드 수성페인트
풀이 수성페인트는 내구성, 내수성이 작아 옥외에는 사용할 수 없다.

정답 ②

05 유성페인트에 관한 설명으로 옳지 않은 것은?

① 건성유, 안료, 건조제, 희석제 등을 혼합 반죽한 도료이다.
② 경도가 크나 내후성, 내수성이 떨어져 옥내용으로 널리 사용한다.
③ 기름양이 많으면 광택과 내구성은 증대되나 건조가 늦어진다.
④ 희석제는 기름의 점도를 작게 하여 솔질이 잘 되도록 한다.
⑤ 건조제를 많이 넣으면 도막에 균열이 생길 수 있다.

키워드 유성페인트
풀이 유성페인트는 건성유, 안료, 건조제, 희석제 등을 혼합반죽한 도료로 경도가 크고 내후성, 내수성이 양호하여 옥내 및 옥외용으로 널리 사용한다.

정답 ②

06 도료의 선택 시 주의사항에 관한 설명으로 옳은 것은?

① 내열성을 고려할 경우 유성페인트나 비닐페인트 등을 선택한다.
② 콘크리트에 직접 접하는 면은 알칼리성이 강하므로 유성페인트의 사용을 피한다.
③ 외장용으로는 수용성 페인트가 적절하다.
④ 래커(Lacker)는 내수성, 내후성, 내산성 및 내알칼리성 측면에서 불리하다.
⑤ 내수성을 고려할 경우 수성페인트를 선택한다.

키워드 도장재료별 종류
풀이 ① 내열성을 고려할 때 유성페인트나 비닐페인트 사용은 피한다.
③ 내후성을 고려할 때 외장용으로 니스나 수용성 페인트 사용은 불가하다.
④ 래커는 내수성, 내후성, 내산성 및 내알칼리성이 우수한 도료이다.
⑤ 내수성을 고려할 경우에는 일반 수성페인트가 아닌 수성페인트에 기름을 가한 에멀션 수성페인트를 선택해야 한다.

정답 ②

07 도료의 종류별 특징에 관한 설명으로 옳지 않은 것은?

① 유성바니시는 건조가 느리며 내후성이 작아서 옥외에 부적당하다.
② 에나멜 페인트는 내약품성, 내열성, 내수성 및 내후성이 우수하여 외장용으로 쓰인다.
③ 광명단은 부식방지용으로 강재의 초벌용으로 사용된다.
④ 유성페인트는 건조속도가 늦고 내약품성이 떨어지지만, 내열성 및 내알칼리성은 크다.
⑤ 은폐불량은 하지 또는 하도가 보이는 현상을 말한다.

키워드 도장재료별 종류
풀이 유성페인트는 건조속도가 늦고 내약품성이 떨어지고, 내열성 및 내알칼리성이 작다.

정답 ④

08 도장공사에 관한 설명으로 옳지 않은 것은?

① 유성페인트는 건성유와 안료를 희석제로 섞어 만든 도료로서 목부 및 철부에 사용된다.
② 합성수지페인트는 인공의 화합물을 이용하여 만든 도료로서 콘크리트나 플라스터면 등에 사용된다.
③ 본타일은 모르타르면에 스프레이를 이용하여 뿜칠도장으로 요철모양을 형성한 후 마감처리한 것이다.
④ 수성페인트는 안료를 물에 용해하여 수용성 교착제와 혼합하여 제조한 도료로서 모르타르나 회반죽 등의 바탕에 사용된다.
⑤ 에나멜페인트는 휘발성 용제나 지방유에 각종 수지를 용해시켜 제조한 도료로서 주로 목재의 무늬를 나타내기 위하여 사용된다.

키워드 도장재료별 종류
풀이 에나멜페인트는 안료를 유성 바니시에 용해한 것으로 광택이 뛰어나고 피막이 강인하여 주로 금속면에 사용한다.

정답 ⑤

09 다음 중 녹막이칠 도료에 해당되지 않는 것은?

① 역청질 도료 ② 크레오소트
③ 광명단 ④ 징크로메이트
⑤ 아연분말 도료

키워드 녹막이 페인트
풀이 크레오소트는 목재 방부제로 사용한다.
이론＋ 녹막이 페인트

종류	내용
광명단(Red Lead, 光明丹)	부식방지용으로, 강재의 초벌용으로 사용
산화철녹막이 도료	마무리칠에도 사용
징크로메이트 (Zincromate)	크롬산아연과 알키드수지로 구성된 도료로서 알루미늄판의 초벌용에 사용
역청질(瀝靑質) 도료	일시적인 방청효과를 기대할 수 있음

정답 ②

10 도장공사에 관한 설명으로 옳지 않은 것은?

① 롤러도장은 붓도장보다 도장속도가 빠르며 붓도장과 같이 일정한 도막두께를 유지할 수 있는 장점이 있다.
② 방청도장에서 처음 1회째의 녹막이 도장은 가공장에서 조립 전에 도장함이 원칙이다.
③ 도막두께는 건조 경화한 후의 도막의 두께를 말한다.
④ 스프레이 도장에서 도장거리는 스프레이 도장면에서 300mm를 표준으로 하고 압력에 따라 가감한다.
⑤ 불투명한 도장일 때에는 하도, 중도, 상도 공정의 각 도막 층별로 색깔을 가능한 달리한다.

키워드 도장공사 시공
풀이 롤러도장은 붓도장보다 도장속도가 빠르며 붓도장과 같이 일정한 도막두께를 유지하기가 매우 어렵다.

정답 ①

11 도장면에 균열이 발생하는 원인에 해당하지 않는 것은?

① 기온차가 심한 경우
② 초벌칠 건조가 불충분한 경우
③ 건조제를 과다 사용한 경우
④ 초벌칠과 재벌칠의 재질이 다른 경우
⑤ 연한 색을 우선 칠한 후 진한 색을 덧칠한 경우

키워드 도장공사 시 균열원인
풀이 연한 색을 우선 칠한 후 진한 색을 덧칠한 경우는 도장면 균열 발생 원인과 관련이 없다.

정답 ⑤

12 수장공사에 관한 설명으로 옳지 않은 것은?

① 세로판벽은 외부에 사용이 가능하나 가로판벽은 빗물이 침투될 수 있어 내부용으로만 사용한다.
② 외부 지열차단 및 오염방지를 위해 하부에서 50cm 정도 높이로 설치한 것을 고막이라고 한다.
③ 목재반자로 시공할 경우 가장 먼저 설치하는 재료는 달대받이다.
④ 건축화 조명이 가능한 반자로, 층단으로 구성한 것을 구성반자라 한다.
⑤ 접착제를 이용하여 바닥을 시공할 경우 시공 전에 보일러 등을 가동하여 충분히 건조시켜야 한다.

키워드 벽공사와 천장공사
풀이 외부 벽에 가능한 판벽은 가로판벽이다.

정답 ①

13 다음의 용어에 관한 설명으로 옳지 않은 것은?

① 테라코타는 속이 빈 대형 점토제품으로 건축물의 난간벽, 주두 등의 장식에 사용된다.
② 코펜하겐 리브는 오림목을 특수형태로 다듬어 벽에 붙여댄 것으로 음향조절용으로 사용된다.
③ 인서트(Insert)는 경량철골 천장틀이나 배관 등을 매달기 위해 콘크리트에 미리 묻어 두는 철물을 말한다.
④ 수장공사에서 고막이는 지면으로부터 높이 500mm 정도의 외벽하부를 벽면에서 10~30mm 정도 나오게 하거나 들어가게 한 것이다.
⑤ 살대반자는 반자틀을 격자로 짜고 그 위에 넓은 널을 덮은 반자이다.

키워드 수장공사 일반사항
풀이 반자틀을 격자로 짜고 그 위에 넓은 널을 덮은 반자는 우물반자이다.

정답 ⑤

CHAPTER 11 적산 및 견적

▶ **연계학습** | 에듀윌 기본서 1차 [공동주택시설개론 上] p.453

대표기출

01 소요수량 산출 시 할증률이 동일한 재료끼리 묶인 것은? 　제28회

| ㉠ 이형철근 | ㉡ 일반합판 | ㉢ 기와 |
| ㉣ 비닐타일 | ㉤ 봉강 | ㉥ 고장력볼트 |

① ㉠, ㉡, ㉢ 　② ㉠, ㉤, ㉥ 　③ ㉡, ㉢, ㉣
④ ㉢, ㉣, ㉤ 　⑤ ㉣, ㉤, ㉥

키워드 재료의 할증률

풀이 ㉠ 이형철근: 3%, ㉡ 일반합판: 3%, ㉢ 기와: 5%,
㉣ 비닐타일: 5%, ㉤ 봉강: 5%, ㉥ 고장력볼트: 3%

정답 ④

02 아래 조건으로 계산한 벽체타일의 정미량은? 　제28회

- 벽체면적: 6,300mm×3,100mm
- 타일크기: 300mm×200mm
- 줄눈너비: 10mm
- 벽체 수: 3개소

① 60매 　② 90매 　③ 300매
④ 600매 　⑤ 900매

키워드 타일 수량 산출

풀이 타일의 정미수량 = $\dfrac{\text{시공면적}}{(\text{타일 가로변 크기} + \text{줄눈간격}) \times (\text{타일 세로변 크기} + \text{줄눈간격})}$

$= \dfrac{6.3\text{m} \times 3.1\text{m}}{(0.3\text{m} + 0.01\text{m}) \times (0.2\text{m} + 0.01\text{m})}$

∴ 300매 × 3개소 = 900매

정답 ⑤

01 적산 및 견적과 관련된 용어의 설명으로 옳지 않은 것은?

① 일반관리비는 기업 유지를 위한 관리활동 부문의 비용이다.
② 직접재료비는 해당 공사목적물의 실체를 형성하는 데 소요되는 재료비이다.
③ 재료의 정미량은 설계도서에 표시된 치수에 의해 산출된 수량이다.
④ 품셈은 어떤 물체를 인력이나 기계로 만드는 데 들어가는 단위당 노력 및 재료의 수량이다.
⑤ 견적은 공사에 필요한 재료 및 품을 구하는 기술 활동이며, 적산은 공사량에 단가를 곱하여 공사비를 구하는 기술 활동이다.

키워드 용어정리

풀이 적산은 공사에 필요한 재료와 품의 수량, 즉 물량(공사량)을 산출하는 작업으로 물량산출의 기술적 행위이고, 견적은 적산에 의한 공사량에 단가를 적용하여 공사비를 산출하는 것으로 수량과 비용을 감안한 종합적인 행위이다.

이론+ 공사비 구성체계

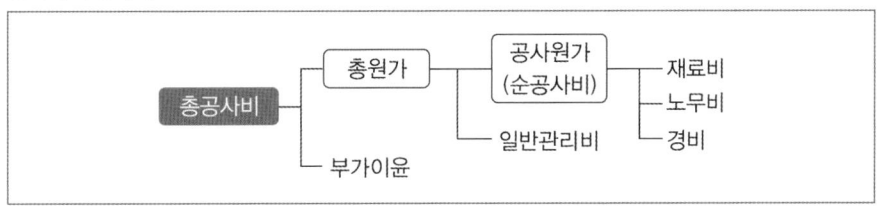

정답 ⑤

02 건축적산과 견적에 관한 설명으로 옳지 않은 것은?

① 견적의 정확도는 개산견적보다 명세견적이 높다.
② 적산은 산출된 수량에 단가를 곱하여 공사비를 산출하는 행위이다.
③ 정미량은 할증률을 적용하지 않은 수량이다.
④ 임직원 급료 등 기업유지를 위하여 발생하는 제비용으로 공사원가에 일정비율을 곱하여 구하는 항목을 일반관리비라고 한다.
⑤ 직접공사비에는 노무비, 재료비, 경비가 포함된다.

키워드 적산과 견적

풀이 견적은 산출된 수량에 단가를 곱하여 공사비를 산출하는 행위이며, 적산은 도면과 시방서에 의거하여 수량을 산출하는 행위이다.

정답 ②

03 공사비 및 물량 산출에 관한 내용으로 옳지 않은 것은?

① 적산은 도면과 시방서에 의거하여 수량을 산출하는 행위이다.
② 견적은 산출된 수량에 단가를 곱하여 공사비를 산출하는 행위이다.
③ 정미량은 할증률을 적용하지 않은 수량이다.
④ 개산견적은 공사비의 정확도를 높이기 위한 산출방법이다.
⑤ 적산의 사용단위는 설계도서의 단위표준에 따르되 C.G.S 단위를 원칙으로 한다.

키워드 적산과 견적
풀이 개산견적이란 과거의 공사실적 자료 등에서 공사비를 개략적으로 작성하는 적산방법이고 명세견적은 완성된 설계도에 의거하여 작성하는 것으로 가장 정확하게 공사비의 산출이 가능하다.

정답 ④

04 건축적산과 견적에 관한 설명으로 옳지 않은 것은?

① 견적의 정확도는 명세견적보다 개산견적이 높다.
② 시멘트벽돌의 소요량은 정미량에 5% 할증을 가산하여 구한다.
③ 실행예산은 건설회사에서 공사를 수행하기 위한 소요공사비이다.
④ 표준품셈이란 단위작업당 소요되는 재료수량, 노무량 및 장비사용시간 등을 수치로 표시한 견적기준이다.
⑤ 견적은 산출된 수량에 단가를 곱하여 금액을 계산한 후 부대비용 등을 합하여 총 공사비를 산출하는 것이다.

키워드 적산과 견적
풀이 견적의 정확도는 개산견적보다 명세견적이 높다.

정답 ①

05 건설공사 표준품셈의 적용기준에 관한 설명으로 옳은 것은?

① 콘크리트벽돌의 할증은 3%로 한다.
② 철근콘크리트의 단위중량은 2,300kg/m³이다.
③ 수량의 계산은 지정 소수자리 이하 1자리까지 구하고 끝수는 버린다.
④ 콘크리트 체적 계산 시 콘크리트에 배근된 철근의 체적은 제외한다.
⑤ 재료 및 자재단가에 운반비가 포함되어 있지 않은 경우 구입 장소로부터 현장까지의 운반비를 계상할 수 있다.

키워드 표준품셈 적용방법
풀이 ① 콘크리트벽돌의 할증은 5%로 한다.
② 철근콘크리트의 단위중량은 2,400kg/m³이다.
③ 수량의 계산은 지정 소수자리 이하 1자리까지 구하고 끝수는 반올림한다.
④ 콘크리트 체적 계산 시 콘크리트에 배근된 철근의 체적은 제외하지 않는다.

정답 ⑤

06 표준품셈의 적용에 관한 설명으로 옳은 것은?

① 건설공사의 예정가격 산정 시 공사규모, 공사기간 및 현장조건 등을 감안하여 가장 저렴한 공법을 채택·적용한다.
② 기둥에 접합 보의 면적은 미장바름면적에서 공제함을 원칙으로 한다.
③ 수량의 계산은 지정 소수자리 아래 2자리까지 산출하여 반올림한다.
④ 동일 장소에 수종의 장비가동, 작업장소의 협소, 소음, 진동, 위험 등의 이유로 작업 능력저하가 현저할 때 품을 25%까지 가산할 수 있다.
⑤ 재료 및 자재단가에 운반비가 포함되어 있지 않은 경우, 구입장소부터 현장까지의 운반비를 계상할 수 없다.

키워드 표준품셈 적용방법
풀이 ① 건설공사의 예정가격 산정 시 공사규모, 공사기간 및 현장조건 등을 감안하여 가장 합리적인 공법을 채택·적용한다.
③ 수량의 계산은 지정 소수자리 아래 1자리까지 산출하여 반올림한다.
④ 동일 장소에 수종의 장비가동, 작업장소의 협소, 소음, 진동, 위험 등의 이유로 작업 능력저하가 현저할 때 품을 50%까지 가산할 수 있다.
⑤ 재료 및 자재단가에 운반비가 포함되어 있지 않은 경우, 구입장소부터 현장까지의 운반비를 계상할 수 있다.

정답 ②

07 표준품셈의 적용에 관한 설명으로 옳은 것은?

① 계산에 쓰이는 분도는 분까지, 원둘레율, 삼각함수 및 호도의 유효숫자는 1자리로 한다.
② 철근콘크리트에서 기둥 높이는 바닥판 두께를 뺀 것으로 하고, 벽면적은 기둥과 보의 면적을 뺀 것으로 한다.
③ 정상작업으로는 불가능하여 야간작업을 할 경우나 공사 성질상 부득이 야간작업을 하여야 할 경우에는 품을 50%까지 가산한다.
④ 기둥에 접한 보의 면적은 미장바름면적에 포함한다.
⑤ 원거리, 계속이동작업, 분산작업 등 이동시간 과다발생으로 작업시간이 감소될 경우 품을 25%까지 가산할 수 있다.

키워드 표준품셈 적용방법
풀이 ① 계산에 쓰이는 분도는 분까지, 원둘레율, 삼각함수 및 호도의 유효숫자는 3자리로 한다.
③ 정상작업으로는 불가능하여 야간작업을 할 경우나 공사 성질상 부득이 야간작업을 하여야 할 경우에는 품을 25%까지 가산한다.
④ 기둥에 접한 보의 면적은 미장바름면적에서 공제함을 원칙으로 한다.
⑤ 원거리, 계속이동작업, 분산작업 등 이동시간 과다발생으로 작업시간이 감소될 경우 품을 50%까지 가산할 수 있다.

정답 ②

08 건축적산 시 각 재료의 할증률로 옳지 않은 것은?

① 유리: 1%
② 이형철근: 3%
③ 붉은벽돌: 5%
④ 대형형강: 7%
⑤ 단열재: 10%

키워드 재료의 할증률
풀이 붉은벽돌의 할증률은 3%이며, 시멘트벽돌의 할증률이 5%이다.

정답 ③

09 다음 재료의 할증률 중 가장 큰 것은?

① 단열재
② 일반합판
③ 텍스
④ 강관
⑤ 대형형강

키워드 재료의 할증률

풀이 단열재(10%) > 대형형강(7%) > 강관·텍스(5%) > 일반합판(3%)

이론+ 재료의 할증률

할증률	재료	할증률	재료
1%	유리	5%	원형철근 리벳, 일반볼트 강관, 봉강, 소형형강(Angle) 콘크리트(시멘트)벽돌, 호안블록 타일(아스팔트, 리놀륨, 비닐) 합판(수장용), 목재(각재) 텍스, 석고보드(못 붙임용) 기와
2%	시멘트, 도료		
3%	이형철근 고장력볼트 점토(붉은)벽돌, 내화벽돌 경계블록 타일(모자이크, 도기, 자기, 크링커) 테라코타 합판(일반용) 슬레이트	7%	대형형강
		10%	단열재 강판 목재(판재) 석재(정형돌)
4%	콘크리트(시멘트)블록	30%	석재(원석, 부정형돌)

정답 ①

10 다음은 예정가격의 구성요소(예정가격작성기준)이다. ( )에 들어갈 내용으로 옳은 것은?

> - (㉠): 기업 유지를 위한 관리 활동 부분의 발생 제비용, 임원 급료, 본사직원 급료 등
> - (㉡): 공사목적물의 실체를 형성하는 가치로서 부품(부분품)비, 외주품비 등
> - (㉢): 공사목적물의 실체는 형성하지 않으나 공사에 보조적으로 소모되는 물품으로 공구, 비품 등(운임, 보관비 등도 재료를 구입할 때 계산함)

	㉠	㉡	㉢
①	직접재료비	일반관리비	실행예산
②	일반관리비	직접재료비	간접재료비
③	작업설·부산물	일반관리비	실행예산
④	간접재료비	작업설·부산물	직접재료비
⑤	일반관리비	간접재료비	작업설·부산물

키워드 공사비의 주요 요소

풀이
- (㉠ 일반관리비): 기업 유지를 위한 관리 활동 부분의 발생 제비용, 임원 급료, 본사직원 급료 등
- (㉡ 직접재료비): 공사목적물의 실체를 형성하는 재료로서 부품(부분품)비, 외주품비 등
- (㉢ 간접재료비): 실체는 형성하지 않으나 보조적으로 소모되는 물품으로 공구, 비품 등(운임, 보관비 등도 재료를 구입할 때 계산함)

정답 ②

11 다음 중 거푸집 및 구조물의 체적 및 면적산정 시 공제하는 경우는 어느 것인가?

① 콘크리트 구조물의 지정인 말뚝머리
② 바닥타일면적은 구조체의 안목치수를 기준으로 산정하며 변기 등 위생기구의 면적
③ 거푸집 면적에서 $1m^2$ 초과의 개구부
④ 철근콘크리트 부재에서 콘크리트량 산출 시 철근
⑤ 강구조물의 리벳 및 볼트의 구멍

키워드 수량의 계산

풀이 거푸집 면적에서 $1m^2$ 이하의 개구부는 개구부 면적산정 시 공제하지 않는다.

정답 ③

12 가로(50cm) × 세로(80cm) × 높이(600cm)인 철근콘크리트 기둥이 10개일 때, 기둥의 전체 중량은?

① 32.4ton
② 40.6ton
③ 48.1ton
④ 57.6ton
⑤ 60.4ton

정답 ④

키워드 수량의 계산
풀이 철근콘크리트 기둥 중량 = 체적 × 개수 × 단위체적중량
= (0.5m × 0.8m × 6m) × 10개 × 2.4t/m³ = 57.6ton

13 다음 조건에서 벽면적 150m²에 소요되는 콘크리트벽돌의 정미량(매)은? (단, 재료의 할증은 없으며, 소수점 첫째자리에서 반올림한다)

조건: 표준형 벽돌(190 × 90 × 57mm), 벽두께 0.5B, 줄눈나비 10mm

① 11,250매
② 11,813매
③ 22,350매
④ 23,468매
⑤ 33,600매

키워드 수량의 계산
풀이 벽돌 정미량(매) = 벽면적 × 단위수량 = 150 × 75 = 11,250매
이론+ 벽돌 수량 산출

벽돌 정미량(매) = 벽면적(벽길이 × 벽높이 - 개구부 면적) × 단위수량

▶ 벽면적 m²당 단위수량(매)

벽돌규격(mm) \ 벽두께	0.5B	1.0B	1.5B	2.0B	2.5B	줄눈
190 × 90 × 57(표준형)	75	149	224	298	373	10mm
210 × 100 × 60(기존형)	65	130	195	260	325	

정답 ①

14 길이 20m, 높이 3m의 벽을 1.5B쌓기로 할 때 소요되는 벽돌의 소요수량으로 가장 적당한 것은? (단, 콘크리트벽돌 표준형이다)

① 11,900매
② 12,400매
③ 13,440매
④ 14,112매
⑤ 15,600매

키워드 수량의 계산
풀이 (1) 벽돌 면적: 20m × 3m = 60m²
(2) 1.5B쌓기 벽돌단위수량: 224매/m²
(3) 벽돌소요매수: 60m² × 224매 × 1.05(할증률 5%) = 14,112매

정답 ④

15 벽면적 100m²가 되는 1층 창고를 건축할 때 소요 콘크리트블록 매수로 옳은 것은? (단, 콘크리트블록은 기본형으로 390 × 190 × 210을 사용하고, 콘크리트블록 할증률이 포함된다)

① 1,250매
② 1,300매
③ 1,350매
④ 1,400매
⑤ 1,350매

키워드 수량의 계산
풀이 블록량 = 벽면적 × 단위수량 = 100 × 13 = 1,300매
이론+ 블록 수량 산출

블록량(매) = 벽면적(벽길이 × 벽높이 − 개구부 면적) × 단위수량

▶ 벽면적 m²당 단위수량(매)

구분	치수(mm)	수량(매)	구분	치수(mm)	수량(매)
기본형	390 × 190 × 190	13	장려형	290 × 190 × 190	17
	390 × 190 × 150			290 × 190 × 150	
	390 × 190 × 100			290 × 190 × 100	

○ 본 품에는 블록할증(4%)이 포함되어 있다.

정답 ②

16 다음 조건으로 산출한 자기질 타일의 개략적인 소요량(구매량)은? (단, 소요량은 할증률을 고려한다)

> - 바닥의 크기: 2.0m × 2.7m
> - 개소: 10개소
> - 타일크기: 140mm × 140mm
> - 줄눈간격: 10mm

① 1,894매
② 2,100매
③ 2,472매
④ 2,800매
⑤ 3,210매

키워드 수량의 계산

풀이 타일의 정미수량 = $\dfrac{\text{시공면적}}{(\text{타일 가로변 크기} + \text{줄눈간격}) \times (\text{타일 세로변 크기} + \text{줄눈간격})}$

$= \dfrac{2.0\text{m} \times 2.7\text{m}}{(0.14\text{m} + 0.01\text{m}) \times (0.14\text{m} + 0.01\text{m})} = 240$매

∴ 240매 × 1.03(할증률) × 10개소 = 2,472매

정답 ③

17 옥상 평슬래브(가로 20m, 세로 8m)에 8층(3겹) 아스팔트 방수 시 방수면적은? [단, 4면의 수직 파라펫(Parapet)의 방수 높이는 50cm로 한다]

① 180m²
② 188m²
③ 196m²
④ 200m²
⑤ 209m²

키워드 수량의 계산

풀이 방수면적 = (20 × 8) + (0.5 × 20) × 2 + (0.5 × 8) × 2 = 160 + 20 + 8 = 188m²

정답 ②

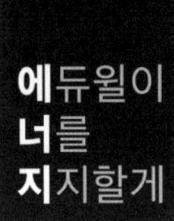

나는 천천히 가는 사람입니다.
그러나 뒤로 가진 않습니다.

PART 2
건축설비

- CHAPTER 01 건축설비 총론
- CHAPTER 02 급수설비
- CHAPTER 03 급탕설비
- CHAPTER 04 배수·통기 및 위생기구설비
- CHAPTER 05 오수정화설비
- CHAPTER 06 가스설비
- CHAPTER 07 소방설비
- CHAPTER 08 난방 및 냉동설비
- CHAPTER 09 공기조화 및 환기설비
- CHAPTER 10 전기 및 수송설비
- CHAPTER 11 홈네트워크 및 건축물의 에너지절약설계기준
- CHAPTER 12 계산문제 유형

출제경향

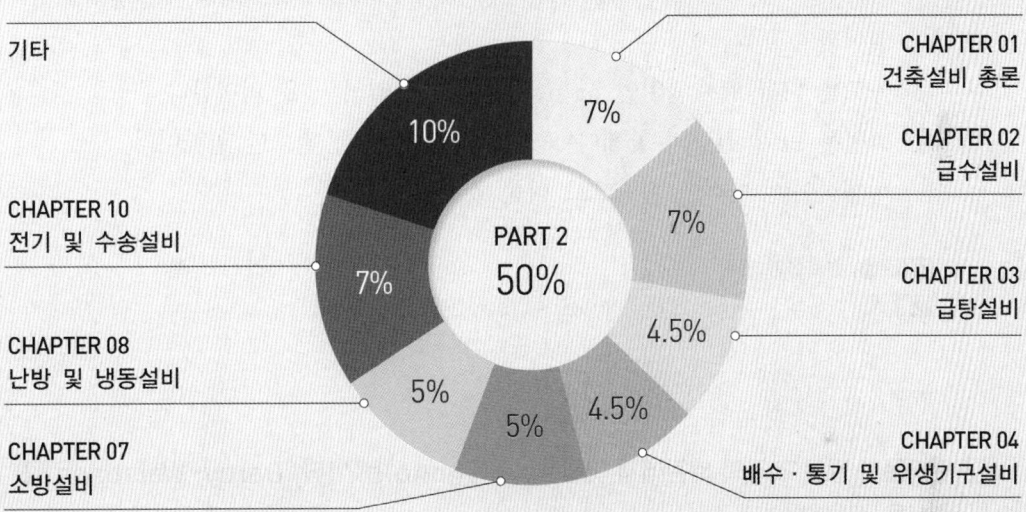

- CHAPTER 01 건축설비 총론 7%
- CHAPTER 02 급수설비 7%
- CHAPTER 03 급탕설비 4.5%
- CHAPTER 04 배수·통기 및 위생기구설비 4.5%
- CHAPTER 07 소방설비 5%
- CHAPTER 08 난방 및 냉동설비 5%
- CHAPTER 10 전기 및 수송설비 7%
- 기타 10%
- PART 2 50%

합격 POINT

최근 5개년 동안 PART 2 건축설비에서는 배수·통기 및 위생기구설비, 소방설비, 전기 및 수송설비에서 평균 2~3문항 정도씩 출제되고 있습니다. 각 재료의 개념과 기능, 장단점, 관련 설비기준 등을 숙지해야 합니다. 계산문제는 2문항 정도 출제되며, 단위 변환에 주의해야 합니다.

CHAPTER 01 건축설비 총론

▶ **연계학습** | 에듀윌 기본서 1차 [공동주택시설개론 下] p.8

대표기출

01 건축설비의 기초사항으로 옳지 않은 것은? 제28회

① 1기압하에서 순수한 물의 온도를 4°C에서 100°C로 높이면 체적은 약 4.3% 팽창한다.
② 물질을 가열이나 냉각했을 때 상변화 없이 온도변화에만 사용되는 열량을 현열이라고 한다.
③ 농도를 나타내는 단위인 ppm은 천만분의 일의 양을 의미한다.
④ 비열은 단위 질량의 물체 온도를 1°C 높이는 데 필요한 열량이다.
⑤ 비체적이란 체적을 질량으로 나눈 것이다.

키워드 건축설비 단위
풀이 농도를 나타내는 단위인 ppm은 백만분의 일의 양을 의미한다.

정답 ③

02 다음과 같은 조건의 배관에서 마찰손실수두(mAq)는? (단, Darcy-Weisbach 공식을 사용함) 제28회

- 유속: 1.4m/s
- 중력가속도: 9.8m/s^2
- 관의 마찰계수: 0.04
- 배관(직관) 길이: 100m
- 관경: 50mm

① 7.2 ② 7.6 ③ 8.0
④ 8.5 ⑤ 9.2

키워드 마찰손실수두
풀이 마찰손실수두 = $\dfrac{\text{마찰계수} \times \text{배관길이} \times \text{유속}^2}{2 \times \text{중력가속도} \times \text{관경}} = \dfrac{0.04 \times 100 \times 1.42^2}{2 \times 9.8 \times 0.05} = 8$

정답 ③

01 물의 상태변화에 관한 설명으로 옳지 않은 것은?

① 액체가 가열되어 모든 부분이 기체로 바뀌는 상태를 기화(비등)라고 한다.
② 고체가 액체로 변하는 것을 융해라고 한다.
③ 액체를 거치지 않고 고체가 기체로 되거나 기체가 고체로 되는 현상을 승화라고 한다.
④ 기체가 냉각되어 액체로 되는 것을 액화(응축)라고 한다.
⑤ 액체가 냉각되어 고체로 변하는 것을 증발이라고 한다.

키워드 물질의 상태변화
풀이 액체가 냉각되어 고체로 변하는 것을 응고라고 한다.
이론+ 물질의 상태변화

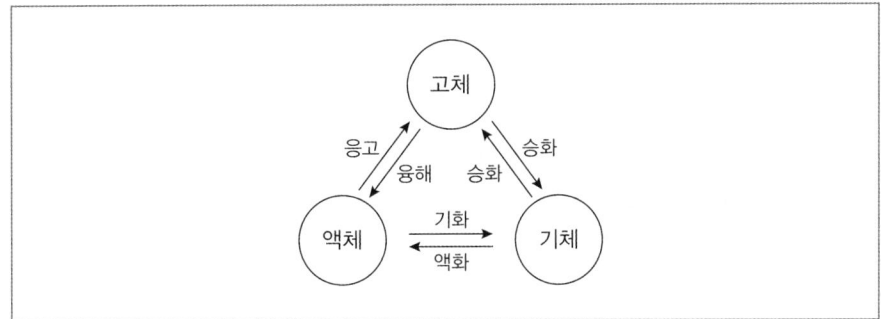

정답 ⑤

02 마찰손실수두에 관한 설명으로 옳지 않은 것은?

① 마찰손실수두는 관내에 유체가 흐르면 관내 표면의 거칠기, 유체 상호 간, 유체와 내벽과의 마찰 등에 유체의 에너지가 일부 손실되는 것을 말한다.
② 마찰계수가 클수록 마찰손실수두는 증가한다.
③ 관의 길이가 길수록 마찰손실수두는 증가한다.
④ 관의 지름이 클수록 마찰손실수두는 증가한다.
⑤ 유속이 빠를수록 마찰손실수두는 증가한다.

키워드 마찰손실수두
풀이 관의 지름과 마찰손실수두는 반비례관계이므로 관경이 클수록 마찰손실수두는 감소한다.

정답 ④

03 연속의 법칙에서 유량은 단위시간에 통과한 물의 양(m^3/sec)을 말한다. 유량과 지름, 유량과 유속의 관계에 관한 설명으로 옳은 것은?

① 유량은 배관 지름에 반비례하고, 유속에 반비례한다.
② 유량은 배관 지름의 제곱에 비례하고, 유속의 제곱근에 비례한다.
③ 유량은 배관 지름의 제곱에 반비례하고, 유속에 비례한다.
④ 유량은 배관 지름의 제곱근에 비례하고, 유속에 비례한다.
⑤ 유량은 배관 지름의 제곱에 비례하고, 유속에 비례한다.

> **키워드** 유량의 계산식
> **풀이** 유량은 배관의 단면적과 유속의 곱으로 구한다. 배관의 단면적은 배관 지름의 제곱에 비례하므로 유량은 배관 지름의 제곱에 비례하고, 유속에 비례한다.
>
> **정답** ⑤

04 일정한 관로를 흐르는 유체에 있어서 관의 직경이 변경되었다. 이에 관한 연속의 법칙에 관한 설명으로 옳지 않은 것은?

① 유량은 단면적과 유속의 곱으로 나타낸다.
② 유속이 느린 지점의 관경이 넓다.
③ 일정한 관로를 흐르는 유체는 모든 지점에서 유량이 같다.
④ 좁은 관경에서 유속은 느리게 된다.
⑤ 유체의 속도와 관로의 단면적은 반비례한다.

> **키워드** 베르누이의 정리
> **풀이** 좁은 관경에서 유속은 빠르게 된다.
>
> **정답** ④

05 배관의 단면적이 5,000mm²인 관내를 유속 4m/s의 물이 흐르고 있을 때 유량은 얼마인가?

① $20\ell/s$
② $32\ell/s$
③ $45\ell/s$
④ $53\ell/s$
⑤ $58\ell/s$

키워드 유량의 계산식

풀이 유량 = 관의 단면적 × 유속 = 0.005 × 4 = 0.02m³/s = 20ℓ/s

이론+ 유량의 계산식

$$Q = A \times v = \frac{\pi d^2}{4} \times v$$

여기서, A(m²): 관의 단면적($\frac{\pi d^2}{4}$)
  v: 유속(m/sec)
  d: 관경(m)

정답 ①

06 온도의 종류에 관한 설명으로 옳지 않은 것은?

① 화씨온도는 빙점과 비등점을 각각 32°F와 212°F로 잡고 그 사이를 180등분한 것을 말한다.
② 노점온도는 공기는 온도가 높은 만큼 수증기를 많이 포함하게 되는데 습공기의 온도를 내리면 어떤 온도에서 포화상태에 도달하고 더 한층 온도를 내리면 수증기의 일부가 응축하여 물방울이 맺히는 온도로 이슬점 온도라고도 한다.
③ 건구온도는 물로 젖은 천으로 감온부를 감쌀 경우 수분이 증발함으로써 감온부에서 열을 빼앗길 때 감온부는 주위 공기로부터 열공급을 받아 균형잡힌 상태의 온도가 될 때의 온도를 말한다.
④ 절대온도는 물질의 특이성에 의존하지 않는 절대적인 온도로 물체의 분자운동 에너지가 정지하고 압력이 0인 상태로 되는 온도이다.
⑤ 섭씨온도는 빙점과 비등점을 각각 0°C 및 100°C로 잡고 그 사이를 100등분한 것을 말한다.

키워드 온도

풀이 습구온도는 물로 젖은 천으로 감온부를 감쌀 경우 수분이 증발함으로써 감온부에서 열을 빼앗길 때 감온부는 주위 공기로부터 열공급을 받아 균형잡힌 상태의 온도가 될 때의 온도를 말한다.

정답 ③

07 유체와 열의 성질에 관한 설명으로 옳지 않은 것을 모두 고른 것은?

> ㉠ 유체의 마찰력은 속도의 제곱에 반비례한다.
> ㉡ 순수한 물은 1기압하에서 4℃일 때 가장 가볍고, 그 부피는 최대가 된다.
> ㉢ 액체의 압력은 임의의 면에 대하여 수직으로 작용하며, 액체 내 임의의 점에서 압력 세기는 어느 방향이나 동일하게 작용한다.
> ㉣ 일정한 관로를 흐르는 유체의 흐름에서 유속이 느리면 압력이 낮고, 유속이 빠르면 압력이 높다.
> ㉤ 열은 고온 물체에서 저온 물체로 자연적으로 이동하지만, 저온 물체에서 고온 물체로는 그 자체만으로는 이동할 수 없다.

① ㉢
② ㉠, ㉡
③ ㉠, ㉢
④ ㉡, ㉤
⑤ ㉠, ㉡, ㉣

키워드 유체의 성질

풀이 ㉠ 유체의 마찰력은 속도의 제곱에 비례한다.
㉡ 순수한 물은 1기압하에서 4℃일 때 가장 무겁고, 그 부피는 최소가 된다.
㉣ 유체의 흐름에서 유속이 느리면 압력이 높고, 유속이 빠르면 압력이 낮다.

정답 ⑤

08 결로현상에 관한 설명으로 옳지 않은 것은?

① 공기를 냉각시키면 결로온도에서 상대습도가 100%이다.
② 결로온도는 노점온도와 동일하다.
③ 결로는 겨울철에 보온장치가 없는 외벽이나 바깥공기에 접하는 천장에서 열관류율이 높아지면서 실내의 더운 공기와 실외의 찬공기가 만나서 일어난다.
④ 열손실을 방지하기 위해 구조체를 기밀화할 경우 환기부족에 따른 결로가 심해진다.
⑤ 단열을 하지 않는 건물의 벽체나 천장 등에서 주로 발생하는 결로는 내부결로이다.

키워드 단열계획

풀이 표면결로란 벽, 유리창, 천장 및 바닥의 표면에서 발생하는 것으로 실내의 벽체 표면온도가 노점온도보다 낮아 수증기가 벽의 저온부위에 접촉되어 응결되는 것으로 단단하거나 수분의 흡수가 잘 되지 않는 표면일수록 발생이 용이하다.

정답 ⑤

09 전열 원리에 관한 설명으로 옳지 않은 것은?

① 복사(Radiation, 輻射)는 매체 없이 열이 고온에서 저온으로 이동하는 형태이다.
② 벽체의 열관류저항은 열관류율과 반비례한다.
③ 열전도는 물질 내에서 고온의 분자로부터 저온의 분자로 열이 전달되는 형태이다. 즉, 물질을 통한 분자운동의 전파이다.
④ 대류(Convection, 對流)는 매체를 통해 저온에서 고온으로 열이 전달되는 형태이다.
⑤ 열전달(Heat Transfer)은 고체(벽체)와 유체(공기) 사이의 열의 흐름(대류·복사가 조합된 상태)이다.

키워드 전열 이론
풀이 대류(Convection, 對流)는 매체를 통해 고온에서 저온으로 열이 전달되는 형태이다.

정답 ④

10 다음 중 단열재를 설치하지 않아도 되는 곳은?

① 최하층 거실의 바닥
② 복사난방구조의 바닥
③ 거실의 외벽
④ 공동주택의 경계벽
⑤ 최상층에 있는 거실의 반자 및 지붕

키워드 단열재의 시공부위
풀이 공동주택의 경계벽, 최하층을 제외한 거실의 바닥 등에는 단열재를 시공하지 않아도 된다.

정답 ④

11 외단열의 특징으로 옳지 않은 것은?

① 충격에 약하기 때문에 충격을 방지하기 위한 외피 보강처리를 해야 한다.
② 구조체의 결로 발생이 심하다.
③ 장기간 거주하는 거실 용도에 적합하다.
④ 외기를 외부에 면한 단열재로 직접 차단하여 단열 성능이 우수하다.
⑤ 한랭지에 적합하다.

키워드 단열공사
풀이 외단열은 구조체의 결로 발생이 거의 없다. 구조체의 결로 발생이 심한 것은 내단열이다.

정답 ②

12 열관류저항이 2m²·K/W인 벽체에 단열재를 보강하여 열관류저항이 4m²·K/W인 벽체를 만들고자 한다. 보강된 단열재의 열전도율이 0.02W/m·K일 때 보강된 단열재의 두께(mm)는?

① 0.04
② 4
③ 10
④ 20
⑤ 40

키워드 단열

풀이 (1) 보강 후 열관류저항 = 기존 벽체의 열관류저항 + 단열재의 열전도저항
∴ 단열재의 열전도저항 = 보강 후 열관류저항 - 기존벽체의 열관류저항
= 4 - 2 = 2(m²·K/W)

(2) 단열재의 열전도저항 = $\dfrac{단열재의\ 두께(m)}{열전도율}$

$2 = \dfrac{단열재의\ 두께(m)}{0.02}$

∴ 단열재의 두께 = 2 × 0.02 = 0.04(m) = 40(mm)

정답 ⑤

13 열관류저항이 3m²·K/W인 벽체에 열전도율 0.04W/m·K인 단열재 40mm를 보강하였다. 이때 단열재가 보강된 벽체의 열관류율(W/m²·K)은?

① 0.15
② 0.25
③ 0.4
④ 0.5
⑤ 0.8

키워드 열관류율

풀이 단열재의 두께를 m 단위로 환산하여 계산식에 적용하면 40mm = 0.04m이다.

(1) 단열재의 열전도저항 = $\dfrac{단열재의\ 두께(m)}{열전도율} = \dfrac{0.04}{0.04} = 1(m²·K/W)$

(2) 보강 후 열관류저항 = 기존 벽체의 열관류저항 + 단열재의 열전도저항
= 3 + 1 = 4(m²·K/W)

∴ 보강 후 열관류율 = $\dfrac{1}{4}$ = 0.25(W/m²·K)

정답 ②

14 열교(熱橋)현상에 관한 설명으로 옳지 않은 것은?

① 열교현상을 방지하기 위해서는 일반적으로 외단열이 내단열보다 유리하다.
② 겨울철에 열교현상이 발생하는 부위는 결로의 발생 가능성이 크다.
③ 열교현상이 발생하는 부위는 열관류율 값이 높기 때문에 구조체의 전체 단열성능을 저하시킨다.
④ 열교현상은 벽체와 지붕 또는 바닥과의 접합부위 등에서 발생하기 쉽다.
⑤ 열교현상이 발생하는 부위에는 열저항값을 감소시키는 설계 및 시공이 요구된다.

키워드 열교현상

풀이 열교현상은 단열재가 시공되지 않은 열적취약부분으로 높은 열전도율로 인하여 구조체 전체의 단열 값을 낮추게 하는 현상이므로 열교현상이 발생하는 부위에는 열저항값을 증대시키는 설계 및 시공이 요구된다.

이론+ 열교현상이 발생하는 부위

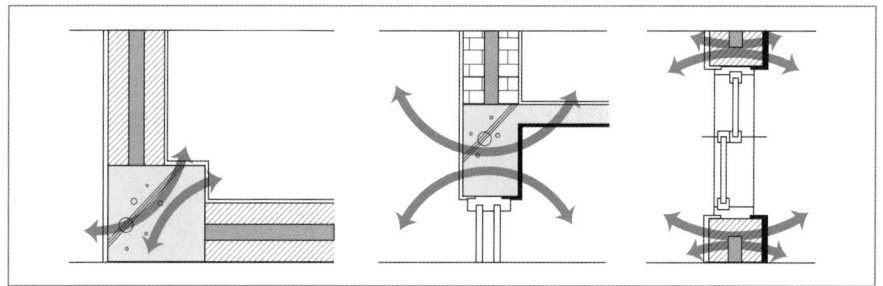

정답 ⑤

15 건물의 결로에 관한 설명으로 옳지 않은 것은?

① 온도차에 의해 벽표면 온도가 실내공기의 노점온도보다 높게 되면 결로가 발생하며 이러한 현상은 벽체 내부에서도 생긴다.
② 표면결로를 방지하기 위해 외벽의 단열강화로 실내 측 표면온도를 상승시킨다.
③ 다층구성재의 내측(고온 측)에 방습층이 있을 때 결로를 효과적으로 방지할 수 있다.
④ 결로는 발생부위에 따라 표면결로와 내부결로로 구분되는데, 내부결로가 발생되면 부풀어 오르는 현상이 생겨 구조체에 손상을 줄 수 있다.
⑤ 구조체의 온도변화는 결로에 영향을 크게 미치는데, 중량구조는 경량구조보다 열적반응이 늦다.

키워드 결로현상

풀이 온도차에 의해 벽표면 온도가 실내공기의 노점온도보다 낮게 되면 결로가 발생한다.

정답 ①

16 설비시스템의 소음방지에 관한 설명으로 옳지 않은 것은?

① 급수계통 배관은 유속과 급수압력을 적정하게 조절한다.
② 덕트계통에서는 마찰 저항을 최소로 하여 송풍기 정압을 감소시킨다.
③ 벽체를 관통하는 배관은 구조체와 직접 접촉하지 않도록 완충재를 사용하여 전달소음을 저감시키도록 한다.
④ 진동발생 장비는 배관을 구조체와 직접 접촉하지 않도록 완충재를 사용하여 전달소음을 저감시키도록 한다.
⑤ 소음이 공기전달음인 경우에는 제진재를, 구조체를 통한 고체전달음의 경우에는 흡음 및 차음재를 설치하는 것이 소음방지에 가장 효과적이다.

키워드 방음방법
풀이 공기전달음은 흡음이나 차음재를, 구조체를 통한 고체전달음은 제진재를 설치한다.
이론+ 설비시스템의 소음방지 방법

1. 고체전달음에 대한 방음방법

방음재료	특징
방(제)진재	• 진동발생장비 또는 벽체를 관통하는 배관은 구조체와 직접 접촉하지 않도록 완충재를 사용하여 전달소음을 저감한다. • 기계와 기초 사이에는 방진재를 설치하고, 급배수설비에는 해당 층(층상) 배관방식을 도입한다. • 송풍계통에는 플레넘(Plenum)이나 소음기(Silencer)를 설치한다.

2. 공기전달음에 대한 방음방법

방음재료	설치 위치	특징
차음재	구조체 (외벽)	• 소리 투과율을 줄이고 투과손실을 크게 할 경우, 차음효과는 커진다. • 흡음률이 낮은 재료(반사재)로 밀실하고 비중이 큰 것을 사용한다. • 공기누출 및 통기성(通氣性)이 작은 재료를 사용한다. • 이중 벽체를 사용하고, 투광성 차음재인 유리블록을 사용한다. • 발생 소음원으로부터 격리시키기 위한 장벽은 소음원 가까이에 두어야 효과가 크다.
흡음재	내부마감 재료	• 흡음률이 높은 재료, 통기성이 높은 재료, 공명성 재료 • 다공질 재료: 중·고음의 흡음효과가 크다.

정답 ⑤

17 공동주택의 소음방지공사에 관한 설명으로 옳은 것은?

① 고체전달음에 대한 방음방법에는 차음재 및 흡음재를 사용한다.
② 흡음재는 흡음률이 낮은 재료, 통기성이 높은 재료를 사용한다.
③ 발생 소음원으로부터 격리시키기 위한 장벽은 소음원에서 멀리 두어야 효과가 크다.
④ 공동주택의 소음 및 차음 기준에서 최고소음도는 1시간에 3회 이상 초과할 경우 그 기준을 초과한 것으로 본다.
⑤ 차음재는 소리 투과손실을 작게 할 경우, 차음 효과는 커진다.

키워드 방음방법
풀이 ① 고체전달음에 대한 방음방법에는 방진재를 사용한다.
② 흡음재는 흡음률이 높은 재료, 통기성이 높은 재료를 사용한다.
③ 발생 소음원으로부터 격리시키기 위한 장벽은 소음원 가까이에 두어야 효과가 크다.
⑤ 차음재는 소리 투과손실을 크게 할 경우, 차음 효과는 커진다.

정답 ④

18 설비시스템과 관련한 방음 또는 방진 대책에 관한 설명으로 옳지 않은 것은?

① 기계와 기초 사이에는 방진재를 설치하고 바닥 또는 실 전체를 뜬바닥 구조로 한다.
② 실내 공기전달음은 흡음처리한다.
③ 송풍계통에는 플레넘(Plenum)이나 소음기(Silencer)를 설치한다.
④ 벽체를 관통하는 배관은 구조체에 직접 고정하여 일체화되도록 시공한다.
⑤ 급배수설비에는 당해층(층상) 배관방식을 도입한다.

키워드 방음방법
풀이 벽체를 관통하는 배관은 구조체와 직접 접촉하지 않도록 완충재를 사용하여 전달소음을 저감시키도록 시공한다.

정답 ④

19 차음효과를 높이기 위한 설명으로 옳지 않은 것은?

① 흡음률이 0이 된다는 것은 입사된 음이 전부 반사된다는 것을 의미한다.
② 경계벽에는 콘크리트 등의 고밀도 재료를 사용한다.
③ 기밀성이 높은 창호의 설치나 소음원에 접하는 부분을 최소화하는 것이 바람직하다.
④ 발생 소음의 격리를 위한 장벽은 소음원 가까이에 설치한다.
⑤ 재료는 가급적 밀실하며 투과손실이 작아야 한다.

키워드 방음재료
풀이 차음재료는 가급적 흡음률이 작은 재료로 투과손실률을 크게 해야 차음효과가 크다.

정답 ⑤

20 공동주택 층간소음의 범위와 기준에 관한 규칙상 층간소음에 관한 설명으로 옳은 것은?

① 공동주택 층간소음을 규정할 때 욕실, 화장실 및 다용도실 등에서 급수·배수로 인하여 발생하는 소음도 포함한다.
② 1분간 등가소음도의 층간소음기준(dB)은 주간보다 야간이 크다.
③ 직접충격 소음은 1분간 등가소음도(Leq) 및 최고소음도(Lmax)로 평가하고, 공기전달 소음은 5분간 등가소음도(Leq)로 평가한다.
④ 공기전달 소음은 뛰거나 걷는 동작 등으로 인하여 발생하는 소음이고, 직접충격 소음은 텔레비전, 음향기기 등의 사용으로 인하여 발생하는 소음을 말한다.
⑤ 층간소음의 기준 시간대는 주간은 6시부터 24시까지, 야간은 24시부터 6시까지로 구분한다.

키워드 공동주택 층간소음
풀이 ① 욕실, 화장실 및 다용도실 등에서 급수·배수로 인하여 발생하는 소음은 제외한다.
② 1분간 등가소음도의 층간소음기준(dB)은 주간보다 야간이 작다.
④ 직접충격 소음은 뛰거나 걷는 동작 등으로 인하여 발생하는 소음이고, 공기전달 소음은 텔레비전, 음향기기 등의 사용으로 인하여 발생하는 소음을 말한다.
⑤ 층간소음의 기준 시간대는 주간은 6시부터 22시까지, 야간은 22시부터 6시까지로 구분한다.

층간소음의 구분		주간 (06:00~22:00)	야간 (22:00~06:00)
직접충격소음	1분간 등가소음도(Leq)	39dB	34dB
	최고소음도(Lmax)	57dB	52dB
공기전달소음	5분간 등가소음도(Leq)	45dB	40dB

정답 ③

21 배관 부식의 원인과 방지대책에 관한 설명으로 옳지 않은 것은?

① 보급수를 탈기처리하여 부식을 방지한다.
② 인산염을 첨가하여 배관의 부식을 방지한다.
③ 이온화경향의 차가 큰 배관끼리 연결하여 부식을 방지한다.
④ 물의 용존산소와 염류에 의하여 배관이 부식된다.
⑤ 용수의 pH값이 작을수록 배관부식이 쉽게 발생한다.

키워드 배관의 부식
풀이 이온화경향[K(칼륨) > Ca(칼슘) > Na(나트륨) > Mg(마그네슘) > Al(알루미늄) > Zn(아연) > Fe(철) > Ni(니켈) > Cu(구리) > Hg(수은) > Ag(은) > Au(금)]의 차가 큰 배관끼리 연결하면 부식이 촉진된다.
① 보급수는 보일러 등에 보충해 주는 물을 말하며, 보일러 보급수의 용존산소는 보일러 및 배관의 부식원인이 되어 보일러 수명에 크게 영향을 주기 때문에 보급수의 용존산소 제거(탈산소처리)가 필요하다.
② 인산염으로 배관을 피막하면 수분이 금속표면과 직접 접촉하는 것을 막아서 금속의 부식을 억제시켜 준다.
④ 물의 용존산소는 물 또는 용액 속에 녹아 있는 분자상태의 산소를 말하는 것으로 물속에 용존산소와 염분이 있으면 배관의 부식을 활발하게 한다.
⑤ pH값이 작을수록 CO_2가 많아지는 산성일수록 배관부식이 쉽게 발생한다.

정답 ③

22 배수용 배관재에 관한 설명으로 옳지 않은 것은?

① 강관은 SCH 번호가 클수록 두께가 두껍다.
② 연관은 내식성이 작아 배수용보다는 난방배관에 주로 사용된다.
③ 경질염화비닐관은 내식성은 우수하나 충격에 약하다.
④ 주철관은 내식성, 내구성을 지닌 배관재료이다.
⑤ 동관은 전기 및 열전도율이 좋고 전성·연성이 풍부하여 가공도 용이하다.

키워드 배관재료
풀이 연관은 내식성이 크다.

정답 ②

23 배관재료 및 용도에 관한 설명으로 옳은 것은?

① 플라스틱관은 내식성·내열성이 있으며, 경량으로 시공성이 우수하다.
② 스테인리스 강관은 철에 크롬 등을 함유하여 만들어지기 때문에 강관에 비해 기계적 강도가 우수하다.
③ 탄소강관은 관두께에 따라 K, L, M형으로 구분된다.
④ 리듀서는 배관을 도중에 분기할 때 사용된다.
⑤ 연관은 연성이 풍부하여 가공성이 우수하지만, 산에 약한 단점이 있다.

키워드 배관재료
풀이 ① 플라스틱관은 내식성·내산성이 있지만, 내열성은 떨어지며, 경량으로 시공성이 우수하다.
③ 탄소강관은 관두께를 스케줄번호로 나타낸다.
④ 리듀서는 서로 다른 지름의 관을 연결할 때 사용된다.
⑤ 연관은 연성이 풍부하여 가공성이 우수하고, 산에 강하다.

정답 ②

24 동관의 두께가 두꺼운 것에서 얇은 것의 순서로 옳은 것은?

① K > M > L
② K > L = M
③ K = L > M
④ K > L > M
⑤ M > K > L

키워드 배관재료
풀이 K > L > M의 순서로 두께가 얇아진다.

정답 ④

25 배관설비에 관한 설명으로 옳지 않은 것은?

① 니플(Nipple)은 직선축의 양쪽 단부에 수나사가 절삭되어 있는 관 이음쇠를 말한다.
② 리듀서(Reducer), 부싱(Bushing)은 구경이 다른 관을 접합할 때 사용한다.
③ 플랜지이음은 직관에서 밸브, 펌프 및 각종 기기와 배관을 연결하거나, 교환 해체가 자주 발생하는 곳에 사용한다.
④ 소켓(Socket)은 같은 관경의 배관을 직선으로 접속할 때 사용한다.
⑤ 플러그(Plug), 캡(Cap)은 배관 말단부에 설치할 수 없다.

키워드 배관이음
풀이 플러그(Plug), 캡(Cap)은 배관 말단부에 설치한다.
이론+ 관의 연결

용도	종류
배관의 방향을 바꿀 때(휠 때)	엘보(Elbow), 벤드(Bend)
배관을 도중에서 분기할 때	티(Tee), 크로스(Cross), 와이(Y)
배관의 끝을 막을 때	플러그(Plug), 캡(Cap)
서로 다른 지름의 관을 연결할 때	리듀서(Reducer), 부싱(Bushing), 이경소켓(Reducing Socket), 이경엘보, 이경티

정답 ⑤

26 밸브에 관한 설명으로 옳지 않은 것은?

① 게이트밸브는 쐐기형의 디스크가 오르내림으로써 개폐 목적으로 사용되는 밸브이다.
② 정수위밸브는 워터 해머를 방지하기 위해 완만하게 폐쇄할 수 있는 구조의 밸브이다.
③ 안전밸브는 일정압력 이상으로 압력이 증가할 때 자동적으로 열리게 되어 용기의 안전을 보전하는 밸브이다.
④ 글로브밸브는 스톱밸브의 일종으로 유체의 흐름방향을 바꾸어 유량을 차단하는 데 사용하는 밸브이다.
⑤ 체크밸브는 유체를 한쪽 방향으로만 흐르게 하고 반대 방향으로는 흐르지 못하게 하는 밸브이다.

키워드 밸브의 종류
풀이 글로브밸브는 스톱밸브의 일종으로 유체를 조절하는 데 사용하는 밸브이고, 앵글밸브가 유체의 흐름방향을 바꾸는 데 사용하는 밸브이다.

정답 ④

27 배관재료에 관한 설명으로 옳지 않은 것은?

① 강관은 주철관에 비하여 가볍고 인장강도가 큰 재료이고, 동관은 염류 및 산성에 약하지만, 유연성이 커서 동파에 강하다.
② 슬루스밸브는 글로브밸브에 비하여 마찰저항손실이 적고, 정확한 유량조절을 요하는 고압설비에는 적당하지 않다.
③ 체크밸브는 유량의 조절용으로 사용이 곤란하지만, 유수의 방향은 조정할 수 있다.
④ 배수관의 만수시험은 배수관과 같이 수압이 걸릴 염려가 없는 배관 등의 누수시험으로 실시된다.
⑤ 배수용 나사식 이음쇠(90° 엘보 또는 90° Y)에서는 수직관에 분기하는 수평관에 구배가 생기도록 되어 있다.

> **키워드** 배관재료와 밸브
> **풀이** 강관은 주철관에 비하여 가볍고 인장강도가 큰 재료이고, 동관은 염류 및 산성에 강하며 유연성이 커서 동파에 강하다.
>
> **정답** ①

28 밸브와 배관설비에 관한 설명으로 옳지 않은 것은?

① 대변기에 사용되는 플러시밸브(세정밸브) 방식은 연속사용이 가능하다.
② 플러시밸브(세정밸브)는 오물의 세정이 확실하기 때문에 일반 가정용으로 널리 사용된다.
③ 플러시밸브(세정밸브)의 2차 측(하류 측)에는 버큠 브레이커(Vacuum Breaker)를 설치한다.
④ 글로브밸브는 밸브 중 관내 마찰저항이 가장 큰 편이나 개방 및 폐쇄 조절에 걸리는 시간이 짧은 것이 장점이다.
⑤ 게이트밸브는 관내 마찰저항이 가장 작은 편이나 유로를 완전 개방하거나 완전 폐쇄하는 데 시간이 오래 걸린다.

> **키워드** 밸브의 종류
> **풀이** 플러시밸브(세정밸브)는 소음이 크고 단시간에 다량의 물을 필요로 하기 때문에 일반 가정용으로는 거의 사용되지 않는다.
>
> **정답** ②

29 배관설비에 관한 설명으로 옳은 것은?

① 슬리브는 배관계통 내의 이물질을 거르는 역할을 하는 것이다.
② 콕은 핸들 조작에 따라 볼에 있는 구멍의 방향이 바뀌면서 개폐가 이루어진다.
③ 체크밸브는 유체 흐름의 역류방지를 목적으로 설치하며, 유량조절용으로 주로 사용된다.
④ 버터플라이밸브는 밸브 몸통 내 중심 측에 원판 형태의 디스크를 설치한 것이다.
⑤ 글로브밸브는 유체에 대한 마찰저항손실이 가장 적다.

키워드 밸브의 종류
풀이 ① 스트레이너는 배관계통 내의 이물질을 거르는 역할을 하는 것이다.
② 볼밸브는 핸들 조작에 따라 볼에 있는 구멍의 방향이 바뀌면서 개폐가 이루어진다.
③ 체크밸브는 유체 흐름의 역류방지를 목적으로 설치하며, 유량조절용으로는 사용하지 못한다.
⑤ 글로브밸브는 유체에 대한 마찰저항손실이 가장 크다.

정답 ④

30 건축설비의 기본사항으로 옳지 않은 것은?

① 온도변화 후의 물의 밀도는 온도변화 전의 물의 밀도보다 낮다.
② 비중이 작고, 밀도가 낮은 재료일수록 열전도율은 작다.
③ 열관류율이 작을수록 단열성능이 우수하기 때문에, 단열재나 보온재는 열관류율이 작은 재료를 사용한다.
④ 단열재는 곡강도와 압축강도가 우수한 재료가 요구된다.
⑤ 체크밸브의 종류인 리프트형은 수평 및 수직 배관에 사용한다.

키워드 건축설비 일반
풀이 체크밸브의 종류인 리프트형은 수평 배관에만 사용한다.
이론 + 체크밸브의 구조

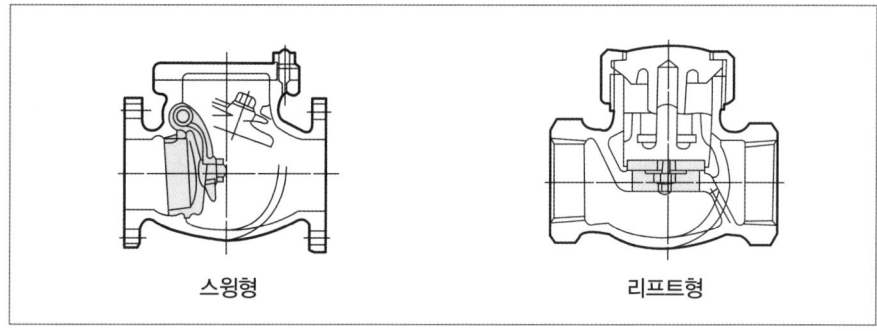

스윙형   리프트형

정답 ⑤

31 다음의 도시기호에서 급수관을 나타내는 것은?

| 키워드 | 배관 도시기호 |
| 풀이 | ① 체크밸브, ② 밸브, ④ 소화수관, ⑤ 배수관 |

정답 ③

CHAPTER 02 급수설비

▶ **연계학습** | 에듀윌 기본서 1차 [공동주택시설개론 下] p.40

대표기출

01 수도법령상 급수관의 상태검사 및 조치 등의 일부이다. ( )에 들어갈 내용으로 옳은 것은?
제28회

> 제23조(급수관의 상태검사 및 조치 등) ① 영 제51조에 해당하는 건축물 또는 시설의 소유자등은 법 제33조 제4항에 따라 별표 7 제1호에 따른 일반검사를 다음 각 호의 구분에 따라 실시하여야 한다.
> 1. 최초 일반검사: 해당 건축물 또는 시설의 준공검사(급수관의 갱생·교체 등의 조치를 한 경우를 포함한다)를 실시한 날부터 (㉠)년이 경과한 날을 기준으로 6개월 이내에 실시
> 2. 2회 이후의 일반검사: 최근 일반검사를 받은 날부터 2년이 되는 날까지 매 (㉡)년마다 실시

① ㉠: 3, ㉡: 1
② ㉠: 3, ㉡: 2
③ ㉠: 3, ㉡: 3
④ ㉠: 5, ㉡: 2
⑤ ㉠: 5, ㉡: 3

키워드 급수관의 상태검사 및 조치

풀이 영 제51조에 해당하는 건축물 또는 시설의 소유자등은 법 제33조 제4항에 따라 별표 7 제1호에 따른 일반검사를 다음의 구분에 따라 실시하여야 한다(수도법 시행규칙 제23조 제1항).
1. 최초 일반검사: 해당 건축물 또는 시설의 준공검사(급수관의 갱생·교체 등의 조치를 한 경우를 포함한다)를 실시한 날부터 (㉠5)년이 경과한 날을 기준으로 6개월 이내에 실시
2. 2회 이후의 일반검사: 최근 일반검사를 받은 날부터 2년이 되는 날까지 매 (㉡2)년마다 실시

정답 ④

02 급수설비에서 사용되는 펌프 중 구조상 터보형 펌프에 해당하는 것은? 제28회

① 피스톤 펌프
② 기어 펌프
③ 볼류트 펌프
④ 다이어프램 펌프
⑤ 플런저 펌프

키워드 펌프의 종류
풀이 볼류트 펌프는 대표적인 원심펌프, 즉 터보형 펌프의 한 종류에 속한다. 피스톤 펌프, 플런저 펌프, 다이어프램 펌프는 왕복동 펌프의 종류에 속하고, 기어 펌프는 두 개의 맞물린 기어의 회전운동을 통해 유체를 밀폐된 공간으로 이송하는 용적형인 특수펌프로 분류된다.

정답 ③

---

01 먹는 물의 수질기준 및 검사 등에 관한 규칙에서 먹는 물의 수질기준으로 옳지 않은 것은?

① 색도는 5도, 탁도는 3NTU를 넘지 않아야 한다.
② 심미적 영향 물질에 관한 기준으로 수소이온 농도는 pH 5.8 내지 8.5이어야 한다.
③ 아연은 3mg/L를 넘지 않아야 한다.
④ 수은은 0.001mg/L를 넘지 않아야 한다.
⑤ 미생물에 관한 기준으로 총대장균군은 100mL에서 검출되지 아니하여야 한다.

키워드 먹는 물 수질기준
풀이 탁도는 1NTU를 넘지 아니할 것. 다만, 수돗물의 경우에는 0.5NTU를 넘지 아니할 것

정답 ①

---

02 다음 중 급수설비 설계에서 가장 먼저 결정해야 할 사항은?

① 급수관경 결정
② 양수펌프용량 결정
③ 수도인입관 설계
④ 급수량 산정
⑤ 저수조 크기 결정

키워드 급수설계
풀이 급수설비 설계순서는 '급수량 산정 ⇨ 급수방식 결정 ⇨ 조닝방법 결정 ⇨ 기기용량 및 배관재료 결정 ⇨ 급수관경 결정' 순이다.

정답 ④

03 수도직결방식의 특징으로 옳지 않은 것은?

① 구조나 미관문제가 발생하지 않는다.
② 정전이 되더라도 급수에 지장이 없다.
③ 유지관리비가 저렴하다.
④ 수질오염의 가능성이 높다.
⑤ 최하층에 기계실 면적이 불필요하다.

키워드 수도직결방식

풀이 수도직결방식은 수질오염의 가능성이 낮다.

이론+ 수도직결방식의 장단점

장점	① 위생적인 측면에서 급수오염의 가능성이 가장 낮다. ② 정전 시에도 급수가 계속 가능하다. ③ 주택, 소규모(저층) 건물에 적합하다. ④ 설비비, 유지비가 저렴하다. ⑤ 기계실 및 옥상탱크가 불필요하다.
단점	① 지역 및 높이에 따라 급수압의 차이가 크다. ② 단수 시 급수가 불가능하다. ③ 급수높이에 제한이 있다.

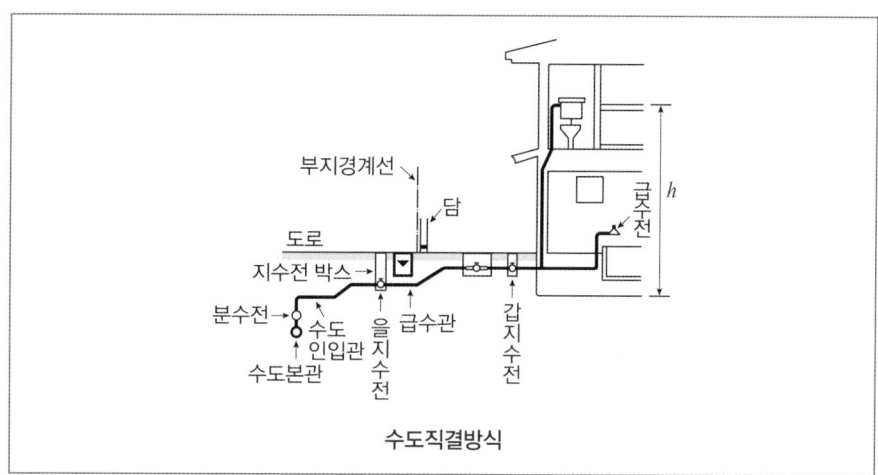

수도직결방식

정답 ④

04 수도직결방식에서 높이가 20m인 5층 건물에 샤워기를 설치하였을 경우 수도본관의 필요압력으로 옳은 것은? (단, 관내 마찰손실수두 0.04MPa)

① 0.07MPa
② 0.16MPa
③ 0.20MPa
④ 0.24MPa
⑤ 0.31MPa

키워드 수도직결방식
풀이 수도본관의 최저 필요압력(P_o) = 수두 + 기구압력 + 마찰손실수두
$P_o \geq$ 0.2MPa(20m) + 0.07MPa(7m) + 0.04MPa(4m) = 0.31MPa(31m)
(샤워기 최저 필요압력 0.07MPa)

정답 ⑤

05 지상 20층 공동주택의 급수방식이 고가수조방식인 경우, 지상 5층의 싱크대 수전에 걸리는 정지수압은 얼마인가? (단, 각 층의 높이는 3m, 옥상바닥면에서 고가수조 수면까지의 높이는 7m, 바닥면에서 싱크대 수전까지의 높이는 1m, 단위환산은 10mAq = 1kg/cm² = 0.1MPa)

① 0.51MPa
② 0.52MPa
③ 0.53MPa
④ 0.54MPa
⑤ 0.55MPa

키워드 고가탱크방식
풀이 정지수압 = 0.01H = 0.01 × [(16층 × 3m) + 7m − 1m] = 0.54MPa

정답 ④

06 고가수조방식에 관한 설명으로 옳지 않은 것은?

① 고가수조 및 배관은 동결방지시설을 해야 한다.
② 청소 및 보수를 위하여 1개보다 2개 이상으로 구획하거나 설치하는 것이 바람직하다.
③ 부득이한 경우를 제외하고는 급수관 이외에는 연결해서는 안 된다.
④ 오버플로우관을 설치할 경우 직접배수방식을 적용한다.
⑤ 고가수조의 높이는 건축물 최상단의 급수전이 샤워기를 사용할 경우 샤워기의 소요기구압 및 관내 마찰손실수두를 고려한 수위로 해야 한다.

키워드 고가탱크방식
풀이 오버플로우관은 크로스커넥션이 되지 않기 위해 간접배수방식을 적용한다.
이론+ 고가탱크방식의 장단점

장점	① 일정한 높이까지는 일정한 수압으로 급수할 수 있다. ② 취급이 간단하며, 대규모 급수설비에 적합하다. ③ 세정밸브를 사용하기에 적합하다. ④ 배관부속품의 파손이 적다. ⑤ 정전이나 단수 시에도 일정시간 동안 급수가 가능하다.
단점	① 저수조에서의 급수오염 가능성이 높다. ② 미관이 좋지 않고, 구조물 보강계획이 필요하다. ③ 설비비가 높다. ④ 고층부 수전과 저층부 수전의 토출압력이 다르다.

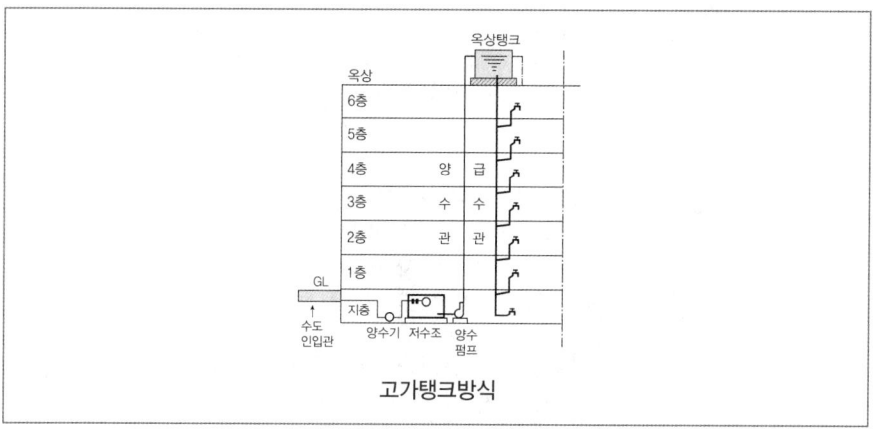

고가탱크방식

정답 ④

07 급수방식에 관한 설명으로 옳지 않은 것을 모두 고른 것은?

㉠ 펌프직송방식 중 대수제어방식은 펌프의 가동과 정지 시 급수압력의 변동이 있다.
㉡ 펌프직송방식에는 정속방식과 변속방식이 있다.
㉢ 수도직결방식은 기계실 및 옥상탱크가 불필요하고, 정전 시 급수가 불가능하다.
㉣ 펌프직송방식은 비상전원을 사용할 때를 제외하고는 정전 시 급수가 불가능하다.
㉤ 고가탱크방식은 옥상탱크가 필요하며, 수도직결방식에 비해 수질오염의 가능성이 높고 급수압력의 변동이 큰 편이다.

① ㉠, ㉡   ② ㉢, ㉤   ③ ㉠, ㉡, ㉤
④ ㉠, ㉢, ㉣   ⑤ ㉢, ㉣, ㉤

키워드 급수방식
풀이 ㉢ 수도직결방식은 기계실 및 옥상탱크가 불필요하고, 정전 시에도 급수가 가능하다.
　　　㉤ 고가탱크방식은 옥상탱크가 필요하며, 수도직결방식에 비해 수질오염의 가능성이 높으나 급수압력의 변동이 작은 편이다.

정답 ②

08 압력탱크방식에 관한 설명으로 옳지 않은 것은?

① 압력수조 내에 물을 공급한 후 압축공기로 물에 압력을 가해 급수하는 방식이다.
② 펌프, 압력수조, 컴프레서(Compressor), 저수조 등이 필요하다.
③ 압력수조는 압력용기이므로 제작비가 싸다.
④ 고가수조가 필요 없어 구조상·미관상 좋다.
⑤ 국부적으로 고압을 필요로 할 때 적합하다.

키워드 압력탱크방식
풀이 수조의 압력을 견뎌야 하므로 수조를 정밀하게 제작하여야 하고, 따라서 제작비가 비싸다.
이론+ 압력탱크방식의 장단점

장점	• 어느 특정부위에 고압을 필요로 하는 경우 적합하다. • 건물 상부에 탱크가 없어 건축구조물의 보강이 필요 없고, 외관이 깨끗하다. • 탱크 설치위치에 제한을 받지 않는다. • 단수 시 저수탱크의 물을 이용할 수 있다. • 체육관, 경기장 등에 사용된다.
단점	• 급수압 차가 매우 심하다. • 정전이나 고장 시 급수가 중단된다. • 공기의 압력을 견디기 위해 탱크를 정밀하게 제작하여야 하므로, 시설비와 관리비가 많이 든다. • 에어컴프레서를 설치하여 공기를 공급해야 한다. • 취급, 작동이 어렵고 고장이 많다.

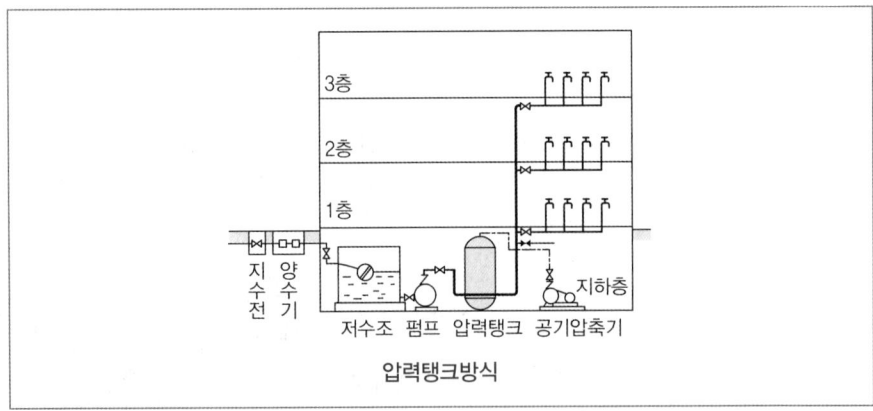

압력탱크방식

정답 ③

09 급수설비 중 펌프직송방식(부스터방식)에 관한 설명으로 옳은 것은?

① 주택과 같은 소규모 건물(2~3층 이하)에 주로 이용된다.
② 밀폐용기 내에 펌프로 물을 보내 공기를 압축시켜 압력을 올린 후 그 압력으로 필요 장소에 급수하는 방식이다.
③ 도로에 있는 수도본관에서 수도 인입관을 연결하여 건물 내의 필요개소에 직접 급수하는 방식이다.
④ 저수조에 저장된 물을 펌프로 고가수조에 양수하고, 여기서 급수관을 통해 건물의 필요개소에 급수하는 방법이다.
⑤ 급수관 내의 압력 또는 유량을 탐지하여 펌프의 대수를 제어하는 정속방식과 회전수를 제어하는 변속방식이 있으며, 이를 병용하기도 한다.

키워드 탱크가 없는 부스터방식

풀이
① 주택과 같은 소규모 건물에 주로 이용되는 것은 수도직결방식이다.
② 밀폐용기 내에 펌프로 물을 보내 공기를 압축시켜 압력을 올린 후 그 압력으로 필요 장소에 급수하는 방식은 압력탱크방식이다.
③ 도로에 있는 수도본관에서 수도 인입관을 연결하여 건물 내의 필요개소에 직접 급수하는 방식은 수도직결방식이다.
④ 저수조에 저장된 물을 펌프로 고가수조에 양수하고, 여기서 급수관을 통해 건물의 필요개소에 급수하는 방식은 고가수조방식이다.

이론+ 탱크가 없는 부스터방식의 장단점

장점	• 최상층의 수압을 크게 할 수 있다. • 급수펌프만으로 급수하여 수질오염이 적다. • 기계·기구 점유면적을 작게 할 수 있다. • 자동제어시스템에 의해 주택단지, 넓은 공장, 대규모 건물 등에 사용된다. • 급수설비로 인한 옥상층의 하중을 고려할 필요가 없다. • 단수 시에도 저수조에 남은 양만큼 급수가 가능하다.
단점	• 펌프의 가동과 정지 시 급수압력의 변동이 있어, 압력을 일정하게 유지하기 위한 제어장치가 필요하다. • 자동제어설비로 인한 비용이 많이 든다. • 비상전원 사용 시를 제외하고, 정전이나 고장 시 급수가 불가능하다. • 고장 시 수리가 어렵다.

정답 ⑤

10 급수방식에 관한 설명으로 옳지 않은 것은?

① 압력탱크방식은 급수압력이 일정하게 유지되지 않는 단점이 있다.
② 펌프직송방식과 압력탱크방식은 고가수조를 설치하지 않아도 급수가 가능하다.
③ 펌프직송방식에서는 펌프의 회전수 제어를 위해서 인버터 제어방식 등이 이용된다.
④ 고가수조방식에서는 고층부 수전과 저층부 수전의 토출 압력이 동일하다.
⑤ 수도직결방식은 시설비 및 위생적인 측면에서 유리하나, 단수 시 급수가 불가능하다는 단점이 있다.

키워드 급수방식
풀이 고가수조방식에서는 고층부 수전과 저층부 수전의 수압차가 크다. 이에 고층건물의 경우 조닝을 하여 저층부의 수압을 적절하게 유지하게 되며, 일반적으로 고층건물이 아닌 경우 고가수조방식은 수압이 일정하다고 볼 수 있다.

정답 ④

11 급수설비에 관한 설명으로 옳은 것은?

① 급수설계 시에는 최하층에 설치되는 위생기구를 기준으로 최소 필요압력을 결정한다.
② 고가탱크의 급수계통 고장 시 일정 수위 이상으로 넘치지 않도록 오버플로우관(Overflow Pipe)을 물탱크 공급관경 이하의 관경으로 설치한다.
③ 수도직결방식은 단수 및 정전 시에도 급수가 계속 가능하다.
④ 고가탱크 수위면과 사용기구의 낙차가 클수록 토출압력이 감소한다.
⑤ 펌프직송방식은 급수관 내의 압력 또는 유량을 탐지하여 펌프의 대수를 제어하는 정속방식과 회전수를 제어하는 변속방식이 있다.

키워드 급수방식
풀이 ① 급수설계 시에는 최상층에 설치되는 위생기구를 기준으로 최소 필요압력을 결정한다.
② 고가탱크의 급수계통 고장 시 일정 수위 이상으로 넘치지 않도록 오버플로우관(Overflow Pipe)을 물탱크 공급관의 2배 이상 관경으로 설치한다.
③ 수도직결방식은 단수 시 급수가 불가능하지만, 정전 시에는 급수가 가능하다.
④ 고가탱크 수위면과 사용기구의 낙차가 클수록 토출압력이 증가한다.

정답 ⑤

12 건물 내의 급수방식에 관한 설명으로 옳지 않은 것은?

① 펌프직송방식은 정속방식과 변속방식이 있다.
② 수도직결방식은 기계실 및 옥상탱크가 불필요하고, 단수 시 급수가 불가능하다.
③ 압력탱크방식은 단수 시 저수탱크의 물을 이용할 수 있으며, 옥상탱크가 불필요하다.
④ 펌프직송방식은 펌프의 가동과 정지 시 급수압력의 변동이 있으며, 비상전원 사용 시를 제외하고 정전 시 급수가 불가능하다.
⑤ 고가탱크방식은 옥상탱크가 필요하며, 수도직결방식에 비해 수질오염의 가능성이 낮고 급수압력의 변동이 적다.

키워드 급수방식

풀이 고가탱크방식은 옥상탱크가 필요하며, 수도직결방식에 비해 수질오염의 가능성이 높고 급수압력의 변동이 적다.

이론+ 급수방식의 특성 비교

조건 \ 급수방식	수도직결방식	고가수조방식	압력수조방식	펌프직송방식
수질오염 가능성	낮음	높음	보통	보통
급수압력의 변화	수도본관의 압력에 따라 변화	거의 일정	압력수조 토출 측에 압력조정밸브를 설치하지 않으면 수압변화가 큼	거의 일정
단수 시 급수	불가	저수조와 고가수조에 저장된 수량을 사용	저수조에 저장된 수량을 사용	저수조에 저장된 수량을 사용
정전 시 급수	가능	고가수조의 저장 수량 사용	불가능	불가능
기계실 면적	불필요	적게 필요	많이 필요	보통
고가수조 면적	불필요	필요	불필요	불필요
설비비용	낮음	높음	보통	높음
유지관리 난도	낮음	보통	높음	높음

정답 ⑤

13 급수설비에서 수격작용(Water Hammer)의 원인으로 옳지 않은 것은?

① 밸브를 급히 조작
② 유속을 급정지 시 작용
③ 급수관 지름이 넓어질 경우 작용
④ 고압이 걸리는 고층 급수관에 공기실을 설치하지 않을 경우
⑤ 급격한 압력이 작용

> **키워드** 수격작용
> **풀이** 급수관의 지름이 넓게 되는 것은 수격작용의 원인이 아니라 대책이다.
>
> 정답 ③

14 급수설비에 관한 설명으로 옳은 것은?

① 지수밸브(Stop Valve)를 적절히 달아서 국부적 단수로 처리하고 수량 및 수압을 조절할 수 있도록 한다.
② 기구류의 급조작으로 인한 급정지로 수격작용이 발생하기 때문에 이것에 대한 방지책으로 밸브 및 수전류를 서서히 작동하고, 기구류 가까이에 진공방지기를 설치한다.
③ 급수방식 중 수질오염 가능성이 가장 적은 것은 고가수조방식이다.
④ 급수관경을 결정하는 방법은 급수부하단위, 기구연결관의 관경에 의한 결정, 균등표에 의한 관경 결정, 사용인원수에 의한 결정 등이 있다.
⑤ 바닥 또는 벽을 관통하는 배관은 슬리브(Sleeve) 배관을 해서는 안 된다.

> **키워드** 급수배관설계
> **풀이** ② 기구류의 급조작으로 인한 급정지로 수격작용이 발생하기 때문에 이것에 대한 방지책으로 밸브 및 수전류를 서서히 작동하고, 기구류 가까이에 공기실을 설치하며, 진공방지기는 배수의 역류를 방지할 때 사용한다.
> ③ 급수방식 중 수질오염 가능성이 가장 적은 것은 수도직결식이다.
> ④ 급수관경을 결정하는 방법은 급수부하단위, 기구연결관의 관경에 의한 결정, 균등표에 의한 관경 결정, 마찰저항선도에 의한 관경결정이 있으며, 사용인원수에 의한 산정방법은 급수량 산정방법이다.
> ⑤ 바닥 또는 벽을 관통하는 배관은 슬리브(Sleeve) 배관을 한다.
>
> 정답 ①

15 급수배관 설계·시공상의 주의사항으로 옳지 않은 것은?

① 연관이나 납땜이음 부분을 콘크리트 속에 매설하는 경우에는 내알칼리성 도장을 한다.
② 초고층 건물은 과대한 급수압이 걸리지 않도록 적절히 조닝(Zoning)을 한다.
③ 배관 현장의 여건상 ㄷ자형의 배관이 되어 공기가 찰 우려가 있는 곳은 공기빼기 밸브를 설치한다.
④ 배관공사가 끝나기 전 수압시험을 실시하여 누수의 유무를 파악한다.
⑤ 수격작용을 방지하기 위하여 기구류 가까이에 공기실을 설치한다.

키워드 급수배관설계
풀이 배관공사가 끝난 후 피복하기 전에 수압시험을 실시하여 누수의 유무를 파악한다.

정답 ④

16 급수배관 설계에 관한 설명으로 옳지 않은 것은?

① 급수배관의 최소 관경은 15mm 이상을 사용한다.
② 급수배관계통의 최저 사용압력은 수압 0.75MPa에 견딜 수 있는 것으로 한다.
③ 플로트스위치(Float Switch)는 양수펌프의 시동과 정지를 자동으로 하기 위해 옥상탱크에 설치한다.
④ 수격작용은 동일 유량인 경우, 배관의 관경이 크고, 유속이 빠를수록 일어나기 쉽다.
⑤ 배관 구배를 적절히 잘 잡아서 물이 정체되지 않도록 직선배관을 한다.

키워드 급수배관설계
풀이 수격작용은 동일 유량인 경우, 배관의 관경이 작고, 유속이 빠를수록 일어나기 쉽다.

정답 ④

17 급수설비의 수질오염방지 대책에 관한 설명으로 옳지 않은 것은?

① 수조는 부식이 적은 스테인리스 재질을 사용하여 수질에 영향을 주지 않도록 한다.
② 음료수 배관과 음료수 이외의 배관은 접속시켜 설비배관의 효율성을 높이도록 한다.
③ 단수 등이 발생 시 일시적인 부압에 의한 배수의 역류가 발생하지 않도록 토수구 공간을 두거나 역류방지기 등을 설치한다.
④ 배관 내에 장시간 물이 흐르면 용존산소의 영향으로 부식이 진행되므로 배관류는 부식에 강한 재료를 사용하도록 한다.
⑤ 저수탱크는 필요 이상의 물이 저장되지 않도록 하고, 주기적으로 청소하고 관리하도록 한다.

키워드 급수설비의 수질오염
풀이 음료수 배관과 음료수 이외의 배관은 접속시키지 않는다.

정답 ②

18 급수설비의 수질오염방지에 관한 설명으로 옳지 않은 것은?

① 크로스커넥션(Cross Connection)이 발생하지 않도록 급수배관을 한다.
② 탱크는 완전히 밀폐하고 다른 물질이나 먼지 등이 들어가지 않게 한다.
③ 진공방지기는 급수관 내부에 부압이 형성될 경우 급수관 내의 공기를 흡입하여 부압 발생 및 수격작용을 방지하는 장치이다.
④ 음료용의 저수조는 건물구조체를 저수조로 이용하지 않도록 하며 부득이 이용 시에는 내면을 위생상 지장이 없는 도료나 공법으로 처리하여야 한다.
⑤ 음료용의 고가수조는 수리나 청소에 대비하여 2조 이상으로 나누어 설치한다.

키워드 급수설비의 수질오염
풀이 역류방지기인 진공방지기(Vacuum Breaker)는 오수가 역류되어 급수가 오염되는 크로스커넥션을 방지하는 기구로서 부압이 될 경우 역류가 발생하지 않게 하기 위해 설치한다.

정답 ③

19 급수설비에서 펌프의 실양정에 관한 설명으로 옳은 것은?

① 저수조 수면에서 최고층 수전까지 높이에 배관계의 마찰손실수두를 합한 높이
② 배관계의 마찰손실에 해당하는 높이
③ 펌프에서 최고층 수전까지의 수직높이
④ 저수조 수면에서 최고층 수전까지의 수직높이
⑤ 저수조 수면에서 펌프까지의 수직높이

키워드 펌프의 양정
풀이 ① 전양정, ② 마찰손실수두, ③ 토출양정, ⑤ 흡입양정
이론+ 펌프의 양정

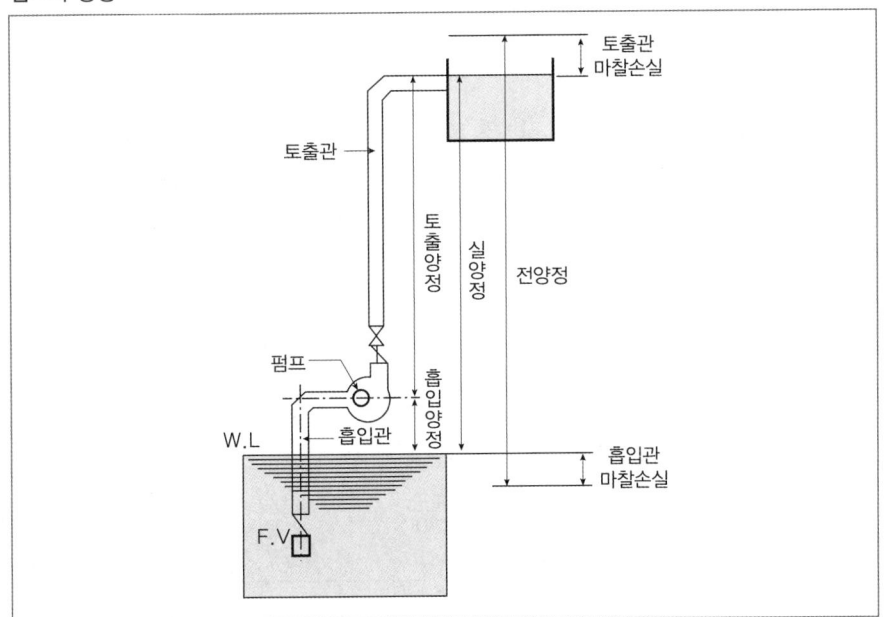

정답 ④

20 급수설비에서 펌프의 흡입양정이 10m, 토출양정이 40m, 관내 마찰손실수두가 실양정의 10%일 때 펌프의 전양정으로 옳은 것은?

① 10m   ② 36m   ③ 40m
④ 48m   ⑤ 55m

키워드 펌프의 양정
풀이 전양정 = 흡입양정 + 토출양정 + 마찰손실수두
∴ 10m + 40m + (10 + 40) × 0.1 = 55m

정답 ⑤

21 오물잔재의 고형물이나 천조각 등이 섞여 있는 물을 배제하는 데 사용되는 와권펌프는?

① 피스톤펌프
② 논클로그펌프
③ 터빈펌프
④ 기어펌프
⑤ 볼류트펌프

> **키워드** 펌프의 종류
> **풀이** ① 피스톤펌프 – 저압급수용
> ③ 터빈펌프 – 급수용
> ④ 기어펌프 – 기름 반송용
> ⑤ 볼류트펌프 – 급수용·급탕용

정답 ②

22 펌프에 의해 물 4.0m³/min을 올리기 위한 소요동력은? (단, 수수조 수면에서 최고층까지의 높이는 30m이고, 마찰손실수두는 0.006MPa, 펌프의 효율은 50%, 여유율은 20%이다)

① 22kW
② 28kW
③ 32kW
④ 40kW
⑤ 48kW

> **키워드** 펌프의 소요동력
> **풀이** (1) 축동력(kW) = $\dfrac{\text{물의 단위중량} \times \text{전양정} \times \text{양수량}}{6{,}120 \times \text{효율}}$
> $= \dfrac{1{,}000 \times (30 + 0.006 \times 100) \times 4}{6{,}120 \times 0.5} = 40\text{kW}$
> (2) 여유율이 20%이므로 40 × 1.2 = 48kW

정답 ⑤

23 다음 ( )에 들어갈 내용이 모두 옳은 것은?

> 기구별 최저급수압력으로서 세정밸브 대변기는 (㉠)kPa, 샤워기는 (㉡)kPa, 세면기는 (㉢)kPa이 필요하다.

	㉠	㉡	㉢
①	130	100	35
②	100	70	55
③	80	55	30
④	1.3	1	0.3
⑤	1.2	7	3

키워드 급수압력

풀이 위생기구별 최저급수압력으로서 세정밸브 대변기는 (㉠ 100)kPa, 샤워기는 (㉡ 70)kPa, 세면기는 (㉢ 55)kPa이 필요하다.

정답 ②

24 양수량이 40m³/min, 전양정이 140m, 효율이 80%인 펌프에서 회전수를 4배 증가시켰을 때 양수량의 변화는?

① 4배 증가
② 4배 감소
③ 16배 감소
④ 16배 증가
⑤ 변화 없음

키워드 펌프의 양정

풀이 펌프의 양수량과 회전수는 정비례하므로 회전수가 증가한 배수만큼 양수량이 증가한다.

정답 ①

25 급수펌프에 관한 설명으로 옳지 않은 것은?

① 펌프는 구경이 클수록 효율이 증가한다.
② 펌프의 축동력은 펌프 양수량과 반비례관계이다.
③ 펌프의 흡입양정은 수온이 높을수록 낮아진다.
④ 펌프의 흡입양정은 해발고도가 높을수록 낮아진다.
⑤ 펌프의 축동력은 펌프효율과 반비례관계이다.

키워드 펌프
풀이 펌프의 축동력은 펌프 양수량과 비례하고 펌프의 흡입양정은 수온이 높을수록, 해발고도가 높을수록, 대기압이 낮을수록 낮아진다.

정답 ②

26 펌프에 관한 설명으로 옳지 않은 것은?

① 물을 높은 곳으로 보내는 경우, 흡수면으로부터 토출수면까지의 수직거리를 실양정이라고 한다.
② 펌프의 축동력은 펌프의 양정과 비례한다.
③ 펌프의 구경이 클수록 효율이 증가한다.
④ 펌프의 양수량은 펌프의 회전수가 증가하여도 변화하지 않는다.
⑤ 캐비테이션이 펌프 내에서 발생하면 펌프의 흡입이 불량해지고 소음이나 진동을 일으킨다.

키워드 펌프
풀이 펌프의 양수량은 회전수가 증가할 경우 그 배수만큼 증가한다.

정답 ④

27 급수설비에 관한 설명으로 옳은 것은?

① 급수배관이나 기구 구조의 불량으로 급수관 내에 오수가 역류하여 오염되도록 배관된 크로스커넥션의 발생으로 수질오염이 일어난다.
② 저수조를 설치하는 장소는 배수관과 이격하여 설치하고, 음료수용이 아닌 다른 목적의 배관과 접속시켜 배관의 흐름이 원활하도록 한다.
③ 단수 발생 시 일시적인 부압으로 인한 배수의 역류가 발생하지 않도록 수전과 세면기 상단부와의 거리를 확보하거나 에어챔버를 설치한다.
④ 펌프의 전양정은 흡입양정에 토출양정을 더한 값이다.
⑤ 펌프의 공동현상은 흡입양정이 클 경우, 흡입관경이 클 경우, 흡입수온이 높을 경우 발생한다.

> **키워드** 급수배관설계
> **풀이** ② 저수조를 설치하는 장소는 배수관과 이격하여 설치하고, 음료수용이 아닌 다른 목적의 배관과 접속시켜 배관하지 않는다.
> ③ 단수 발생 시 일시적인 부압으로 인한 배수의 역류가 발생하지 않도록 수전과 세면기 상단부와의 거리를 확보하거나 역류방지기(Vacuum Breaker)를 설치하도록 한다.
> ④ 펌프의 실양정은 흡입양정에 토출양정을 더한 값이다.
> ⑤ 펌프의 공동현상은 흡입양정이 클 경우, 흡입관경이 작을 경우, 흡입수온이 높을 경우 발생한다.
>
> **정답** ①

28 급수설비 및 방식에 관한 설명으로 옳지 않은 것은?

① 압력탱크방식은 고가탱크식보다 수압변동이 심하고 조작상 최고 및 최저의 압력차가 크므로 급수압이 일정하지 않으나 국부적으로 고압을 필요로 하는 경우에 이용된다.
② 슬리브는 배관의 신축과 팽창을 흡수하고 배관의 교체를 쉽게 하기 위해 사용한다.
③ 급수펌프의 공동현상 발생을 방지하기 위해 가능한 흡입양정을 낮추어 설치한다.
④ 초고층 건물에는 옥상층과 중간층에 수조를 설치하는데, 그 이유는 급수펌프의 용량을 줄이기 위함이다.
⑤ 물탱크는 단수하지 않게 청소가 가능하도록 2개 이상으로 분할하여 설치하거나 내부 칸막이를 설치한다.

> **키워드** 급수방식
> **풀이** 초고층 건물의 급수조닝은 저층부의 적절한 수압을 유지하여 급수하려는 방법이다.
>
> **정답** ④

CHAPTER 03 급탕설비

▶ **연계학습** | 에듀윌 기본서 1차 [공동주택시설개론 下] p.79

대표기출

급탕설비에 관한 내용으로 옳지 않은 것은? 제28회

① 기수혼합식은 증기에서 발생하는 소음을 줄이기 위해 스트레이너를 사용한다.
② 급탕온도를 일정하게 유지하기 위해 자동온도조절장치를 설치한다.
③ 중앙식 급탕방식 중 간접 가열식은 저탕조 내에 가열코일을 설치하고, 이 코일에 증기 등을 공급하여 저탕조 내의 물을 가열하는 방식이다.
④ 스위블 조인트는 엘보를 사용하여 배관의 신축을 흡수하는 방식이다.
⑤ 순간온수기는 벤튜리(Venturi)의 압력차에 의한 다이어프램의 구동으로 작동된다.

키워드 급탕설비
풀이 기수혼합식은 증기에서 발생하는 소음을 줄이기 위해 스팀사일런서(Steam Silencer)를 사용한다.

정답 ①

---

01 어떤 건물의 급탕설비에서 급탕량이 5m³/h이고, 급수온도가 10℃이며, 급탕온도가 70℃일 때 급탕부하로 옳은 것은? (단, 물의 비열은 4.2kJ/kg·K)

① 18kW ② 190kW
③ 210kW ④ 250kW
⑤ 350kW

키워드 급탕설비

풀이 급탕부하(kW) = $\dfrac{\text{급탕량(kg)} \times \text{비열(kJ/kg·K)} \times \text{온도차(℃)}}{3,600(s)}$

$= \dfrac{5,000 \times 4.2 \times (70 - 10)}{3,600} = 350\text{kW}$

정답 ⑤

02 급탕배관 계통에서 총손실열량이 35kW이고 급탕온도가 80℃, 반탕온도가 70℃라면 순환수량(ℓ/min)은 얼마인가? (단, 물의 비열은 4.2kJ/kg·K)

① 50(ℓ/min)   ② 100(ℓ/min)   ③ 1,000(ℓ/min)
④ 2,400(ℓ/min)   ⑤ 3,000(ℓ/min)

키워드 급탕설계

풀이 총손실열량(kW) = $\dfrac{순환수량(kg) \times 비열(kJ/kg·K) \times 온도차℃}{60(s)}$

35kW = $\dfrac{순환수량 \times 4.2 \times (80 - 70)}{60}$

∴ 순환수량(L/min) = 50kg/min = 50ℓ/min

정답 ①

---

03 가스보일러에서 10℃의 물 10,000kg을 70℃로 가열할 때 가스소비량은? (단, 가스의 발열량은 42,000kJ/m³, 물의 비열은 4.2kJ/kg·K, 가스보일러의 효율은 80%이다)

① 70m³   ② 75m³   ③ 80m³
④ 85m³   ⑤ 90m³

키워드 급탕설계

풀이 보일러 효율 = $\dfrac{급탕량 \times 물의 비열 \times (급탕온도 - 급수온도)}{연료투입량 \times 연료의 저위발열량} = 100$

∴ 연료투입량(가스소비량) = $\dfrac{급탕량 \times 물의 비열 \times (급탕온도 - 급수온도)}{보일러 효율 \times 연료의 저위발열량} \times 100$

= $\dfrac{10,000kg \times 4.2kJ/kg·K \times (70 - 10)℃}{42,000kJ/m³ \times 0.8}$ = 75m³

정답 ②

---

04 난방부하 30kW, 급탕부하 10kW, 배관열손실 5kW일 때 보일러의 정격출력으로 옳은 것은? (단, 예열부하는 상용출력의 20%이다)

① 11kW   ② 20kW   ③ 30kW
④ 45kW   ⑤ 54kW

키워드 보일러

풀이 (1) 상용출력 = 난방부하 + 급탕부하 + 배관손실 = 30 + 10 + 5 = 45kW
(2) 예열부하 = 45kW × 0.2 = 9kW
(3) 정격출력 = 상용출력 + 예열부하 = 45 + 9 = 54kW

정답 ⑤

05 보일러에 관한 설명으로 옳지 않은 것은?

① 노통연관보일러: 부하의 변동에 대해 안전성이 있으며 수면이 넓어 급수 조절이 용이하다.
② 주철제보일러: 조립식이므로 용량을 쉽게 증가시킬 수 있으며 반입이 용이하고 수명이 길다.
③ 입형보일러: 설치면적이 넓고 취급이 복잡하나 대용량으로 효율이 좋다.
④ 관류보일러: 하나의 관내를 흐르는 동안에 예열, 가열, 증발, 과열이 행해져 과열증기를 얻을 수 있다.
⑤ 수관보일러: 가동시간이 짧고 효율이 좋으나 고가이며 수처리가 복잡하다.

키워드 **보일러의 종류**
풀이 입형보일러는 설치면적이 좁고, 취급이 간단하며 소용량의 사무소, 점포, 주택 등에 사용되고, 수직으로 세워 굴뚝에 연결하므로 효율이 나쁘다.

정답 ③

06 보일러에 관한 설명으로 옳지 않은 것은?

① 팽창관의 관경은 보일러의 전열면적에 따라 결정된다.
② 관류식 보일러는 대용량에 적합하고 드럼이 설치되어 있지 않으며, 부하변동에 대한 응답이 빠르다.
③ 수관보일러는 보유수량이 적어 증기발생이 빠르고, 수처리가 복잡하다.
④ 노통연관보일러는 수면이 넓어 급수조절이 용이하다.
⑤ 주철제보일러는 조립식으로 용량의 증감이 용이하다.

키워드 **보일러의 종류**
풀이 관류식 보일러는 대용량에 부적합하고 드럼이 설치되어 있지 않으며, 부하변동에 대한 응답이 빠르다.

정답 ②

07 보일러에 관한 설명으로 옳지 않은 것은?

① 증기보일러의 용량은 단위시간당 증발량으로 나타낸다.
② 관류보일러는 드럼이 설치되어 있어 부하변동에 대한 응답이 느리다.
③ 노통연관보일러는 부하 변동에 대해 안정성이 있고, 수면이 넓어 급수조절이 용이하다.
④ 난방·급탕 겸용 보일러의 정격출력은 급탕부하, 난방부하, 배관부하, 예열부하의 합으로 표시된다.
⑤ 수관보일러는 고압 및 대용량에 적합하여 지역난방과 같은 대규모 설비나 대규모 공장 등에서 사용된다.

> **키워드** 보일러의 종류
> **풀이** 관류보일러는 드럼이 설치되어 있지 않으며, 부하변동에 대한 추종성이 빠르다.

정답 ②

08 보일러 가동 중 이상 현상인 팽출에 관한 설명으로 옳은 것은?

① 전열면이 과열에 의해 내압을 견디지 못하고 밖으로 부풀어 오르는 현상
② 전열면이 과열에 의해 외압을 견디지 못해 안쪽으로 오목하게 찌그러지는 현상
③ 보일러의 물이 끓을 때 그 속에 함유된 유지분이나 부유물에 의해 거품이 생기는 현상
④ 비수, 관수가 갑자기 끓을 때 물거품이 수면을 벗어나서 증기 속으로 비상하는 현상
⑤ 증기관으로 보내지는 증기에 비수 등 수분이 과다 함유되어 배관내부에 응결수나 물이 고여서 수격작용의 원인이 되는 현상

키워드 보일러 가동 시 이상 현상

풀이 ② 압궤: 전열면이 과열에 의해 외압을 견디지 못해 안쪽으로 오목하게 찌그러지는 현상
③ 포밍(Foaming): 보일러의 물이 끓을 때 그 속에 함유된 유지분이나 부유물에 의해 거품이 생기는 현상
④ 프라이밍(Priming): 비수, 관수가 갑자기 끓을 때 물거품이 수면을 벗어나서 증기 속으로 비상하는 현상
⑤ 캐리오버(Carry-over) 현상: 증기관으로 보내지는 증기에 비수 등 수분이 과다 함유되어 배관내부에 응결수나 물이 고여서 수격작용의 원인이 되는 현상

이론+ 보일러 가동 시 이상(異常)현상

종류	내용
가마울림	보일러 연소 중에 연소실이나 연도 내에 지속적인 울림현상이 일어나는 것
포밍(Foaming)	보일러의 물이 끓는 경우 그 물에 함유된 유지분이나 부유물에 의해 거품이 생기는 현상
프라이밍(Priming)	비수(沸水), 관수(管水)가 갑자기 끓을 때 물거품이 수면을 벗어나서 증기 속으로 비상하는 현상
역화(Back Fire)	연소 시 화염방향이 비정상적인 현상
캐리오버(Carry-over) 현상	증기관으로 보내지는 증기에 비수 등 수분이 과다 함유되어 배관 내부에 응결수나 물이 고여서 수격작용의 원인이 되는 현상
압궤(壓潰)	전열면이 과열에 의해 외압을 견디지 못하여 안쪽으로 오목하게 찌그러지는 현상
팽출(膨出)	전열면이 과열에 의해 내압을 견디지 못하여 밖으로 부풀어 오르는 현상
균열(Crack)	반복적인 가동으로 보일러 내의 재료가 미세하게 금이 가는 현상

정답 ①

09 급탕설비의 팽창탱크 역할에 관한 설명으로 옳지 않은 것은?

① 물의 팽창에 따른 위험을 방지한다.
② 관내에 분리된 공기를 배출한다.
③ 보일러나 배관 내의 이상압력을 흡수하는 도피구이다.
④ 보일러 내의 증기나 공기를 배출시키는 안전밸브 역할을 한다.
⑤ 소음을 방지하는 역할을 하는 것으로 배관 도중에는 밸브를 설치하지 않는다.

> **키워드** 팽창관과 팽창탱크
> **풀이** 팽창탱크는 온수순환 배관 도중에 온수부피로 인한 팽창 및 이상압력이 생겼을 때 그 압력을 흡수하는 도피구로 안전밸브 역할을 하며, 보일러 내의 공기나 증기를 배출시킨다. 소음을 방지하는 것은 기수 혼합식에서의 스팀사일런서(Steam Silencer, 소음기)이다.
>
> **정답** ⑤

10 급탕설비에 관한 설명으로 옳지 않은 것은?

① 팽창관에는 별도의 배수설비가 필요하다.
② 온도조절밸브란 온도의 증감에 따라 유량을 바꾸어 적당한 온도를 유지하기 위한 밸브로, 요구온도의 범위 내에서 온도조절이 가능하고 기능이 확실한 것으로 한다.
③ 팽창관은 중간에 배관의 수리 및 교체에 필요한 밸브를 설치하지 않는다.
④ 팽창탱크의 경우 에너지 절약측면에서는 개방형이, 내식성 및 규모면에서는 밀폐형이 유리하다.
⑤ 팽창관 및 팽창탱크의 크기는 물의 팽창량과 관계가 있으므로 보일러의 용량, 즉 전열면적에 의해 결정된다.

> **키워드** 팽창관과 팽창탱크
> **풀이** 팽창관에는 별도의 배수설비가 필요 없다.
>
> **정답** ①

11 급탕방식에 관한 설명으로 옳지 않은 것은?

① 개별식은 설비비가 적게 들고 유지 및 관리가 용이하다.
② 중앙식은 배관 중 열손실이 크다.
③ 개별식은 급탕 개소마다 가열기의 설치공간이 불필요하다.
④ 중앙식은 직접가열식과 간접가열식으로 나뉘진다.
⑤ 개별식은 수시로 필요한 온도의 온수가 가능하다.

키워드　급탕방식
풀이　개별식은 급탕 개소마다 가열기의 설치공간이 필요하다.
이론＋

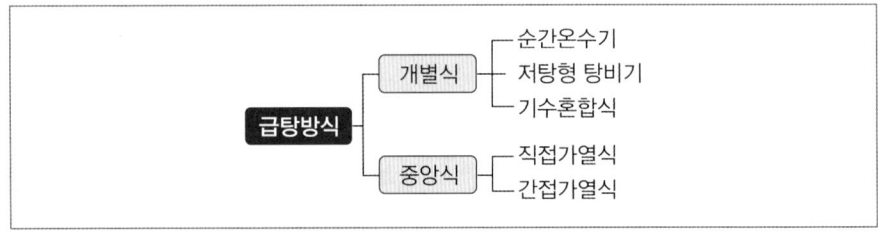

정답 ③

12 급탕설비에 관한 설명으로 옳은 것은?

① 복관식은 보일러나 저탕조에서 급탕 전까지 15m 이내가 되게 한다.
② 신축이음의 종류에는 스위블 조인트, 신축곡관, 유니언, 볼조인트 등이 있다.
③ 저탕형 탕비기에서 소음을 줄이기 위해 스팀사일런서를 설치한다.
④ 직접환수방식은 각 층의 온수유량을 균등하게 분배하여 순환을 촉진한다.
⑤ 간접가열식은 난방용 보일러에 증기를 사용할 경우 별도의 급탕용 보일러가 불필요하다.

키워드　급탕배관설계
풀이　① 단관식은 보일러나 저탕조에서 급탕 전까지 15m 이내가 되게 한다.
② 신축이음의 종류에는 스위블 조인트, 신축곡관, 슬리브형, 벨로스형, 볼조인트 등이 있다.
③ 기수혼합식에서 소음을 줄이기 위해 스팀사일런서를 설치한다.
④ 역환수방식은 각 층의 온수유량을 균등하게 분배하여 순환을 촉진한다.

정답 ⑤

13 중앙식 급탕에서 간접가열식에 관한 설명으로 옳지 않은 것은?

① 저탕조에 서모스탯(Thermostat)을 설치하여 온도조절을 한다
② 직접가열식과 비교하여 보일러 내면에 스케일이 많이 발생한다.
③ 저탕조에는 안전밸브를 설치할 필요가 있다.
④ 난방용 보일러의 증기를 사용 시 급탕용 보일러가 필요 없다.
⑤ 저탕조 내에 가열코일을 설치하고 이 코일에 증기(또는 고온수)를 통과시켜 저탕조의 물을 가열하는 방식이다.

키워드 중앙식 급탕방식

풀이 간접가열식은 저탕조 내에 가열코일을 설치하고 이 코일에 증기 또는 고온수를 통해서 저탕조의 물을 간접적으로 가열하는 방식으로, 고압용 보일러나 별도의 급탕용 보일러가 불필요하며 보일러 내면에 스케일이 거의 끼지 않는다.

이론 ➕

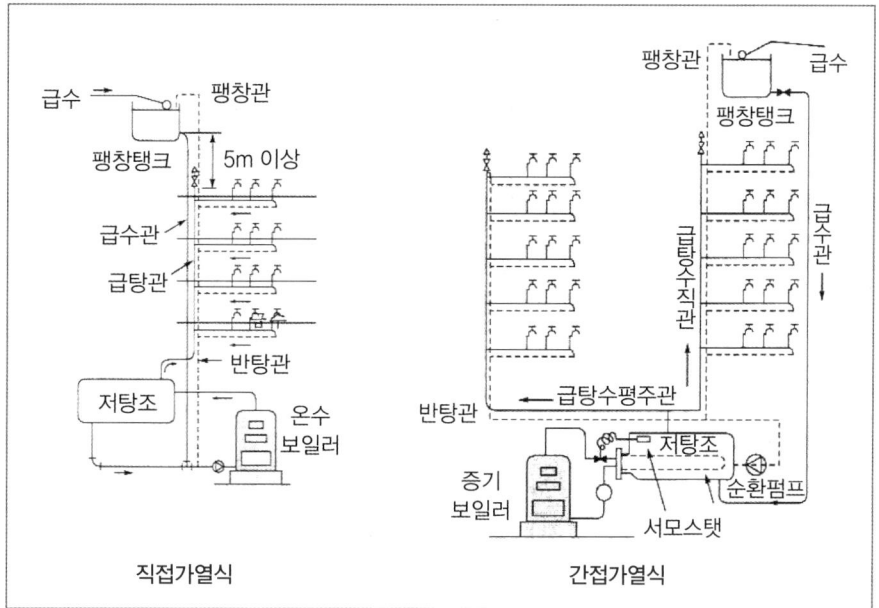

정답 ②

14 급탕설비에서 역환수방식(Reverse Return) 급탕배관방식에 관한 설명으로 옳지 않은 것은?

① 유량분배를 균일하게 하여 온수순환을 균등하게 한다.
② 급탕의 순환을 촉진하여 항시 온수를 사용할 수 있게 한다.
③ 소규모보다는 대규모설비에 적합한 급탕의 배관방식이다.
④ 급탕배관의 길이를 짧게 하여 설비비를 저렴하게 할 수 있다.
⑤ 환탕관을 역회전시켜 층마다의 순환배관 길이를 같게 하도록 한 배관방식이다.

키워드 급탕배관법

풀이 역환수방식(Reverse Return)은 각 층의 온수순환을 균등하게 할 목적으로 환탕관을 역회전시켜 층마다의 순환배관 길이를 같게 하도록 한 배관방식으로, 대규모설비에 적합한 방식이나 배관길이가 길어지는 단점이 있다.

이론 +

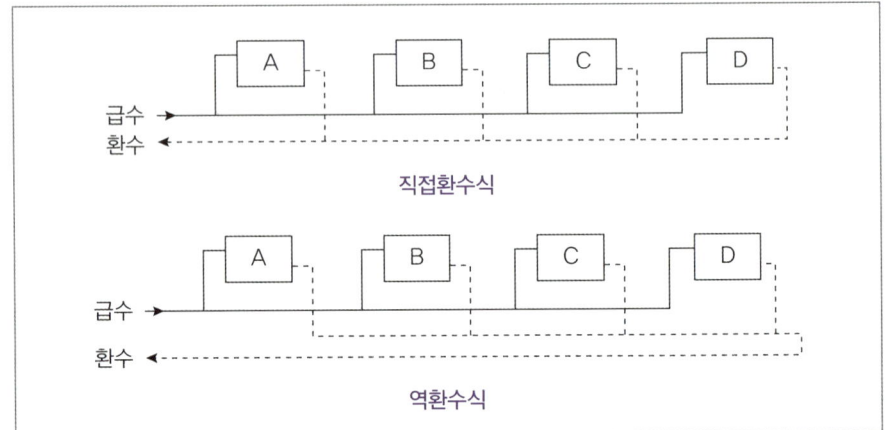

정답 ④

15 급탕설비에 관한 설명으로 옳은 것은?

① 급탕 배관 시 상향공급방식에서는 급탕 수평주관은 앞올림구배로 하고 복귀관은 앞내림구배로 한다.
② 스팀사일런서(Steam Silencer)는 가스순간온수기의 소음을 줄이기 위해 사용한다.
③ 팽창관과 팽창수조 사이에는 밸브를 설치하여야 한다.
④ 중앙식 급탕공급방식에서 간접가열식은 직접가열식과 비교하여 열효율은 좋지만, 보일러에 공급되는 냉수로 인해 보일러 본체에 불균등한 신축이 생길 수 있다.
⑤ 팽창관의 관경은 동결을 고려하여 20mm 이상으로 하는 것이 바람직하다.

키워드 급탕배관설계
풀이 ② 스팀사일런서(Steam Silencer)는 기수혼합식에 사용된다.
③ 팽창관과 팽창수조 사이에는 밸브를 설치하지 않는다.
④ 중앙식 급탕공급방식에서 간접가열식은 직접가열식과 비교하여 열효율이 나쁘다.
⑤ 팽창관의 관경은 동결을 고려하여 25mm 이상으로 하는 것이 바람직하다.

정답 ①

16 급탕설비에 관한 설명으로 옳은 것은?

① 보일러실은 채광·통풍이 용이하고, 제1종 환기시설과 차동식 감지기시설을 설치한다.
② 보일러 가동 시 이상현상 중 프라이밍은 증기관으로 보내지는 증기에 비수 등 수분이 과다 함유되어 배관 내부에 응결수나 물이 고여서 수격작용의 원인이 되는 현상을 말한다.
③ 개방식 팽창탱크는 100℃ 이상의 고온수를 사용하는 곳에 적합하다.
④ 저탕탱크는 자동온도조절밸브를 설치하여 탕의 최대사용량 이외는 필요 이상으로 가열하여 연료를 낭비하지 않고 위험을 방지한다.
⑤ 밀폐식 팽창탱크는 배관부식 등 여러 가지 문제점이 발생한다.

키워드 급탕설비용 기기
풀이 ① 보일러실은 채광·통풍이 용이하고, 제1종 환기시설과 정온식 감지기시설을 설치한다.
② 보일러 가동 시 이상현상 중 캐리오버 현상은 증기관으로 보내지는 증기에 비수 등 수분이 과다 함유되어 배관 내부에 응결수나 물이 고여서 수격작용의 원인이 되는 현상을 말한다.
③ 밀폐식 팽창탱크는 100℃ 이상의 고온수를 사용하는 곳에 적합하다.
⑤ 개방식 팽창탱크는 배관부식 등 여러 가지 문제점이 발생한다.

정답 ④

17 배관의 신축이음(Expansion Joint)으로서 다음의 특징을 갖는 이음방식은?

- 주름 모양의 원형판에서 신축을 흡수한다.
- 설치 공간이 작은 편이다.
- 누수의 염려가 있고, 저압용으로 사용한다.

① 슬리브형(Sleeve Type)
② 신축곡관(Expansion Loop)
③ 벨로스형(Bellows Type)
④ 볼 조인트(Ball Joint)
⑤ 스위블 조인트(Swivel Joint)

> 키워드 배관의 신축이음
> 풀이 벨로스형(Bellows Type)에 관한 설명이다.

정답 ③

18 다음 〈보기〉에서 옳은 내용을 모두 고른 것은?

─┤ 보기 ├─
㉠ 급탕배관은 강제순환식의 경우 1/200 이상, 중력순환식의 경우 1/150 이상으로 한다.
㉡ 상향식 배관인 경우, 급탕수평주관은 앞올림구배, 복귀관은 앞내림구배로 한다.
㉢ 저탕온도를 일정하게 유지하기 위하여 서모스탯을 사용한다.
㉣ 헤더공법을 적용할 경우 세대 내에서 사용 중인 급탕기구의 토출압력은 다른 기구의 사용에 따른 영향을 적게 받는다.
㉤ 수관보일러는 다량의 고압증기를 필요로 하는 대규모 건물, 지역난방, 병원 등에 사용한다.
㉥ 수격작용을 방지하기 위해서는 수압을 감소시키고, 밸브 및 수전류를 서서히 개폐하고, 관내 유속을 2m/s 이내로 느리게 하고, 가능하면 직선배관으로 한다.

① ㉡, ㉢, ㉤, ㉥
② ㉠, ㉡, ㉢, ㉤, ㉥
③ ㉠, ㉢, ㉣, ㉤, ㉥
④ ㉡, ㉢, ㉣, ㉤, ㉥
⑤ ㉠, ㉡, ㉢, ㉣, ㉤, ㉥

> 키워드 급탕설비용 기기
> 풀이 모두 맞는 내용이다.

정답 ⑤

CHAPTER 04 배수·통기 및 위생기구설비

▶ **연계학습** | 에듀윌 기본서 1차 [공동주택시설개론 下] p.102

대표기출

다음 트랩의 단면에서 ㉠, ㉡의 명칭으로 옳은 것은? 제28회

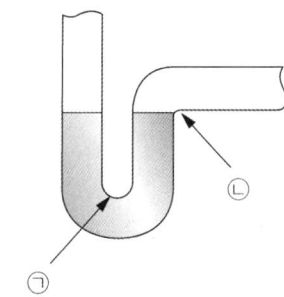

① ㉠: 벤트(Vent), ㉡: 디프(Dip)
② ㉠: 디프(Dip), ㉡: 웨어(Weir)
③ ㉠: 웨어(Weir), ㉡: 벤트(Vent)
④ ㉠: 웨어(Weir), ㉡: 디프(Dip)
⑤ ㉠: 디프(Dip), ㉡: 벤트(Vent)

키워드 트랩의 각부 명칭
풀이 트랩은 배수계통의 일부에 물을 고이게 하는 기구로 봉수깊이는 디프(Dip)에서 웨어(Weir)까지를 말한다.
이론＋ 트랩의 각부 명칭

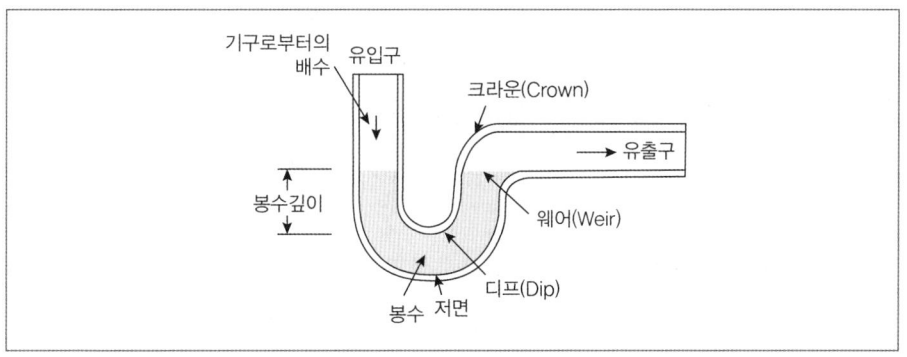

정답 ②

01 배수설비에 관한 설명으로 옳지 않은 것은?

① 특수배수는 반드시 특수처리에 의해 처리한 후 하수도로 방류한다.
② 오수처리시설을 통과한 오수라도 잡배수로 취급할 수 없다.
③ 중수란 상수와 하수의 중간으로 재생처리한 물을 말한다.
④ 변기 이외의 세면기, 욕조 등에서 나오는 배수를 잡배수라 한다.
⑤ 직접배수 시 역류가 생기지 않도록 주의를 요한다.

키워드 배수설비 개요
풀이 오수가 오수처리를 통과한 상태라면 잡배수로 취급하여 하수도로 방류한다.

정답 ②

02 배수설비에서 트랩의 설치 목적으로 옳은 것은?

① 하수도로부터 역류하는 악취를 방지하기 위하여
② 배수관과 연결된 통기관의 능률을 촉진시키기 위하여
③ 배수의 흐름을 원활하게 하기 위하여
④ 배수관의 청결을 유지하기 위하여
⑤ 배수관의 오수와 잡배수의 분류를 위하여

키워드 트랩
풀이 배수설비에서 트랩의 설치 목적은 유독가스 및 벌레, 악취가 실내로 침투하는 것을 방지하기 위하여 설치한다.

정답 ①

03 배수설비에 관한 설명으로 옳지 않은 것은?

① 잡배수는 건물 내의 오수 이외의 대변기, 욕조, 싱크대 등에서 배출되는 일반배수이다.
② 기계배수방식은 지하실 등 공공하수관보다 낮은 곳의 배수를 배수피트에 모아 오수펌프를 이용하여 공공하수관으로 배출하는 방식이다.
③ 트랩의 구비조건은 구조상 간단하고, 수봉식이거나 가동부분이 없는 것이어야 한다.
④ 그리스 저집기는 기름기를 제거·분리시키는 장치이다.
⑤ 배수량이 많을수록 배관 관경이 커야 하며, 동일 배수량에서도 배수시간이 짧을수록 단위시간당 배수량이 많아진다.

> **키워드** 배수설비 개요
> **풀이** 잡배수는 건물 내의 오수 이외의 세면기, 욕조, 싱크대 등에서 배출되는 일반배수이다.

정답 ①

04 위생기구에서 물이 갑자기 배수하는 경우 혹은 강풍으로 배수관에 급격한 변화가 일어난 경우는 트랩 U자형의 압봉수면에 상하 교차로 동요가 생겨 봉수가 줄거나 봉수가 없어지는 현상이 생긴다. 이는 트랩의 봉수가 파괴되는 현상을 설명하는 것인데, 이것은 어느 현상에 속하는가?

① 유인사이펀 작용
② 역압에 의한 토출작용
③ 자기사이펀 작용
④ 모세관현상
⑤ 물의 운동량에 의한 관성작용

> **키워드** 트랩의 봉수 파괴원인
> **풀이** 봉수 파괴원인 중 관성작용에 대한 설명이다.
> **이론+** 트랩의 봉수 파괴원인

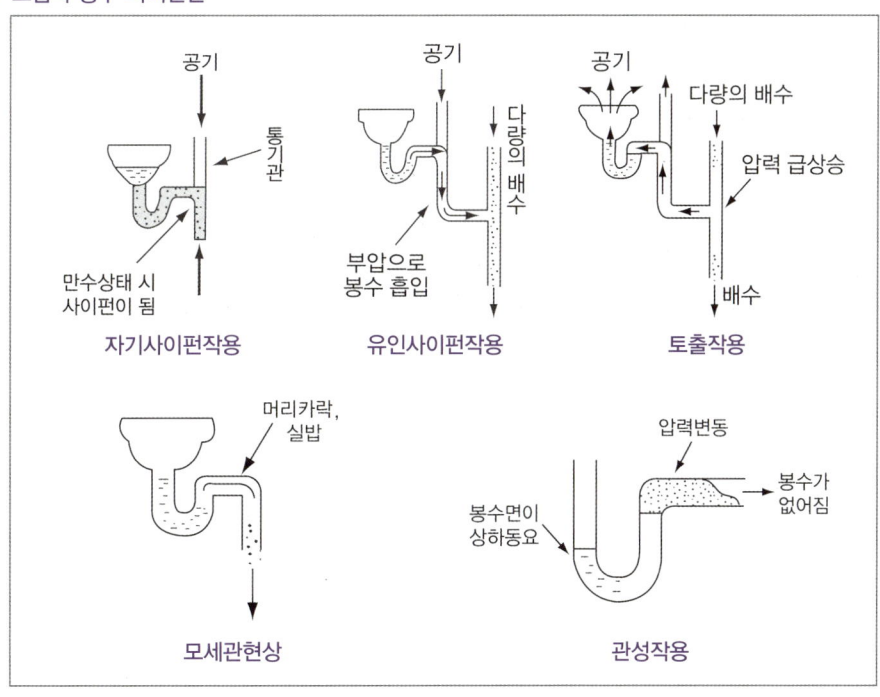

정답 ⑤

05 트랩의 봉수파괴현상으로 옳지 않은 것은?

① 배수가 만수상태로 흐르면 자기사이펀작용으로 트랩의 봉수가 파괴된다.
② 집을 오랫동안 비워두면 증발작용으로 봉수가 파괴된다.
③ 모세관현상으로 봉수가 서서히 흘러내려 봉수가 파괴된다.
④ 역압에 의한 봉수파괴현상은 상층부 기구에서 자주 발생한다.
⑤ 감압에 의한 흡인작용으로 압력을 감소시켜 봉수를 파괴한다.

키워드 트랩의 봉수 파괴원인
풀이 역압의 봉수파괴원인은 하층부 수직관에 접근하여 설치된 트랩인 경우 바닥횡주관에 물이 만수로 흘러 정체되어 있는 상태에서 수직관에서 다량의 물이 배수될 때 피스톤작용을 일으켜 트랩의 봉수가 실내 쪽으로 역류하게 되는 현상으로, 방지책으로는 통기관을 설치한다.

정답 ④

06 배수트랩에 관한 설명으로 옳지 않은 것은?

① 모세관현상은 트랩의 출구쪽에 헝겊이나 모발이 끼어 봉수가 서서히 파괴되는 현상이다.
② 배수트랩은 구조상 수봉식이거나 가동부분이 없어야 한다.
③ 토출작용(역압에 의한 분출작용)으로 인한 봉수파괴현상은 주로 상층부의 수직관 가까이 설치된 트랩에서 발생한다.
④ 트랩의 구조는 간단하고 내표면은 평활하게 하여 오물이 정체되지 않도록 한다.
⑤ 위생기구를 장시간 사용하지 않으면 증발로 트랩의 봉수가 파괴된다.

키워드 트랩의 봉수 파괴원인
풀이 토출작용은 하층부 수직관에 접근하여 설치된 트랩인 경우 바닥 횡주관에 물이 만수로 흘러 정체되어 있는 상태에서 수직관 상부에서 다량의 물이 배수될 때 피스톤작용을 일으켜 트랩의 봉수가 실내 쪽으로 역류하게 되는 현상이다.

정답 ③

07 배수설비에 관한 설명으로 옳지 않은 것은?

① 트랩 출구에 천, 모발 및 실 등이 모세관현상을 일으켜 봉수가 파괴되는 것을 방지하기 위하여 스크린을 설치하여 고형물을 제거한다.
② 배수의 흐름은 위생기구에서 트랩과 기구배수관을 지나 배수수평지관, 배수수직관, 배수수평주관, 부지배수관의 순서로 이루어지며, 이 순서대로 관경이 커져야 한다.
③ P트랩은 주로 대변기에 부착하여 바닥 밑의 배수횡주관에 접속하여 사용하나 트랩의 봉수파괴가 일어나기 쉽다.
④ 종래 수도에 의한 상수를 1차로 사용한 후 하수로 방출하기 전에 다시 정화하여 사용하는 방식을 중수도 시스템이라고 하며, 중수급수관은 상수관과 분리설치하고 사용 후의 배수는 상수배수관과 함께 사용한다.
⑤ 봉수의 유효깊이는 트랩의 구경에 관계없이 최소 50mm에서 최대 100mm 이하이다.

키워드 트랩의 봉수 파괴원인과 대책
풀이 S트랩은 주로 대변기에 부착하여 바닥밑의 배수횡주관에 접속하여 사용하나 트랩의 봉수파괴가 일어나기 쉽다.

정답 ③

08 KCS 기준에서 배수관의 설명으로 옳지 않은 것은?

① 옥내배수관의 구배는 원칙적으로 mm로 호칭되는 관경의 역수보다 작으면 안 되고, 관경이 작을수록 구배는 크게 한다.
② S트랩은 일명 가옥 트랩 또는 메인 트랩이라고 하며, 배수수평주관 도중에 설치하여 공공하수관에서의 하수 가스의 역류방지용으로 사용한다.
③ 옥내배수관의 구배는 65mm 이하에서는 1/50보다 작지 않도록 한다.
④ 배수관의 관경은 상류에서 하류방향으로 차차 크게 하고, 중간에 관경을 축소해서는 안 된다.
⑤ 배수배관에서 청소구(Clean Out)는 수평관의 관경이 100mm 이하는 직선거리 15m 이내, 100mm 초과의 관은 30m 이내마다 설치한다.

키워드 배수의 배관설계
풀이 U트랩은 일명 가옥 트랩 또는 메인 트랩이라고 하며, 배수수평주관 도중에 설치하여 공공하수관에서의 하수 가스의 역류방지용으로 사용한다.

정답 ②

09 통기관의 설치목적으로 옳은 것을 모두 고른 것은?

> ㉠ 배수트랩의 봉수를 보호한다.
> ㉡ 배수관에 부착된 고형물을 청소하는 데 이용한다.
> ㉢ 신선한 외기를 통하게 하여 배수관 청결을 유지한다.
> ㉣ 배수관을 통해 냄새나 벌레가 실내로 침입하는 것을 방지한다.
> ㉤ 배수관 내의 압력변동을 흡수하여 배수의 흐름을 원활하게 한다.

① ㉠, ㉡, ㉣
② ㉡, ㉢, ㉤
③ ㉠, ㉢, ㉤
④ ㉠, ㉡, ㉢, ㉣
⑤ ㉠, ㉢, ㉣, ㉤

키워드 **통기설비 개요**
풀이 ㉡ 배수관에 부착된 고형물을 청소하는 데 이용하는 것은 청소구의 설치목적이다.
㉣ 배수관을 통해 냄새나 벌레가 실내로 침입하는 것을 방지하는 것은 트랩의 설치목적이다.

정답 ③

10 통기관에 관한 설명으로 옳은 것은?

① 배수수평지관의 최하류에 있는 기구의 바로 아래로부터 뽑아내어 통기와 배수를 겸하는 것을 습식(습윤)통기관이라고 한다.
② 통기관은 기구의 오버플로우면(넘침선) 이하에서 수직통기관에 연결한다.
③ 신정통기관은 배수수직주관과 통기수직주관을 연결하는 통기관이다.
④ 루프통기관은 기구배수관을 통하여 배수수평지관에 연결된 2~8개 기구의 통기를 한 개의 통기관으로 담당한다.
⑤ 도피통기관은 배수수평지관의 최상류에 있는 기구배수관 바로 하류 측에 세운 통기관이다.

> **키워드** 통기설비 개요
> **풀이** ① 배수수평지관의 최하류에 있는 기구의 바로 아래로부터 뽑아내어 통기와 배수를 겸하는 것을 습식통기관이라고 한다.
> ② 통기관은 기구의 오버플로우면(넘침선) 이상 입상시킨 다음 수직통기관에 연결한다.
> ③ 결합통기관은 배수수직주관과 통기수직주관을 연결하는 통기관이다.
> ⑤ 배수수평지관의 최상류에 있는 기구배수관 바로 하류 측에 세운 통기관은 루프통기관이다.

이론+ 통기관 계통도

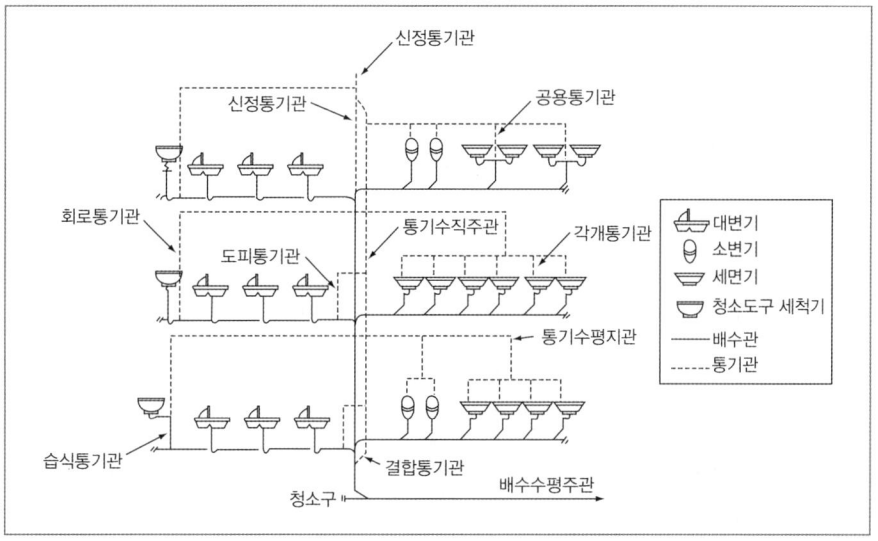

정답 ④

11 배수 및 통기설비에 관한 설명으로 옳지 않은 것은?

① 통기설비는 배수의 흐름을 원활하게 하고 청결을 위하여 트랩의 봉수를 보호함을 목적으로 한다.
② 도피통기관은 최대 8개 이내의 트랩을 보호하기 위하여 최상류에 있는 위생기구에 설치한다.
③ 신정통기관은 배수수직관 끝의 관경을 줄이지 않고 대기부로 연장하여 통기관으로 사용하는 부분이다.
④ 배수관 내의 악취, 유독가스 및 벌레 등이 실내로 침투하는 것을 방지하기 위하여 트랩을 설치한다.
⑤ 각개통기관은 각 위생기구마다 통기관을 세우는 것으로 가장 이상적인 통기방식이다.

키워드 통기설비 개요
풀이 루프통기관은 최대 8개 이내의 트랩을 보호하기 위하여 최상류에 있는 위생기구 배수관이 배수수평지관과 연결되는 바로 하류의 수평지관에 접속시켜 통기수직관 또는 신정통기관으로 연결하는 통기관으로, 통기수직관과 최상류기구까지의 통기관 연장은 7.5m 이내로 한다.

정답 ②

12 배수관 및 통기관에 관한 설명으로 옳지 않은 것은?

① 배수수직관의 관지름은 이것과 접속하는 배수수평지관의 최대 관지름 이상으로 한다.
② 배수수평지관의 관지름은 이것과 접속하는 기구배수관의 최대 관지름 이상으로 한다.
③ 기구배수관의 관지름은 이것과 접속하는 기구의 트랩구경 이상으로 한다.
④ 배수수직관으로부터 분기 입상하여 통기수직관에 접속하는 통기관을 루프통기관이라 한다.
⑤ 신정통기관의 관지름은 배수수직관의 관지름보다 작게 해서는 안 된다.

키워드 배수의 배관설계
풀이 배수수직관으로부터 분기 입상하여 통기수직관에 접속하는 통기관을 결합통기관이라 한다.

정답 ④

13 통기설비에 관한 설명으로 옳지 않은 것은?

① 신정통기관은 배수수직관 하부를 연장하여 옥상 등에 개구시킨 통기관으로 관경은 배수수직관의 관경보다 크게 해서는 안 된다.
② 소벤트방식은 별도로 통기관을 설치하지 않고 배수수직관으로 배수와 통기를 겸하는 방식이다.
③ 2관식 통기배관법은 독립된 통기관이 있으므로 트랩의 봉수파괴가 적어 기구 수가 많은 고층건물에 주로 사용한다.
④ 각개통기관은 가장 이상적인 방법이나 시설비가 많이 소요된다.
⑤ 섹스티아방식은 배수수직관에 섹스티아 이음쇠를 통하여 선회류를 주어 배수와 통기역할을 하는 방식이다.

키워드 통기설비

풀이 신정통기관(Stack Vent)은 배수수직관 상부를 연장하여 옥상 등에 개구한 통기관으로, 관경은 배수수직관의 관경보다 작게 해서는 안 된다.

정답 ①

14 통기설비에 관한 설명으로 옳은 것은?

① 각개통기관은 루프통기관보다 매우 경제적인 방법이다.
② 결합통기관은 배수수평주관의 압력변동을 완화해서 배수흐름을 원활히 하기 위해 설치하는 통기관이다.
③ 습윤통기관은 배수횡주관 최하류기구의 바로 아래에서 연결하는 통기관이다.
④ 수직통기관의 관경은 접속하는 배수관의 관경과 같거나 크게 한다.
⑤ 신정통기관은 배수수직관 상부에서 관경을 축소하지 않고 연장하여 옥상 등에 개구시킨 통기관이다.

키워드 통기관의 종류

풀이 ① 루프통기관은 각개통기관보다 매우 경제적인 방법이다.
② 결합통기관은 배수수직관 내 압력변동을 완화해서 배수흐름을 원활히 하기 위해 설치하는 통기관이다.
③ 습윤통기관은 배수횡주관 최상류기구의 바로 아래에서 연결하는 통기관이다.
④ 수직통기관의 관경은 접속하는 배수관의 관경과 같거나 작게 한다.

이론+ 습윤통기관

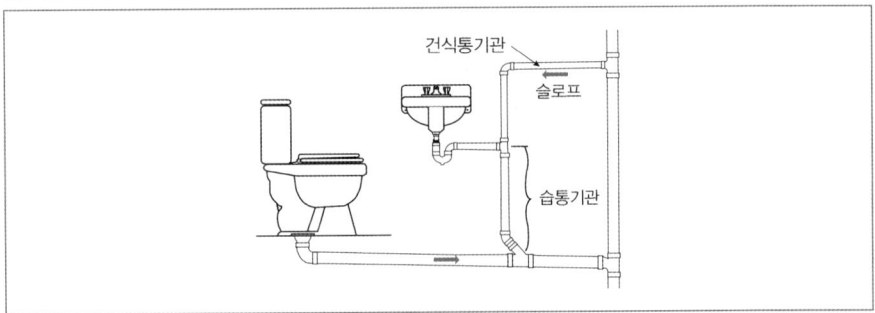

정답 ⑤

15 KCS 기준을 적용하는 배수 및 통기설비에 관한 설명으로 옳은 것은?

① 대변기에 연결하는 모든 건물배수수평주관의 최소관 지름은 80mm로 한다.
② 봉수파괴원인 중 모세관현상을 방지하기 위해서 통기관을 설치한다.
③ 배수수직관의 관경은 이와 접속하는 배수수평지관의 최소관경 이상으로 한다.
④ 각개통기관이 배수관에 접속되는 지점은 기구의 최고 수면과 배수수평지관이 배수수직관에 접속되는 점을 연결한 동수구배선(動水句配線)보다 아래에 배치한다.
⑤ 배수수평관에서 루프통기관을 취출할 때는 배수관의 수평 중심선 측면으로부터 수평 내지 45° 이내의 각도로 한다.

키워드 **통기배관설계**
풀이 ② 봉수파괴원인 중 모세관현상을 방지하기 위해서 고형물질을 제거한다.
③ 배수수직관의 관경은 이와 접속하는 배수수평지관의 최대관경 이상으로 한다.
④ 각개통기관이 배수관에 접속되는 지점은 기구의 최고 수면과 배수수평지관이 배수수직관에 접속되는 점을 연결한 동수구배선(動水句配線)보다 위에 배치한다.
⑤ 배수수평관에서 루프통기관을 취출할 때는 배수관의 수직 중심선 상부로부터 수직 내지 45° 이내의 각도로 한다.

정답 ①

16 통기관과 트랩에 관한 설명으로 옳지 않은 것은?

① 신정통기관의 관지름은 배수수직관의 관지름 이상으로 한다.
② 그리스트랩은 주방싱크대 등 다량의 물을 고이게 하고, 봉수가 가장 안전한 트랩이다.
③ 배수수직관 각 층마다 기포주입장치로 공기를 주입하여 유속을 감소시키는 방식은 소벤트 방식이다.
④ 트랩의 웨어(Weir)에서 각개통기 접속개소까지 기구배수관의 길이와 구배는 자기사이펀작용에 미치는 영향이 크므로, 통기접속개소점이 트랩 웨어에서 수평선 이하가 되지 않도록 한다.
⑤ 배수수직관과 관이음쇠의 내부에 홈을 파서 배수 흐름이 선회류가 되어 배수와 통기의 역할을 하는 것이 섹스티아방식이다.

키워드 **통기배관설계**
풀이 드럼트랩은 주방싱크대에 사용하는 트랩으로 다량의 물을 고이게 하여 봉수의 파괴에 대해 안정적이다.

정답 ②

17 결합통기관에 관한 설명으로 옳지 않은 것은?

① 배수수직관의 하부 구간은 옵셋과 그 다음의 하부 수평지관 사이를 결합통기관으로 연결하여 통기한다.
② 결합통기관과 연결관의 관지름은 배수수직관의 통기수직관에 필요한 최소 크기 이상으로 한다.
③ 다수의 브랜치를 지닌 건물에서 배수수직관과 통기수직관을 연결하여 건물 내 통기압력을 해소하기 위해 설치한다.
④ 결합통기 하단은 그 층에서 나오는 배수지관이 배수수직관에 접속하는 곳의 아래로부터 Y형관을 사용하여 수직관에서 분기한다.
⑤ 브랜치 간격의 수가 5 이상인 건물의 오수와 배수수직관에는 최상부층에서 시작하여 매 5개의 브랜치 간격마다 결합통기관을 설치한다.

키워드 결합통기관

풀이 브랜치 간격의 수가 11 이상인 건물의 오수와 배수수직관에는 최상부층에서 시작하여 매 10개의 브랜치 간격마다 결합통기관을 설치한다.

이론+ 브랜치 간격

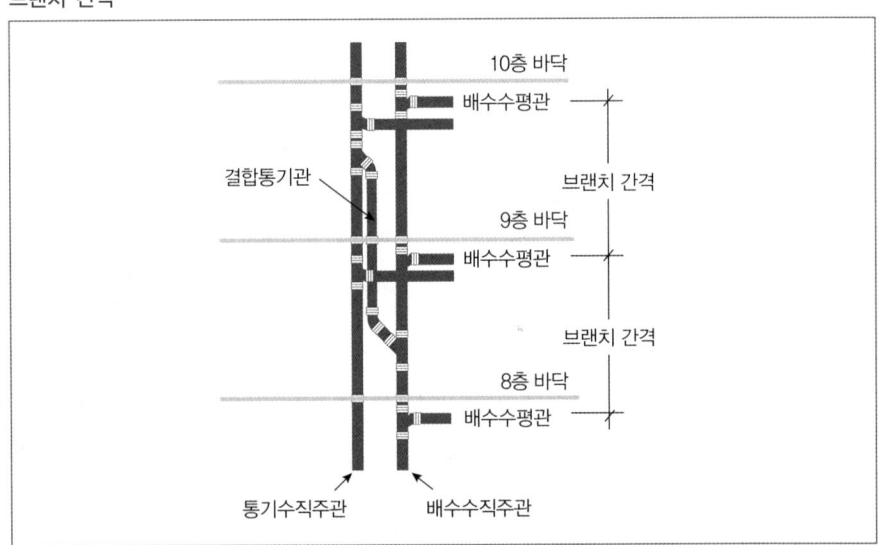

정답 ⑤

18 통기배관방법으로 옳지 않은 것은?

① 오수피트와 잡배수 피트의 통기관은 개별적으로 설치한다.
② 오물, 분뇨정화조의 통기관은 단독으로 배관한다.
③ 간접배수계통의 통기관은 단독으로 배관한다.
④ 통기수직관과 우수수직관은 겸용배관하지 않는다.
⑤ 통기관과 실내용 환기 덕트와는 서로 연결하여 통기능률을 향상한다.

　키워드　 **통기배관설계**
　풀이　 통기관과 실내 환기용 덕트는 각각의 용도에 맞게 단독으로 설치하며, 연결하여 사용하지 않는다.

정답 ⑤

19 배수에는 각종 고형물이 흐르므로 배수관 도중 적당한 위치에서 이물질을 분리하여 배출할 수 있는 기구가 필요한데, 이를 청소구라 한다. 다음 중 청소구의 설치 위치로 옳지 않은 것은?

① 각종 트랩
② 배수수평관의 최상단부
③ 배관이 30° 이상으로 굽은 곳
④ 배수수직관의 최하단부
⑤ 수평관이 길 때에는 기준거리 이내마다

　키워드　 **청소구**
　풀이　 배관이 45° 이상 각도로 방향을 변경한 개소에 설치해야 한다.

정답 ③

20 위생도기의 특징으로 옳지 않은 것은?

① 팽창계수가 작다.
② 오수나 악취 등이 흡수되지 않는다.
③ 탄력성이 없고 충격에 약하여 파손되기 쉽다.
④ 산이나 알칼리에 쉽게 침식된다.
⑤ 복잡한 형태의 기구로도 제작할 수 있다.

키워드 위생기구 개요
풀이 위생도기는 산이나 알칼리에 쉽게 침식되면 안 된다.
이론+ 위생도기의 장단점

장점	단점
• 경질이고, 산이나 알칼리에 침식되지 않는다. • 팽창계수가 작고, 오수나 악취 등이 흡수되지 않는다. • 위생적이며 내구적이다. • 복잡한 형태의 기구도 제작할 수 있다.	• 탄력성이 없고, 충격에 약하여 파손되기 쉽다. • 파손되면 수리가 어렵다. • 정밀한 치수를 기대할 수 없다. • 금속철물과의 접속이 어렵다.

정답 ④

21 위생설비에 관한 설명으로 옳지 않은 것은?

① 위생도기는 팽창계수가 크고, 오수나 악취 등이 흡수되지 않아야 한다.
② 사이펀제트식은 수세식 변기 가운데 가장 우수한 방식으로 주택이나 호텔 등에 사용된다.
③ 세정밸브식은 연속사용이 가능한 화장실에 많이 사용된다.
④ 하이탱크식은 수리가 어렵고, 세정 시 소음이 크다.
⑤ 위생설비 유닛의 조건은 현장조립이 간단하고 쉬워야 한다.

키워드 위생기구설비
풀이 위생도기는 팽창계수가 작고, 오수나 악취 등이 흡수되지 않아야 한다.

정답 ①

22 위생설비에 관한 설명으로 옳지 않은 것은?

① 오수의 역류를 방지하기 위하여 세정밸브식 대변기에 역류방지기를 설치한다.
② 세정밸브식 대변기에 연결되는 급수관의 지름은 최소 25mm 이상이어야 한다.
③ 플러시밸브를 이용하여 대변기를 세정한다.
④ 대변기 세정방식으로 사이펀식을 가장 많이 사용한다.
⑤ 세정밸브는 일정한 수압을 필요로 한다.

키워드 대변기
풀이 대변기의 세정방식으로 사이펀제트식을 가장 많이 사용한다.

정답 ④

CHAPTER 05 오수정화설비

▶ **연계학습** | 에듀윌 기본서 1차 [공동주택시설개론 下] p.134

대표기출

하수설비에 관한 내용으로 옳지 않은 것은? 제28회

① SS는 오수 중의 용존산소량을 나타낸다.
② 합류식 하수관로는 오수와 하수도로 유입되는 빗물·지하수가 함께 흐르도록 하기 위한 하수관로를 말한다.
③ 부패탱크방식 정화조의 산화조는 호기성균을 이용한다.
④ BOD는 오수 중의 유기물이 미생물에 의해 분해될 때 소비되는 산소량을 나타낸다.
⑤ 오수처리시설에 사용되는 스크린은 오수의 여과과정에서 고형물 또는 이형물을 제거하기 위함이다.

키워드 오수정화설비
풀이 SS는 오수 중에 함유되어 있는 입자지름 2mm 이하의 불용성 부유물질을 ppm으로 표시한 것을 말하며, 오수 중의 용존산소량은 DO(Dissolved Oxygen)로 나타낸다.

정답 ①

01 평균 BOD 100ppm인 오수가 2,000m³/d 유입되는 오수정화조의 1일 유입 BOD부하(kg/d)는 얼마인가?

① 0.2   ② 2
③ 20   ④ 200
⑤ 2,000

키워드 BOD
풀이 오수정화조의 1일 유입 BOD부하(kg/d)
= 평균 BOD × 오수유입량
= 100ppm × 2,000m³/d
= (100 ÷ 1,000,000) × 2,000,000(kg/d) = 200(kg/d)

정답 ④

02
200명이 거주하는 공동주택에서 유출수의 BOD 농도는 30ppm, BOD 제거율은 75%이다. 이때 오물정화조의 유입수 BOD 농도(ppm)는?

① 60
② 75
③ 88
④ 120
⑤ 150

키워드 BOD 제거율

풀이 BOD 제거율(%) = $\dfrac{\text{유입수 BOD 농도} - \text{유출수 BOD 농도}}{\text{유입수 BOD 농도}} \times 100$

$0.75 = \dfrac{\text{유입수 BOD 농도} - 30}{\text{유입수 BOD 농도}}$

유입수 BOD 농도 − (0.75 × 유입수 BOD 농도) = 30
∴ 유입수 BOD 농도 = 120ppm

정답 ④

03
오수정화시설과 관련된 용어의 정의로 옳은 것은?

① 화학적 산소요구량 : 오수 중의 산화되기 쉬운 오염물질이 화학적으로 안정된 물질로 변화하는 데 필요한 산소량
② 스컴 : 유기물질 분해에 작용하는 미생물군을 뜻하거나 오수 중의 고형분을 통칭함
③ 용존산소량 : 오수 중에 포함되어 있는 고형물질로 물에 용해되지 않는 것
④ BOD 제거율 : 오물정화조의 유입수 BOD와 유출수 BOD의 차이를 유출수 BOD로 나눈 값
⑤ 오수 : 수거식 화장실에서 수거되는 액체성 또는 고체성의 오염물질(개인하수처리시설의 청소과정에서 발생하는 찌꺼기를 포함)

키워드 오염지표에 관한 용어

풀이
② 스컴(Scum)은 정화조 내의 오수 표면 위에 떠오르는 오물 찌꺼기를 말한다.
③ 용존산소량(Dissolved Oxygen)은 물속에 용해되어 있는 산소량을 말한다.
④ BOD 제거율은 오물정화조의 유입수 BOD와 유출수 BOD의 차이를 유입수 BOD로 나눈 값을 말한다.
⑤ 오수는 사람의 생활이나 경제활동으로 인하여 액체성 또는 고체성의 물질이 섞여 오염된 물을 말하며, 수거식 화장실에서 수거되는 액체성 또는 고체성의 오염물질(개인하수처리시설의 청소과정에서 발생하는 찌꺼기를 포함한다)은 분뇨라고 한다.

정답 ①

04 오염지표에 관한 용어 설명으로 옳은 것은?

① BOD 제거율이 높을수록, 유입수의 BOD는 낮을수록 정화조의 성능이 우수하다.
② COD는 생물학적 산소요구량이다.
③ BOD는 오수 중에서 오염원이 되는 유기물이 이것과 공존하는 미생물에 의해 분해되어 안정화하는 과정에서 소비되는 수중에 녹아 있는 산소의 감소량을 온도 20℃에서 5일간 시료를 방치해서 측정한다.
④ SS는 정화조의 활성오니 1L를 30분간 가라앉힌 상태의 침전오니량을 %로 표시한 것이다.
⑤ DO는 수질오염의 지표로서, 이 값이 높을수록 수질오염이 많은 것이다.

| 키워드 | 오염지표에 관한 용어 |
| 풀이 | ① BOD 제거율이 높을수록, 유출수의 BOD는 낮을수록 정화조의 성능이 우수하다.
② COD는 화학적 산소요구량이다.
④ SV는 정화조의 활성오니 1L를 30분간 가라앉힌 상태의 침전오니량을 %로 표시한 것이다.
⑤ DO는 수질오염의 지표로서, 이 값이 높을수록 수질오염이 적은 것이다.

정답 ③

05 오수정화설비의 용어에 관한 설명으로 옳지 않은 것은?

① BOD 값이 클수록 수질오염이 많은 것이며, BOD 제거율이 높을수록 정화조의 성능이 우수한 것이다.
② SS는 정화조 내의 오수표면 위로 떠오르는 오물찌꺼기이다.
③ COD는 화학적 산소요구량으로 공장폐수의 유기물농도를 측정할 때 이용한다.
④ DO는 수질오염의 지표로서, 물속에 용존하고 있는 산소의 양이다.
⑤ 합류식 하수관로는 오수와 하수도로 유입되는 빗물·지하수가 함께 흐르도록 하기 위한 하수관로를 말한다.

| 키워드 | 오염지표에 관한 용어 |
| 풀이 | 정화조 내의 오수표면 위로 떠오르는 오물찌꺼기는 스컴이다.

정답 ②

06 오수정화조의 산화조에 관한 설명으로 옳지 않은 것은?

① 호기성균에 의해 산화(분해)처리시키므로 산소를 공급해야 한다.
② 산화조의 용량은 부패조 용량의 1/2 이상으로 한다.
③ 쇄석층의 두께는 1.2m 이상 3m 이내로 하고 소독조를 향해 앞내림 구배로 한다.
④ 배기관은 최소관경 10cm 이상, 지상 3m 이상의 높이로 설치한다.
⑤ 배기관의 관경은 산화조의 체적에 비례하여 굵어진다.

키워드 오수정화조
풀이 산화조는 소독조를 향해 1/100 정도의 내림 구배를 두고 쇄석층의 두께는 0.9m 이상 2m 이내로 한다.

정답 ③

07 부패탱크식 오수정화조에 관한 설명으로 옳은 것은?

① 정화조의 성능은 BOD 제거율이 클수록, 유출수 BOD 농도가 낮을수록 우수하다.
② 정화조에서 혐기성균 작용은 산화조, 호기성균 작용은 부패조에서 이루어진다.
③ 부패조에서 용적비는 제1부패조 : 제2부패조 : 예비여과조 = 4 : 3 : 1(2)이다.
④ 오수정화조에서 산화조는 부패조를 향하여 1/100 정도의 앞내림구배를 두어야 한다.
⑤ 원리는 세균작용으로 오수를 분해·액화하여 병원균을 말살하는 것으로, 오수의 유입 후 산화조를 걸쳐서 부패조에서 미생물을 이용해 분해한 것을 소독조에서 소독하여 방류한다.

키워드 부패탱크방식의 정화조
풀이
② 정화조에서 혐기성균 작용은 부패조, 호기성균 작용은 산화조에서 이루어진다.
③ 부패조에서 용적비는 제1부패조 : 제2부패조 : 예비여과조 = 4 : 2 : 1(2)이다.
④ 오수정화조에서 산화조는 소독조를 향하여 1/100 정도의 앞내림구배를 두어야 한다.
⑤ 원리는 세균작용으로 오수를 분해·액화하여 병원균을 말살하는 것으로, 오수의 유입 후 부패조를 걸쳐서 산화조에서 미생물을 이용해 분해한 것을 소독조에서 소독하여 방류한다.

정답 ①

08 오수처리 방법 중 물리적 오수처리 방법에 해당하지 않는 것은?

① 스크린
② 여과
③ 부상물 처리
④ 침전
⑤ 중화

키워드 오수처리시설
풀이 오수를 약품을 이용하여 중화시키거나 소독하는 처리방법, 염소계통의 소독제를 투입하여 소독 처리하는 방법은 화학적 처리방법이다.

정답 ⑤

09 오수정화에 관한 설명으로 옳은 것은?

① 장시간 폭기방식에 의한 오수정화조의 정화 순서는 스크린, 폭기조, 침전조, 소독조, 방류 순이다.
② 부유물질로서 오수 중에 현탁되어 있는 물질을 ppm으로 표시한 것을 DO라고 한다.
③ 부패탱크방식의 정화조에서 혐기성균은 산화조에서 생육한다.
④ 다실형 부패탱크식 오수정화조의 오수정화 순서는 여과조, 부패조, 산화조, 소독조, 방류 순이다.
⑤ 산화조의 용량은 부패조 용량의 1/2 이상으로 하고, 소독조를 향해 산화조 밑면을 1/100 정도 올림구배한다.

키워드 오수정화조
풀이
② 부유물질로서 오수 중에 현탁되어 있는 물질을 ppm으로 표시한 것을 SS라고 한다.
③ 부패탱크방식의 정화조에서 혐기성균은 부패조에서 생육한다.
④ 다실형 부패탱크식 오수정화조의 오수정화 순서는 부패조, 여과조, 산화조, 소독조, 방류 순이다.
⑤ 산화조의 용량은 부패조 용량의 1/2 이상으로 하고, 소독조를 향해 산화조 밑면을 1/100 정도 내림구배한다.

정답 ①

10 오수정화시설의 설치 및 관리에 관한 설명으로 옳지 않은 것은?

① 생물학적 처리에는 유기물질이 생물학적 반응을 하기 쉬운 환경을 만들어 주는 것이 중요하다.
② 산화조의 폭기장치는 산기식 폭기장치와 기계식 폭기장치가 있다.
③ 소독조에는 염소계통의 약제를 사용하여 산화조에서 나오는 각종 세균을 멸균시킨다.
④ 혐기성 처리는 산소를 공급해야 하므로 운전유지비가 많이 소요된다.
⑤ 스크린의 설치 부분은 오수정화조 안에서 가장 비위생적으로 되기 쉽다.

키워드 오수정화조
풀이 혐기성 처리는 공기(산소)를 싫어하는 혐기성 미생물에 의해 유기물을 소화·침전하여 오수를 처리하는 방식으로 산소공급이 불필요하여 운전유지비가 적게 소요되나 처리기간이 길게 소요되어 처리공간이 많이 필요하고 악취 발생의 문제가 있다.

정답 ④

CHAPTER 06 가스설비

▶ **연계학습** | 에듀윌 기본서 1차 [공동주택시설개론 下] p.153

대표기출

도시가스사업법령상 가스사용시설의 시설·기술·검사기준에 관한 내용으로 옳지 않은 것은?

제28회

① 정압기는 도시가스를 안전하고 원활하게 수송할 수 있도록 하기 위하여 적절한 기밀 성능을 가지도록 해야 한다.
② 정압기와 필터의 경우에는 설치 후 3년까지는 1회 이상, 그 이후에는 4년에 1회 이상 분해점검을 실시해야 한다.
③ 도시가스 중 수분의 동결로 정압기능을 저해할 우려가 있는 정압기에는 동결방지조치를 해야 한다.
④ 정압기의 입구와 출구에는 가스차단장치를 설치해야 한다.
⑤ 도시가스의 안정공급을 위하여 정압기의 입구에는 도시가스의 압력을 측정·기록할 수 있는 장치를 설치해야 한다.

키워드 도시가스
풀이 도시가스의 안정공급을 위하여 정압기의 출구에는 도시가스의 압력을 측정·기록할 수 있는 장치를 설치해야 한다.

정답 ⑤

01 가스 공급과정을 바르게 나열한 것은?

① 원료 ⇨ 홀더에 저장 ⇨ 압력조정 ⇨ 압축기로 압송 ⇨ 제조 ⇨ 공급
② 원료 ⇨ 압력조정 ⇨ 홀더에 저장 ⇨ 제조 ⇨ 압축기로 압송 ⇨ 공급
③ 원료 ⇨ 홀더에 저장 ⇨ 제조 ⇨ 압축기로 압송 ⇨ 압력조정 ⇨ 공급
④ 원료 ⇨ 제조 ⇨ 압축기로 압송 ⇨ 홀더에 저장 ⇨ 압력조정 ⇨ 공급
⑤ 원료 ⇨ 제조 ⇨ 압축기로 압송 ⇨ 압력조정 ⇨ 홀더에 저장 ⇨ 공급

키워드	도시가스의 공급
풀이	도시가스 공급과정: 원료 ⇨ 제조 ⇨ 압송(압축기) ⇨ 저장(홀더) ⇨ 압력조정(정압기) ⇨ 공급
이론+	도시가스 공급과정

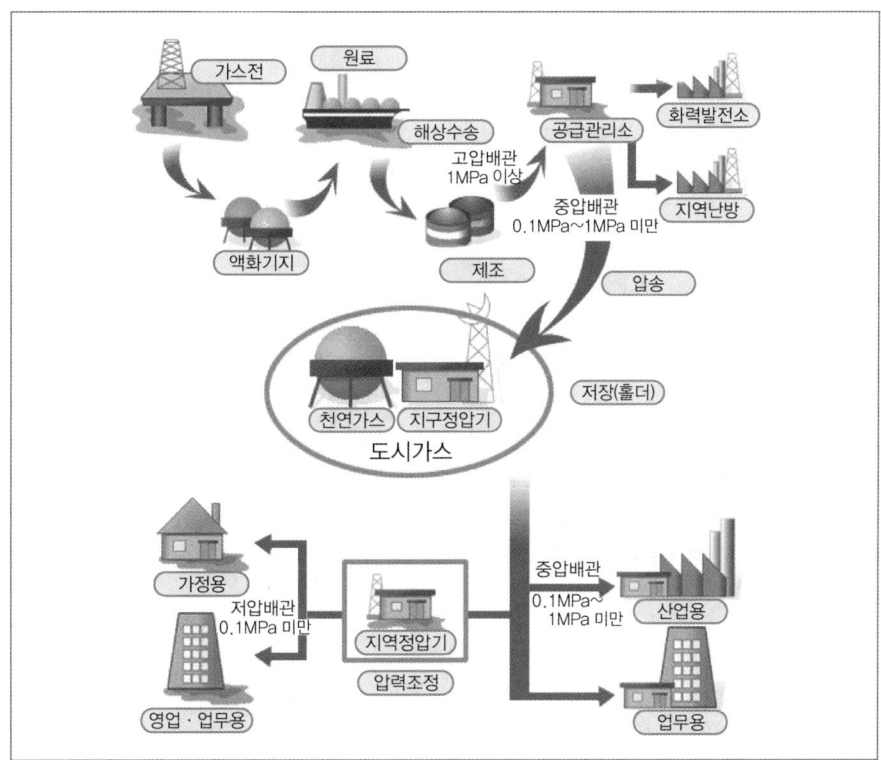

정답 ④

02 액화천연가스에 관한 설명으로 옳지 않은 것은?

① 비중이 공기보다 가벼워 LPG보다 안전하다.
② LPG보다 연소 시 많은 공기가 필요하다.
③ 가스누설감지기는 천장에서 30cm 이내에 설치한다.
④ 주성분이 메탄으로 배관에 의해 공급된다.
⑤ 발열량이 타 연료에 비해 크지만 LPG보다는 작다.

키워드 도시가스
풀이 LNG보다 LPG가 연소 시 많은 공기가 필요하다.

정답 ②

03 LPG의 특성에 관한 설명으로 옳지 않은 것은?

① 생성가스에 의한 중독 위험성이 있다.
② 발열량이 크다.
③ 정상압력하에서는 기체이지만, 압력을 가하거나 냉각하면 쉽게 액화하는 탄화수소류이다.
④ 비중이 공기보다 작다.
⑤ 연소 시 많은 공기량이 필요하다.

키워드 도시가스
풀이 액화석유가스(LPG : Liquefied Petroleum Gas)는 비중이 공기보다 크다.

정답 ④

04 가스설비에 관한 설명으로 옳지 않은 것은?

① 초고층 건물의 경우 위층으로 가스를 공급할 때에는 공기보다 가벼운 가스는 압력이 상승하므로 충분히 고려하여 설계한다.
② 루트(Root)미터는 대용량의 가스측정에 적합한 추측식 가스계량기이다.
③ LPG의 봄베는 40℃ 이하로 보관하고, 2m 이내에는 화기의 접근을 피한다.
④ 가스감지기는 경보를 울린 후에는 주위의 가스 농도가 변화되어도 계속 경보를 울리며, 그 확인 또는 대책을 강구함에 따라 경보가 정지되어야 한다.
⑤ 건식가스계량기 종류인 막식가스미터기는 저가이며, 부착 후의 유지관리에 시간을 요하지 않으며, 대용량에서는 설치공간이 크다.

키워드 도시가스의 공급
풀이 루트(Root)미터는 대용량의 가스측정에 적합한 실측식 가스계량기이다.

정답 ②

05 도시가스사업법령상 가스계량기의 시설기준에 관한 설명으로 옳지 않은 것은?

① 가스계량기와 전기계량기 및 전기개폐기와의 거리는 60cm 이상, 절연조치를 하지 아니한 전선과의 거리는 15cm 이상의 거리를 유지하여야 한다.
② 공동주택의 대피공간, 방·거실 및 주방 등으로서 사람이 거처하는 곳 및 가스계량기에 나쁜 영향을 미칠 우려가 있는 장소에 설치를 금한다.
③ 30m^3/hr 미만인 가스계량기의 설치높이는 바닥으로부터 1.6m 이상 2m 이내에 수직·수평으로 설치한다.
④ 가스계량기와 화기(그 시설 안에서 사용하는 자체화기는 제외) 사이는 1.5m 이상의 거리를 유지하여야 한다.
⑤ 설치장소는 수시로 환기가 가능한 곳으로 직사광선이나 빗물을 받을 우려가 없는 곳으로 하되, 보호상자 안에 설치할 경우에는 직사광선이나 빗물을 받을 우려가 있는 곳에도 설치할 수 있다.

키워드 가스계량기
풀이 가스계량기와 화기(그 시설 안에서 사용하는 자체화기는 제외한다) 사이는 2m 이상의 거리를 유지하여야 한다.

정답 ④

06 가스배관에 관한 설명으로 옳지 않은 것은?

① 가스용 폴리에틸렌관은 그 배관의 유지관리에 지장이 없고 그 배관에 대한 위해의 우려가 없도록 설치하고, 폴리에틸렌관을 노출배관용으로 사용한다.
② 가스계량기는 가스사용자가 구분하여 소유하거나 점유하는 건축물의 외벽에 설치한다.
③ 가스공급 본관의 관경은 25mm 이상이며, 가스공급 분기관의 관경은 20mm 이상이다.
④ 가스배관은 주요구조부를 관통하지 않도록 배관해야 한다.
⑤ 가스계량기와 전기계량기와의 거리는 60cm 이상으로 유지한다.

키워드 도시가스배관
풀이 가스용 폴리에틸렌관은 그 배관의 유지관리에 지장이 없고 그 배관에 대한 위해의 우려가 없도록 설치하고, 폴리에틸렌관을 노출배관용으로 사용하지 아니해야 한다.

정답 ①

07 가스설비에 관한 설명으로 옳은 것은?

① 진발열량(저위발열량)은 잠열을 포함한 발열량을 말한다.
② LNG는 가스누설감지기를 바닥에서 30cm 이내에 설치한다.
③ LNG는 액화 및 기화가 용이하여 운반, 저장이 쉽다.
④ LPG는 연소 시 많은 공기가 필요하고, 누설 시 인화폭발의 위험성이 크다.
⑤ 가스계량기와 전기계량기 및 전기개폐기와의 거리는 30cm 이상으로 유지한다.

키워드 도시가스배관
풀이 ① 진발열량(저위발열량)은 잠열을 포함하지 않은 발열량을 말한다.
② LNG는 가스누설감지기를 천장에서 30cm 이내에 설치한다.
③ LPG는 액화 및 기화가 용이하여 운반, 저장이 쉽다.
⑤ 가스계량기와 전기계량기 및 전기개폐기와의 거리는 60cm 이상으로 유지한다.

정답 ④

08 가스설비에 관한 설명으로 옳지 않은 것은?

① 건물의 규모가 크고 배관길이가 길어도 계통을 나누어 배관할 수 없다.
② 배관은 가능하면 온도 변화를 받지 않는 장소를 택하고, 연소에 의한 급배기가 용이해야 한다.
③ 배관을 실내의 벽·바닥·천장 등에 매립 또는 은폐 설치하는 경우 배관은 못 박음 등 외부 충격 등에 의한 위해의 우려가 없는 안전한 장소에 설치해야 한다.
④ 1개의 가스미터기로 부족할 경우 여러 개를 병렬로 연결해도 좋다.
⑤ 지상배관은 부식방지도장 후 표면색상을 황색으로 도색하고, 지하매설배관은 최고사용압력이 저압인 배관은 황색으로, 중압 이상인 배관은 붉은색으로 해야 한다.

키워드 도시가스배관
풀이 건물의 규모가 크고 배관길이가 길면 계통을 나누어 배관하도록 한다.

정답 ①

09 가스설비에 관한 설명으로 옳지 않은 것은?

① 액화천연가스(LNG)는 공기보다 가볍다.
② 공동주택의 가스배관은 건축물의 기초 밑에 설치한다.
③ 가스배관의 부식과 손상에 의한 가스누설은 안전사고로 이어질 수 있다.
④ 정압기(Governor)는 가스의 압력을 조정하는 것으로 가스공급설비에 포함된다.
⑤ 이론공기량은 가스 $1m^3$를 완전 연소시키는 데 필요한 이론상의 최소 공기량이다.

키워드 가스배관설계
풀이 공동주택의 가스배관은 건축물의 기초 밑에 설치하지 않는다.

정답 ②

10 도시가스배관에 관한 설명으로 옳은 것은?

① 가스공급 본관의 관경은 20mm 이상이며, 가스공급 분기관의 관경은 25mm 이상이다.
② 가스용 폴리에틸렌관은 그 배관의 유지관리에 지장이 없고 그 배관에 대한 위해의 우려가 없도록 설치하되, 폴리에틸렌관을 노출배관용으로 사용해야 한다.
③ 배관은 그 외부에 사용가스명, 최고사용압력 및 도시가스 흐름방향을 표시하며, 지하에 매설하는 배관의 경우에는 사용가스명을 표시하지 아니할 수 있다.
④ 지상배관은 부식방지도장 후 표면색상을 황색으로 도색하고, 지하매설배관은 최고사용압력이 중압 이하인 배관은 황색으로, 고압 이상인 배관은 붉은색으로 한다.
⑤ 가스배관 도중에 신축흡수를 위한 신축이음을 사용한다.

키워드 도시가스배관

풀이 ① 가스공급 본관의 관경은 25mm 이상이며, 가스공급 분기관의 관경은 20mm 이상이다.
② 가스용 폴리에틸렌관은 그 배관의 유지관리에 지장이 없고 그 배관에 대한 위해의 우려가 없도록 설치하되, 폴리에틸렌관을 노출배관용으로 사용하지 아니해야 한다.
③ 배관은 그 외부에 사용가스명, 최고사용압력 및 도시가스 흐름방향을 표시하며, 지하에 매설하는 배관의 경우에는 흐름방향을 표시하지 아니할 수 있다.
④ 지상배관은 부식방지도장 후 표면색상을 황색으로 도색하고, 지하매설배관은 최고사용압력이 저압인 배관은 황색으로, 중압 이상인 배관은 붉은색으로 한다.

정답 ⑤

CHAPTER 07 소방설비

▶ **연계학습** | 에듀윌 기본서 1차 [공동주택시설개론 下] p.169

대표기출

공동주택의 화재안전성능기준상 스프링클러설비 설치기준의 일부이다. (   )에 들어갈 내용으로 옳은 것은?

제28회

> 제7조(스프링클러설비) 스프링클러설비는 다음 각 호의 기준에 따라 설치해야 한다.
> 1. 폐쇄형스프링클러헤드를 사용하는 아파트등은 기준개수 (㉠)개(스프링클러헤드의 설치개수가 가장 많은 세대에 설치된 스프링클러헤드의 개수가 기준개수보다 작은 경우에는 그 설치개수를 말한다)에 (㉡)세제곱미터를 곱한 양 이상의 수원이 확보되도록 할 것. 다만, 아파트등의 각 동이 주차장으로 서로 연결된 구조인 경우 해당 주차장 부분의 기준 개수는 (㉢)개로 할 것

① ㉠: 5,　㉡: 1.3,　㉢: 40
② ㉠: 7,　㉡: 1.6,　㉢: 40
③ ㉠: 9,　㉡: 1.3,　㉢: 30
④ ㉠: 10,　㉡: 1.6,　㉢: 30
⑤ ㉠: 15,　㉡: 1.0,　㉢: 40

키워드 스프링클러설비

풀이 폐쇄형스프링클러헤드를 사용하는 아파트등은 기준개수 (㉠ 10)개(스프링클러헤드의 설치개수가 가장 많은 세대에 설치된 스프링클러헤드의 개수가 기준개수보다 작은 경우에는 그 설치개수를 말한다)에 (㉡ 1.6)세제곱미터를 곱한 양 이상의 수원이 확보되도록 하여야 한다. 다만, 아파트등의 각 동이 주차장으로 서로 연결된 구조인 경우 해당 주차장 부분의 기준 개수는 (㉢ 30)개로 한다.

정답 ④

---

01 소방시설의 분류 중 소화설비의 종류가 아닌 것은?

① 스프링클러설비
② 옥외소화전설비
③ 연결송수관설비
④ 물분무소화설비
⑤ 옥내소화전설비

키워드 소화설비

풀이 연결송수관설비, 제연설비, 연결살수설비, 비상콘센트설비, 무선통신보조설비, 연소방지설비 등은 소화활동설비에 속한다.

정답 ③

02 소방시설에 관한 설명으로 옳지 않은 것은?

① 소화설비는 물 그 밖의 소화약제를 사용하여 소화하는 설비로서 소화기, 옥내소화전설비, 스프링클러설비 등이 있다.
② 경보설비는 화재발생 사실을 통보하는 기계, 기구 또는 설비로서 비상방송설비, 누전경보기, 가스누설경보기, 비상콘센트설비 등이 있다.
③ 피난구조설비에는 피난사다리, 완강기, 유도등 및 유도표지, 비상조명등이 있다.
④ 소화용수설비는 화재진압에 필요한 상수도소화용수설비, 소화수조 등이 있다.
⑤ 소화활동설비는 화재진압 또는 인명구조 활동을 위해 사용하는 설비로서 제연설비, 연결송수관설비, 연결살수설비 등이 있다.

키워드 소방시설의 분류
풀이 비상콘센트설비는 소화활동설비이다.

정답 ②

03 옥내소화전설비의 설치기준에 관한 설명으로 옳지 않은 것은?

① 호스릴 옥내소화전설비의 수원은 그 저수량이 옥내소화전의 설치개수가 가장 많은 층의 설치개수에 2.6m³를 곱한 양 이상이 되도록 하여야 한다.
② 특정소방대상물의 어느 층에 있어서도 해당 층의 옥내소화전을 동시에 사용할 경우 각 소화전의 노즐선단에서의 방수압력이 0.17MPa 이상이고, 방수량이 130L/min 이상이 되는 성능의 것으로 한다.
③ 옥내소화전 방수구와 연결되는 가지배관의 구경은 40mm 이상으로 하여야 하며, 주배관 중 수직배관의 구경은 50mm 이상으로 하여야 한다.
④ 특정소방대상물의 층마다 설치하되, 해당 특정소방대상물의 각 부분으로부터 하나의 호스릴 옥내소화전 방수구까지의 수평거리는 25m 이하가 되도록 하여야 한다.
⑤ 호스릴 옥내소화전 방수구와 연결되는 가지배관의 구경은 32mm 이상으로 하여야 하며, 주배관 중 수직배관의 구경은 40mm 이상으로 하여야 한다.

키워드 옥내소화전설비
풀이 호스릴 옥내소화전방수구와 연결되는 가지배관의 구경은 25mm 이상으로 하여야 하며, 주배관 중 수직배관의 구경은 32mm 이상으로 하여야 한다.

정답 ⑤

04 소화기구 및 자동소화장치의 화재안전기술기준상 주거용 주방자동소화장치의 기준으로 옳지 않은 것은?

① 가스용 주방자동소화장치를 사용하는 경우 탐지부는 수신부와 분리하여 설치할 수 없다.
② 수신부는 주위의 열기류 또는 습기 등과 주위온도에 영향을 받지 않고 사용자가 상시 볼 수 있는 장소에 설치한다.
③ 차단장치(전기 또는 가스)는 상시 확인 및 점검이 가능하도록 설치한다.
④ 소화약제 방출구는 환기구(주방에서 발생하는 열기류 등을 밖으로 배출하는 장치)의 청소부분과 분리되어 있어야 하며, 형식승인받은 유효설치 높이 및 방호면적에 따라 설치한다.
⑤ 감지부는 형식승인받은 유효한 높이 및 위치에 설치한다.

키워드 주거용 주방자동소화장치
풀이 가스용 주방자동소화장치를 사용하는 경우 탐지부는 수신부와 분리하여 설치하되, 공기보다 가벼운 가스를 사용하는 경우에는 천장 면으로부터 30cm 이하의 위치에 설치하고, 공기보다 무거운 가스를 사용하는 장소에는 바닥 면으로부터 30cm 이하의 위치에 설치한다.

정답 ①

05 소화기구에 관한 설명으로 옳은 것은?

① 상업용 주방자동소화장치란 상업용 주방에 설치된 열발생 조리기구의 사용으로 인한 화재 발생 시 열원(전기 또는 가스)을 수동으로 차단하며 소화약제를 방출하는 소화장치를 말한다.
② 가스자동소화장치란 열, 연기 또는 불꽃 등을 감지하여 가스계 소화약제를 방사하여 소화하는 소화장치를 말한다.
③ 분말자동소화장치란 열, 연기 또는 불꽃 등을 감지하여 에어로졸의 소화약제를 방사하여 소화하는 소화장치를 말한다.
④ 대형소화기란 화재 시 사람이 운반할 수 있도록 운반대와 바퀴가 설치되어 있고 능력단위가 A급 100단위 이상, B급 200단위 이상인 소화기를 말한다.
⑤ 소형소화기란 능력단위가 10단위 이상이고 대형소화기의 능력단위 미만인 소화기를 말한다.

키워드 소화기구
풀이 ① 상업용 주방자동소화장치란 상업용 주방에 설치된 열발생 조리기구의 사용으로 인한 화재 발생 시 열원(전기 또는 가스)을 자동으로 차단하며 소화약제를 방출하는 소화장치를 말한다.
③ 열, 연기 또는 불꽃 등을 감지하여 에어로졸의 소화약제를 방사하여 소화하는 소화장치는 고체에어로졸자동소화장치이다. 분말자동소화장치란 열, 연기 또는 불꽃 등을 감지하여 분말의 소화약제를 방사하여 소화하는 소화장치를 말한다.
④ 대형소화기란 화재 시 사람이 운반할 수 있도록 운반대와 바퀴가 설치되어 있고 능력단위가 A급 10단위 이상, B급 20단위 이상인 소화기를 말한다.
⑤ 소형소화기란 능력단위가 1단위 이상이고 대형소화기의 능력단위 미만인 소화기를 말한다.

정답 ②

06 옥내소화전 관련 용어에 관한 설명으로 옳지 않은 것은?

① 체절운전이란 펌프의 성능시험을 목적으로 펌프 토출 측의 개폐밸브를 닫은 상태에서 펌프를 운전하는 것을 말한다.
② 정격토출량이란 정격토출압력에서의 펌프의 토출량을 말한다.
③ 충압펌프란 배관 내 압력손실에 따른 주펌프의 빈번한 기동을 방지하기 위하여 충압 역할을 하는 펌프를 말한다.
④ 연성계란 대기압 이하의 압력을 측정하는 계측기를 말한다.
⑤ 기동용 수압개폐장치란 소화설비의 배관 내 압력 변동을 검지하여 자동적으로 펌프를 기동 및 정지시키는 것으로서 압력챔버 또는 기동용 압력스위치 등을 말한다.

키워드 : 옥내소화전설비

풀이 : 연성계란 대기압 이상의 압력과 대기압 이하의 압력을 측정할 수 있는 계측기를 말하며, 진공계란 대기압 이하의 압력을 측정하는 계측기를 말한다.

정답 ④

07 어떤 건축물에서 옥내소화전의 설치개수가 한 층에 최대 8개인 경우, 옥내소화전설비 수원의 최소 저수량(m³)은?

① 5.2
② 6.5
③ 15.0
④ 20.5
⑤ 32.2

키워드 : 옥내소화전설비

풀이 : 옥내소화전설비의 수원의 수량 = 2.6(m³) × N
옥내소화전의 설치개수가 8개이므로 N = 2개로 계산한다.
∴ 2.6(m³) × 2(개) = 5.2(m³)

정답 ①

08 옥내소화전설비의 화재안전성능기준으로 옳지 않은 것은?

① 송수구는 지면으로부터 높이가 0.5m 이상 1m 이하의 위치에 설치하고, 방수구는 바닥으로부터의 높이가 1.5m 이하가 되도록 설치한다.
② 송수구는 구경 65mm의 쌍구형 또는 단구형으로 한다.
③ 펌프의 성능은 체절운전 시 정격토출압력의 140%를 초과하지 않아야 한다.
④ 가압수조의 압력은 방수량 및 방수압이 60분 이상 유지되도록 한다.
⑤ 연결송수관설비의 배관과 겸용할 경우 주 배관의 구경은 100mm 이상, 방수구로 연결되는 배관의 구경은 65mm 이상인 것으로 하여야 한다.

키워드 : 옥내소화전설비

풀이 : 가압수조의 압력은 방수량 및 방수압이 20분 이상 유지되도록 한다.

정답 ④

09 소화설비 중 스프링클러설비에 관한 설명으로 옳지 않은 것은?

① 화재 시 초기소화율이 높다.
② 물로 인한 2차 피해가 발생할 수 있다.
③ 소화기능은 있으나 경보기능은 없다.
④ 소화 후 반드시 제어밸브를 잠근다.
⑤ 고층건축물이나 지하층의 자동소화에 적합하다.

키워드 스프링클러설비
풀이 스프링클러는 소화 및 경보기능이 있어 초기화재에 필수적이다.
이론+ 스프링클러설비의 장단점

장점	단점
① 자동소화설비로 초기화재 소화율이 높다.	① 초기투자비가 많이 든다.
② 경보기능이 있고, 오동작이 적다.	② 물로 인한 2차적인 피해가 발생할 수 있다.
③ 소화재료가 물이므로 경제적이고, 수명이 길다.	③ 소화 후 반드시 제어밸브를 잠가야 한다.
④ 취급 및 조작이 간편하고, 소화 후 복구가 쉽다.	

정답 ③

10 스프링클러설비에 관한 설명으로 옳지 않은 것은?

① 가압송수장치의 송수량은 0.1MPa의 방수압력기준으로 60L/min 이상의 방수성능을 가진 기준 개수의 모든 헤드로부터의 방수량을 충족시킬 수 있는 양 이상으로 한다.
② 내연기관의 연료량은 펌프를 20분 이상 운전할 수 있는 용량이어야 한다.
③ 가압송수장치의 정격토출압력은 하나의 헤드선단에 0.1MPa 이상 1.2MPa 이하의 방수압력이 될 수 있게 하여야 한다.
④ 비상전원 중 자가발전설비는 스프링클러설비를 유효하게 20분 이상 작동할 수 있어야 한다.
⑤ 천장이 높은 무대부를 비롯하여 공장, 창고, 준위험물 저장소에는 개방형 스프링클러 배관방식이 효과적이다.

키워드 스프링클러설비
풀이 가압송수장치의 송수량은 0.1MPa의 방수압력기준으로 80L/min 이상의 방수 성능을 가진 기준 개수의 모든 헤드로부터의 방수량을 충족시킬 수 있는 양 이상으로 한다.

정답 ①

11 스프링클러설비에 관한 설명으로 옳은 것은?

① 건식 스프링클러는 천장이 높은 무대부를 비롯하여 공장, 창고, 준위험물 저장소 등에 사용된다.
② 습식 스프링클러는 건식 스프링클러보다는 시설비가 비싸다.
③ 스프링클러는 자동소화설비로 경보기능이 있고, 오동작이 적다.
④ 스프링클러 헤드의 가용편은 온도 상승 시 감지하여 용해되며, 헤드에 따라 차이가 있으나 정온식인 경우 100℃ 이상에서 작동하도록 되어 있다.
⑤ 준비작동식 스프링클러설비의 유수검지장치는 알람밸브이다.

> [키워드] 스프링클러설비
> [풀이] ① 일제살수식 스프링클러는 천장이 높은 무대부를 비롯하여 공장, 창고, 준위험물 저장소 등에 사용된다.
> ② 습식 스프링클러는 건식 스프링클러보다는 시설비가 싸다.
> ④ 스프링클러 헤드의 가용편은 온도 상승 시 감지하여 용해되며, 헤드에 따라 차이가 있으나 정온식인 경우 67~75℃ 정도에서 작동하도록 되어 있다.
> ⑤ 준비작동식 스프링클러설비의 유수검지장치는 프리액션밸브이다.

[이론 +]

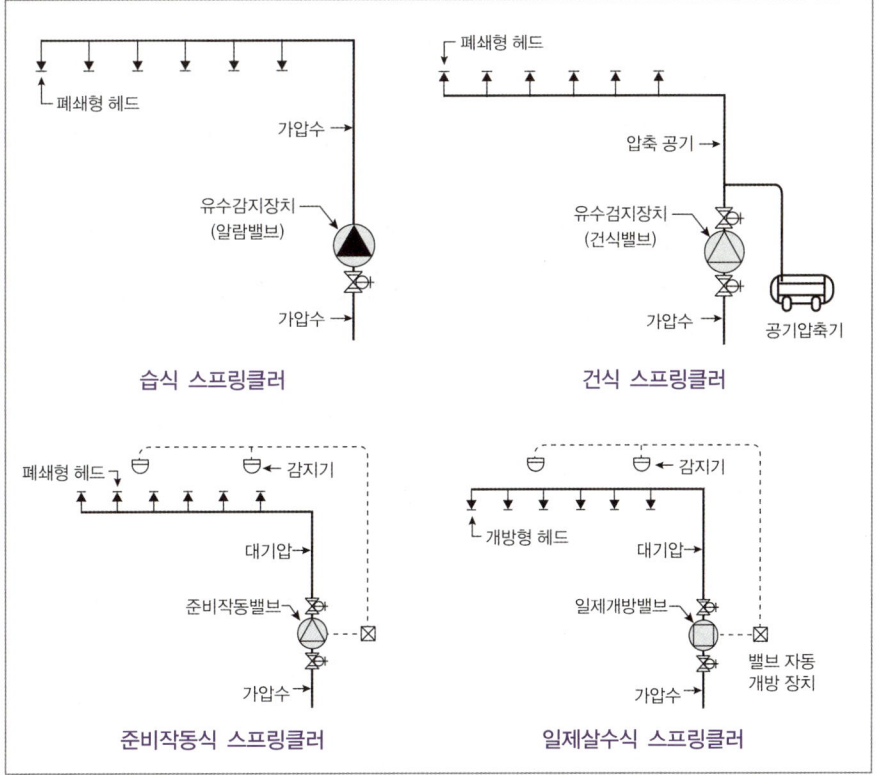

정답 ③

12 소방시설의 설치기준에서 방수압력이 가장 큰 것은?

① 옥내소화전
② 옥외소화전
③ 스프링클러
④ 드렌처
⑤ 연결송수관

키워드 소화설비
풀이 ① 옥내소화전: 0.17MPa
② 옥외소화전: 0.25MPa
③ 스프링클러: 0.1MPa
④ 드렌처: 0.1MPa
⑤ 연결송수관: 0.35MPa

정답 ⑤

13 소방설비에 관한 설명으로 옳은 것은?

① 옥내소화전 펌프의 성능은 체절운전 시 정격토출압력의 140% 이하로 한다.
② 호스릴 옥내소화전 설비의 방수량은 60L/min 이상이고, 표준 방수압력은 0.17MPa 이상이다.
③ 가압송수장치에서 충압펌프도 체절운전 시 수온의 상승을 방지하기 위한 순환배관을 설치한다.
④ 옥내소화전설비용 수조의 내측에는 수위계를 설치한다. 다만, 구조상 불가피한 경우에는 수조의 맨홀 등을 통하여 수조 안의 물의 양을 쉽게 확인할 수 있도록 하여야 한다.
⑤ 스프링클러설비에서 주차장에 설치되는 스프링클러는 습식방식으로 하며, 준비작동식은 1차 측에 가압수를 채워놓고 2차 측 배관에서 헤드까지는 저압이나 대기압의 공기를 채운다.

키워드 소화설비
풀이 ② 호스릴 옥내소화전 설비의 방수량은 130L/min 이상이고, 표준 방수압력은 0.17MPa 이상이다.
③ 충압펌프의 경우에는 순환배관을 설치하지 않아도 된다.
④ 옥내소화전설비용 수조의 외측에는 수위계를 설치한다. 다만, 구조상 불가피한 경우에는 수조의 맨홀 등을 통하여 수조 안의 물의 양을 쉽게 확인할 수 있도록 하여야 한다.
⑤ 스프링클러설비에서 주차장에 설치되는 스프링클러는 습식 이외의 방식으로 하며, 준비작동식은 1차 측에 가압수를 채워놓고 2차 측 배관에서 헤드까지는 저압이나 대기압의 공기를 채운다.

정답 ①

14 연결송수관설비에 관한 설명으로 옳지 않은 것은?

① 주배관의 구경은 100mm 이상으로 하여야 한다.
② 송수구 및 방수구의 지름은 65mm로 한다.
③ 송수구는 연결송수관의 수직배관마다 1개 이상을 설치하여야 한다.
④ 송수구는 지면으로부터 0.5m 이상 1m 이하의 높이에 설치하여야 한다.
⑤ 표준방수압력은 0.25MPa 이상이 되도록 한다.

키워드 연결송수관설비
풀이 연결송수관설비의 표준방수압력은 0.35MPa 이상이어야 한다.

정답 ⑤

15 자동화재탐지설비에서 부엌, 보일러실 등 열을 취급하는 장소에는 어떠한 감지기가 적합한가?

① 차동식 분포형 ② 정온식 감지기
③ 연기식 감지기 ④ 보상식 감지기
⑤ 차동식 스폿형 감지기

키워드 자동화재탐지설비
풀이 정온식 감지기는 실내온도가 일정온도 이상일 때 바이메탈에 의해 작동하는 감지기로 온도변화가 심한 식당의 주방, 보일러실 등에 사용된다.

이론+ 자동화재탐지설비

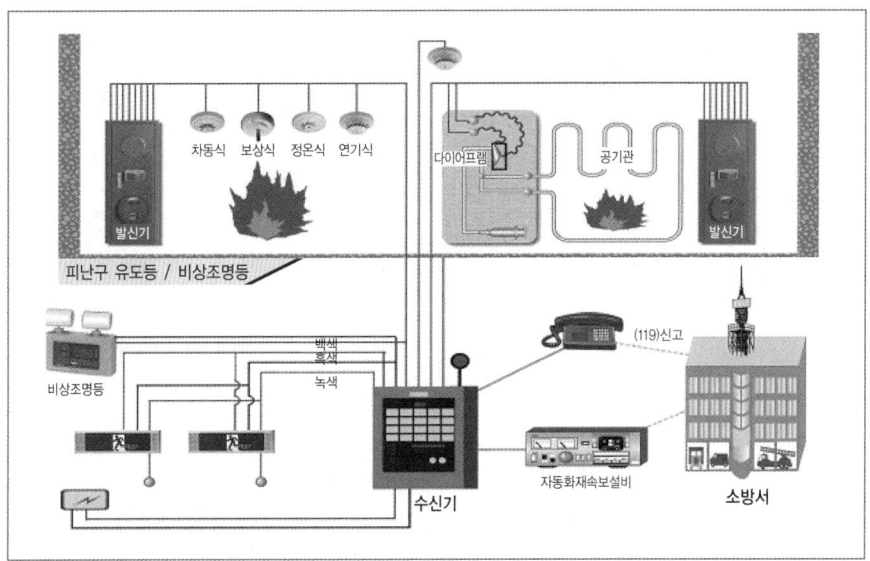

정답 ②

16 자동화재탐지설비에 관한 설명으로 옳지 않은 것은?

① 이온화식 감지기는 주위의 공기가 일정한 정도의 연기를 포함하게 되면 작동하는 감지기이다.
② 정온식 감지기는 바이메탈의 원리를 이용한 감지기이다.
③ 차동식 감지기는 주위 온도가 일정한 온도 상승률 이상이 되었을 때 작동하는 감지기이다.
④ 정온식 감지기는 주위 온도가 일정한 온도 이상이 되었을 때 동작하는 것으로 보일러실 등에 설치한다.
⑤ 광전식 감지기는 차동식과 정온식 감지기의 기능을 합친 것이다.

키워드 자동화재탐지설비
풀이 차동식과 정온식 감지기의 기능을 합친 것을 보상식이라 한다.

정답 ⑤

17 자동화재탐지설비에서 감지기에 관한 내용으로 옳지 않은 것은?

① 열전도율이 낮아야 한다.
② 열용량이 적어야 한다.
③ 수열면적이 커야 한다.
④ 보상식 감지기는 차동식의 단점을 보완한 것이다.
⑤ 열의 흡수가 용이한 표면 상태이어야 한다.

키워드 자동화재탐지설비
풀이 자동화재탐지설비에서 감지기는 열전도율이 높아야 한다.

정답 ①

18 자동화재탐지설비에서 감지기에 관한 설명으로 옳은 것은?

① 차동식 감지기는 주위 온도가 일정온도 이상이 되었을 때 작동하는 것으로 주방에 설치하는 것이 적당하다.
② 정온식 감지기는 주위 온도가 일정온도 상승률 이상으로 되었을 때 작동하는 것을 말한다.
③ 차동식 감지기는 천장이 높은 계단실에 설치하는 것이 적당하다.
④ 분포형 감지기는 차동식 감지기로서 가는 동파이프를 천장에 배관하고, 배관 속 공기의 팽창으로 화재신호를 감지한다.
⑤ 보상식 감지기는 광전식 감지기와 이온식 감지기를 포함한다.

키워드 자동화재탐지설비
풀이 ① 정온식 감지기는 주위 온도가 일정온도 이상이 되었을 때 작동하는 것으로 주방에 설치하는 것이 적당하다.
② 차동식 감지기는 주위 온도가 일정온도 상승률 이상으로 되었을 때 작동하는 것으로 거실에 설치하는 것이 적당하다.
③ 연기감지기는 천장이 높은 계단실에 설치하는 것이 적당하다.
⑤ 보상식 감지기는 차동식 스폿형과 정온식 스폿형을 겸용한 것이며, 광전식 감지기와 이온식 감지기는 연기감지기의 종류이다.

정답 ④

19 경보설비에 관한 설명으로 옳지 않은 것은?

① 경보설비는 자동화재탐지설비, 비상방송설비, 누전경보기, 자동화재속보설비, 가스누설경보기 등으로 분류한다.
② 공동주택의 감지기는 회로 단선 시 고장 표시가 되며, 해당 회로에 설치된 감지기가 정상 작동될 수 있는 성능을 갖도록 하여야 한다.
③ 전기화재경보기는 전기화재 발생 시 경보를 알리지만, 누전은 알리지 못한다.
④ 공동주택의 화재안전성능기준상 복층형 구조인 경우에는 출입구가 없는 층에 발신기를 설치하지 아니할 수 있다.
⑤ 정온식 스폿형 감지기는 실내온도가 일정온도 이상일 때 바이메탈에 의해 작동하며, 온도변화가 심한 주방, 보일러실 등에 사용한다.

키워드 경보설비
풀이 전기화재경보기는 화재의 원인이 되는 누전을 신속히 자동으로 알리는 경보기이다.

정답 ③

20 화재안전기준상 경보설비에 관한 설명으로 옳지 않은 것은?

① 경보설비는 화재발생 시 열이나 연기를 자동으로 감지하여 경보하는 설비이다.
② 차동식 분포형 감지기는 주위 온도가 일정 상승률 이상 급격히 상승하면 넓은 범위 내에서의 열효과의 누적에 의해 감지하며, 공장, 창고, 강당 등 넓은 지역에 사용되는 감지기이다.
③ 정온식 감지기는 실내온도가 일정온도 이상으로 상승할 때 작동한다.
④ 차동식 감지기는 다이어프램에 의해 작동한다.
⑤ 발신기의 위치를 표시하는 표시등은 함의 상부에 설치하되, 그 불빛은 부착면으로부터 10° 이상의 범위 안에서 부착지점으로부터 15m 이내의 어느 곳에서도 쉽게 식별할 수 있는 적색등으로 하여야 한다.

키워드 경보설비

풀이 발신기의 위치를 표시하는 표시등은 함의 상부에 설치하되, 그 불빛은 부착면으로부터 15° 이상의 범위 안에서 부착지점으로부터 10m 이내의 어느 곳에서도 쉽게 식별할 수 있는 적색등으로 하여야 한다.

정답 ⑤

21 경보설비 및 피난설비에 관한 설명으로 옳은 것은?

① 감지기의 조건은 열용량이 적어야 하고, 수열면적이 작아야 한다.
② 연기감지기의 종류에는 광전식 감지기와 차동식 감지기가 있다.
③ 발신기는 특정소방대상물의 층마다 설치하되, 해당 특정소방대상물의 각 부분으로부터 하나의 발신기까지의 수평거리가 40m 이하가 되도록 하여야 한다.
④ 비상방송설비는 기동장치에 따른 화재신고를 수신한 후 필요한 음량으로 화재발생 상황 및 피난에 유효한 방송이 자동으로 개시될 때까지의 소요시간은 30초 이하로 하여야 한다.
⑤ 통로유도표지는 바닥으로부터 높이 1m 이하의 위치에 설치해야 한다.

키워드 경보설비 및 피난구조설비

풀이 ① 감지기의 조건은 열용량이 적어야 하고, 수열면적이 커야 한다.
② 연기감지기의 종류에는 광전식 감지기와 이온화식 감지기가 있다.
③ 발신기는 특정소방대상물의 층마다 설치하되, 해당 특정소방대상물의 각 부분으로부터 하나의 발신기까지의 수평거리가 25m 이하가 되도록 하여야 한다.
④ 비상방송설비는 기동장치에 따른 화재신고를 수신한 후 필요한 음량으로 화재발생 상황 및 피난에 유효한 방송이 자동으로 개시될 때까지의 소요시간은 10초 이하로 하여야 한다.

이론 + 연기감지기

구분		내용
특징		• 화재가 발생하면 연기를 감지하여 작동하는 감지기로, 화염보다 연기가 빨리 전달되는 장소에 사용한다. • 복도, 계단, 경사로, 엘리베이터 승강로, 공동주택 거실, 무대 등 천장 또는 반자의 높이가 15m 이상 20m 미만의 장소에 사용한다.
종류	광전식 감지기	연기가 일정 농도 이상이면 감지기 내에서 광속이 감지되어 작동하는 방식
	이온화식 감지기	연기의 이온검출농도를 감지하여 작동하는 방식

정답 ⑤

22 다음은 피난기구의 화재안전성능기준상 피난구조설비에 관한 내용이다. (   )에 들어갈 내용으로 옳은 것은?

> - (㉠)란 포지 등을 사용하여 자루 형태로 만든 것으로서 화재 시 사용자가 그 내부에 들어가서 내려옴으로써 대피할 수 있는 것을 말한다.
> - 다수인피난장비란 화재 시 (㉡)인 이상의 피난자가 동시에 해당 층에서 지상 또는 피난층으로 하강하는 피난기구를 말한다.
> - (㉢)식 피난구용 내림식 사다리란 하향식 피난구 해치에 격납하여 보관하고 사용 시에는 사다리 등이 소방대상물과 접촉되지 아니하는 내림식 사다리를 말한다.

	㉠	㉡	㉢		㉠	㉡	㉢
①	구조대	2	하향	②	구조대	2	상향
③	포지대	3	하향	④	포지대	3	상향
⑤	구조대	4	상향				

키워드 피난구조설비

풀이
- (㉠ 구조대)란 포지 등을 사용하여 자루 형태로 만든 것으로서 화재 시 사용자가 그 내부에 들어가서 내려옴으로써 대피할 수 있는 것을 말한다.
- 다수인피난장비란 화재 시 (㉡ 2)인 이상의 피난자가 동시에 해당 층에서 지상 또는 피난층으로 하강하는 피난기구를 말한다.
- (㉢ 하향)식 피난구용 내림식 사다리란 하향식 피난구 해치에 격납하여 보관하고 사용 시에는 사다리 등이 소방대상물과 접촉되지 아니하는 내림식 사다리를 말한다.

이론+ 피난구조설비 용어정리

용어	정의
피난사다리	화재 시 긴급대피를 위해 사용하는 사다리를 말한다.
피난교	• 건축물의 옥상층 또는 그 이하의 층에서 화재발생 시 옆 건축물로 피난하기 위해 설치하는 피난기구이다. • 평상시에는 건축물 내에 접어두었다가 화재가 발생하면 신속하게 옆 건축물에 설치하여 이웃 건축물로 안전하게 피난할 수 있도록 가교 역할을 해주는 피난기구이다.
완강기	사용자의 몸무게에 따라 자동적으로 내려올 수 있는 기구 중 사용자가 교대하여 연속적으로 사용할 수 있는 것을 말한다.
간이완강기	사용자의 몸무게에 따라 자동적으로 내려올 수 있는 기구 중 사용자가 연속적으로 사용할 수 없는 것을 말한다.
피난용 트랩	화재층과 직상층을 연결하는 계단형태의 피난기구를 말한다.
구조대	포지 등을 사용하여 자루형태로 만든 것으로서 화재 시 사용자가 그 내부에 들어가서 내려옴으로써 대피할 수 있는 것을 말한다.
공기안전매트	화재 발생 시 사람이 건축물 내에서 외부로 긴급히 뛰어내릴 때 충격을 흡수하여 안전하게 지상에 도달할 수 있도록 포지에 공기 등을 주입하는 구조로 되어 있는 것을 말한다.

다수인피난장비	화재 시 2인 이상의 피난자가 동시에 해당 층에서 지상 또는 피난층으로 하강하는 피난기구를 말한다.
승강식 피난기	사용자의 몸무게에 의하여 자동으로 하강하고 내려서면 스스로 상승하여 연속적으로 사용할 수 있는 무동력 승강식 기기를 말한다.
하향식 피난구용 내림식 사다리	하향식 피난구 해치에 격납하여 보관하고, 사용 시에는 사다리 등이 소방대상물과 접촉되지 아니하는 내림식 사다리를 말한다.

정답 ①

23 다음은 유도등에 관한 설명이다. ( )에 들어갈 내용으로 옳은 것은?

- 피난구유도등은 바닥으로부터 높이 (㉠)m 이상에 설치한다.
- 통로유도등은 복도, 계단의 경우 바닥으로부터 높이 (㉡)m 이하에 설치하고, 거실의 경우 바닥으로부터 높이 (㉢)m 이상에 설치한다.

	㉠	㉡	㉢		㉠	㉡	㉢
①	1.2	0.3	1	②	1.3	0.4	1.2
③	1.4	0.5	1.3	④	1.5	1	1.5
⑤	1.8	1.5	1.8				

키워드 유도등 및 유도표지

풀이
- 피난구유도등은 바닥으로부터 높이 (㉠1.5)m 이상에 설치한다.
- 통로유도등은 복도, 계단의 경우 바닥으로부터 높이 (㉡1)m 이하에 설치하고, 거실의 경우 바닥으로부터 높이 (㉢1.5)m 이상에 설치한다.

이론 + 유도등 및 유도표지 용어정리

용어	정의
유도등	화재 시에 피난을 유도하기 위한 등으로서 정상상태에서는 상용전원에 따라 켜지고 상용전원이 정전되는 경우에는 비상전원으로 자동전환되어 켜지는 등
피난구유도등	피난구 또는 피난경로로 사용되는 출입구를 표시하여 피난을 유도하는 등
통로유도등	피난통로를 안내하기 위한 유도등으로 복도통로유도등, 거실통로유도등, 계단통로유도등
피난구유도표지	피난구 또는 피난경로로 사용되는 출입구를 표시하여 피난을 유도하는 표지
통로유도표지	피난통로가 되는 복도, 계단 등에 설치하는 것으로서 피난구의 방향을 표시하는 유도표지
피난유도선	햇빛이나 전등불에 따라 축광하거나 전류에 따라 빛을 발하는 유도체로서 어두운 상태에서 피난을 유도할 수 있도록 띠 형태로 설치되는 피난유도시설

정답 ④

24 유도등 및 유도표지의 화재안전성능기준상 유도등 및 유도표지에 관한 설명으로 옳은 것은?

① 피난구유도등은 피난구의 바닥으로부터 높이 1.2m 이상으로 출입구에 인접하도록 설치해야 한다.
② 거실통로유도등은 구부러진 모퉁이 및 보행거리 35m마다 설치하고, 원칙적으로 바닥으로부터 높이 1.5m 이상의 위치에 설치한다.
③ 유도표지는 계단에 설치하는 것을 제외하고는 각 층마다 복도 및 통로의 각 부분으로부터 하나의 유도표지까지의 보행거리가 30m 이하가 되는 곳과 구부러진 모퉁이의 벽에 설치한다.
④ 복도통로유도등은 복도에 설치하되, 피난구유도등이 설치된 출입구의 맞은편 복도에는 입체형으로 설치하거나 바닥에 설치하고, 이에 따라 설치된 통로유도등을 기점으로 보행거리 20m마다 설치한다.
⑤ 계단통로유도등은 바닥으로부터 높이 1.5m 이하의 위치에 설치한다.

키워드 유도등 및 유도표지

풀이 ① 피난구유도등은 피난구의 바닥으로부터 높이 1.5m 이상으로 출입구에 인접하도록 설치해야 한다.
② 거실통로유도등은 구부러진 모퉁이 및 보행거리 20m마다 설치하고, 원칙적으로 바닥으로부터 높이 1.5m 이상의 위치에 설치한다.
③ 유도표지는 계단에 설치하는 것을 제외하고는 각 층마다 복도 및 통로의 각 부분으로부터 하나의 유도표지까지의 보행거리가 15m 이하가 되는 곳과 구부러진 모퉁이의 벽에 설치한다.
⑤ 계단통로유도등은 각 층의 경사로 참 또는 계단참마다 바닥으로부터 높이 1m 이하의 위치에 설치한다.

정답 ④

CHAPTER 08 난방 및 냉동설비

▶ **연계학습** | 에듀윌 기본서 1차 [공동주택시설개론 下] p.216

대표기출

01 건축물의 설비기준 등에 관한 규칙상 온수온돌에 관한 내용으로 옳지 않은 것은? (단, 한국산업규격에 따른 조립식 온수온돌판을 사용하여 온수온돌을 시공하는 경우는 제외함) 제28회

① 온수온돌은 바탕층, 단열층, 채움층, 배관층(방열관을 포함한다) 및 마감층 등으로 구성된다.
② 채움층이란 온돌구조의 높이 조정, 차음성능 향상, 보조적인 단열기능 등을 위하여 배관층과 단열층 사이에 완충재 등을 설치하는 층을 말한다.
③ 배관층이란 단열층 또는 채움층 위에 방열관을 설치하는 층을 말한다.
④ 방열관이란 열을 발산하는 온수를 순환시키기 위하여 배관층에 설치하는 온수배관을 말한다.
⑤ 바탕층이 지면에 접하는 경우에는 바탕층 아래와 주변 벽면에 높이 5센티미터 이상의 방수처리를 하여야 하며, 단열재의 윗부분에 방습처리를 하여야 한다.

| 키워드 | 온수온돌설비기준 |
| 풀이 | 바탕층이 지면에 접하는 경우에는 바탕층 아래와 주변 벽면에 높이 10센티미터 이상의 방수처리를 하여야 하며, 단열재의 윗부분에 방습처리를 하여야 한다.

정답 ⑤

02 다음은 압축식 냉동기의 냉동사이클을 나타낸 것이다. ㉠~㉢에 들어갈 내용으로 옳은 것은?
제28회

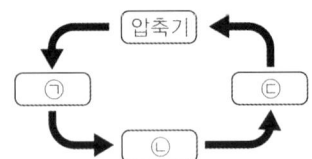

① ㉠: 응축기, ㉡: 팽창밸브, ㉢: 증발기
② ㉠: 응축기, ㉡: 증발기, ㉢: 팽창밸브
③ ㉠: 증발기, ㉡: 팽창밸브, ㉢: 응축기
④ ㉠: 증발기, ㉡: 응축기, ㉢: 팽창밸브
⑤ ㉠: 팽창밸브, ㉡: 증발기, ㉢: 응축기

> **키워드** 압축식 냉동기의 특징
> **풀이** 압축식 냉동기의 냉동사이클은 '압축기 ⇨ 응축기 ⇨ 팽창밸브 ⇨ 증발기' 순이다.

정답 ①

---

01 방열기의 입구수온은 95℃이고, 출구수온은 80℃이다. 난방부하가 84kW인 방을 온수난방을 하고자 한다. 방열기의 온수순환수량은 얼마인가? (단, 물의 비열은 4.2kJ/kg·K이다)

① 80ℓ/min ② 100ℓ/min ③ 500ℓ/min
④ 600ℓ/min ⑤ 1,200ℓ/min

> **키워드** 방열기의 표준방열량
> **풀이** 순환수량(ℓ/min) = $\dfrac{60 \times 난방부하(= 손실열량)}{비열 \times 온도차} = \dfrac{60 \times 84}{4.2 \times 15} = 80$ℓ/min

정답 ①

---

02 손실열량이 12.36kW이고, 환기에 의한 손실열량이 8.56kW인 방에 온수난방에 의한 방열기를 설치할 경우 소요방열량면적은?

① 30m² ② 40m² ③ 50m²
④ 60m² ⑤ 70m²

> **키워드** 방열기의 표준방열량
> **풀이** 방열기 소요방열량면적 = 총손실열량 ÷ 표준방열량 = (12.36 + 8.56) ÷ 0.523kW/m² = 40m²

정답 ②

03 증기난방을 하는 어느 사무소 건물에서 배관손실열량이 32kW이고 환기에 의한 손실열량이 18kW이다. 이 실의 Ⅲ - 650인 주철제 방열기를 사용하고자 할 때 필요한 최소 방열기 절수로 옳은 것은? (단, 방열기 1절의 표면적은 0.5m²이다)

① 85절
② 133절
③ 153절
④ 188절
⑤ 271절

키워드 방열기의 표준방열량

풀이 절수(N) = $\dfrac{\text{총손실열량}}{\text{표준방열량} \times \text{방열기 1절 면적}}$ = $\dfrac{32 + 18}{0.756 \times 0.5}$ = 132.3절 ≒ 133절

정답 ②

04 증기트랩의 작동원리와 종류의 연결이 옳지 않은 것은?

① 기계식 - 버킷 트랩
② 기계식 - 플로트 트랩
③ 기계식 - 바이메탈식 트랩
④ 열역학식 - 디스크 트랩
⑤ 온도조절식 - 서모왁스 트랩

키워드 증기트랩

풀이 온도조절식 증기트랩은 바이메탈식 트랩, 벨로스 트랩, 서모왁스 트랩, 다이어프램 트랩이 있다.

이론 + 작동원리에 의한 분류

구분	내용	종류
기계식	증기와 응축수의 밀도 차에 따른 부력 차를 이용하여 작동하는 방식으로, 응축수의 생성과 동시에 배출된다.	• 버킷 트랩 • 플로트 트랩
온도조절식	증기와 응축수의 온도 및 엔탈피 차이를 이용하여 응축수를 배출하는 방식으로, 응축수가 냉각되어 증기의 포화온도보다 낮은 온도에서 응축수의 현열 일부까지 이용할 수 있다.	• 벨로스식 트랩 • 다이어프램식 트랩 • 서모왁스식 트랩 • 바이메탈식 트랩
열역학식	온도조절식이나 기계식 트랩과는 별개의 작동원리를 갖고 있으며 증기와 응축수의 속도 차, 즉 운동에너지의 차이를 이용하여 동작된다.	디스크 트랩

정답 ③

05 증기난방용 부속품에 관한 설명으로 옳지 않은 것은?

① 진공펌프는 진공환수식의 보일러 환수용으로 사용된다.
② 증기헤더(Steam Header)는 증기를 고르게 급송하는 역할을 하는 장치이다.
③ 방열기트랩은 방열기 입구를 개폐하여 온수나 증기의 방열량을 조절하는 밸브이다.
④ 2중서비스 밸브는 한랭지에서 응축수의 동파를 방지하기 위해 방열기 밸브와 열동트랩을 조합한 밸브이다.
⑤ 인젝터는 수압이 약하거나 일정하지 않은 곳에 사용되는 급수장치이다.

> **키워드** 증기난방의 부속기기
> **풀이** 방열기 입구를 개폐하여 온수나 증기의 방열량을 조절하는 밸브는 방열기 밸브이며, 방열기트랩은 증기관 내에 생긴 응축수만을 보일러 등에 환수시키기 위해 사용하는 장치이다.
> **정답** ③

06 온수난방설비에서 사용되는 팽창탱크의 기능에 관한 설명으로 옳은 것은?

① 배관 중의 높은 곳이나 굴곡부에 체류하는 공기를 제거한다.
② 기포가 온수의 흐름과 같은 방향으로 흐르도록 한다.
③ 공급관과 환수관의 마찰저항 값을 유사하게 하여 순환 온수가 균등하게 흐르도록 한다.
④ 온수의 부피팽창으로 인한 배관의 신축팽창을 흡수하기 위해 설치한다.
⑤ 운전 중 장치 내의 온도상승으로 생기는 물의 체적팽창과 그 압력을 흡수한다.

> **키워드** 팽창탱크
> **풀이** 팽창탱크(Expansion Tank)는 온수난방 관내에서 분리된 공기 등을 배출하고 물의 온도 변화에 따른 체적팽창을 흡수하며, 보급수의 역할을 하는 안전밸브 역할을 하기 위하여 설치한다.
> **정답** ⑤

07 온수난방의 팽창탱크에 관한 설명으로 옳지 않은 것은?

① 밀폐식에는 강판제 보일러를 사용한다.
② 팽창탱크는 물의 온도변화에 따른 안전밸브 역할을 한다.
③ 밀폐식 팽창탱크는 설치위치에 구애받지 않으며 일정한 압력이 유지되도록 하고 펌프흡입 측 가까이에 접속한다.
④ 팽창탱크는 개방식과 밀폐식이 있는데 개방식은 지역난방, 고온수난방에 사용되고 보통온수식 난방에는 밀폐식이 사용된다.
⑤ 팽창관 도중에는 밸브를 달지 않는다.

키워드 온수난방의 부속기기
풀이 개방식은 보통온수난방에, 밀폐식은 고온수난방에 사용된다.

정답 ④

08 온수난방과 비교한 증기난방의 특징으로 옳은 것은?

① 겨울철 난방을 정지하였을 경우에 동결의 우려가 있다.
② 현열을 이용하는 방식으로 온수난방에 비해 방열기나 배관의 관경이 커진다.
③ 온수난방에 비해 보일러 취급이 쉽고, 배관에서 소음이 적게 발생한다.
④ 온수난방에 비해 난방부하의 변동에 따라 방열량 조절이 쉽고 쾌감도가 높다.
⑤ 관내 보유수량 및 열용량이 작아서 온수난방보다 예열시간이 짧다.

키워드 난방방식
풀이 ① 겨울철 난방을 정지하였을 경우에 동결의 우려가 없다.
② 잠열을 이용하는 방식으로 온수난방에 비해 방열기나 배관의 관경이 작아진다.
③ 온수난방에 비해 보일러 취급이 어렵고, 배관에서 소음이 많이 발생한다.
④ 온수난방에 비해 난방부하의 변동에 따라 방열량 조절이 어렵고 쾌감도가 낮다.

정답 ⑤

09 증기난방에 관한 설명으로 옳지 않은 것은?

① 증기관에는 배관의 신축흡수를 위한 익스팬션조인트를 설치한다.
② 고압증기 난방에는 증기주관의 도중에 감압밸브를 설치하여 증기를 감압 공급한다.
③ 냉각다리와 환수관 사이에는 트랩을 설치하여야 한다.
④ 냉각다리의 관경은 증기주관보다 한 치수 크게 해야 하며, 길이는 1.5m 이상으로 한다.
⑤ 냉각다리는 응축수를 냉각하기 위한 배관으로 보온 피복할 필요가 없다.

키워드 증기난방
풀이 냉각다리의 관경은 증기주관보다 한 치수 작게 한다.
이론+ 냉각다리 배관법

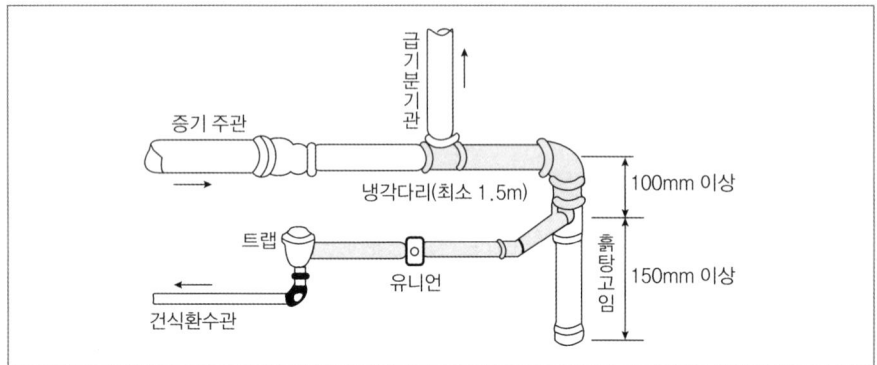

정답 ④

10 하트포드 접속법(Hartford Connection)에 관한 설명으로 옳은 것은?

① 증기주관에 생긴 증기나 응축수를 냉각시켜 완전한 응축수를 트랩에 보내는 역할을 한다.
② 온도에 따른 체적팽창을 도출시키기 위해 설치한다.
③ 배관 내의 신축을 흡수하기 위해 설치한다.
④ 보일러 내의 안전수위를 확보하기 위해 설치한다.
⑤ 방열기보다 높은 곳에 환수관을 설치할 때 환수관의 응축수를 끌어올리기 위해 설치한다.

키워드 하트포드 접속법

풀이
① 증기주관에 생긴 증기나 응축수를 냉각시켜 완전한 응축수를 트랩에 보내는 역할을 하는 것은 냉각레그이다.
② 온도에 따른 체적팽창을 도출시키기 위해 설치하는 것은 팽창탱크이다.
③ 배관 내의 신축을 흡수하기 위해 설치하는 것은 신축이음관이다.
⑤ 방열기보다 높은 곳에 환수관을 설치할 때 환수관의 응축수를 끌어올리기 위해 설치하는 것은 리프트 이음이다.

이론 +

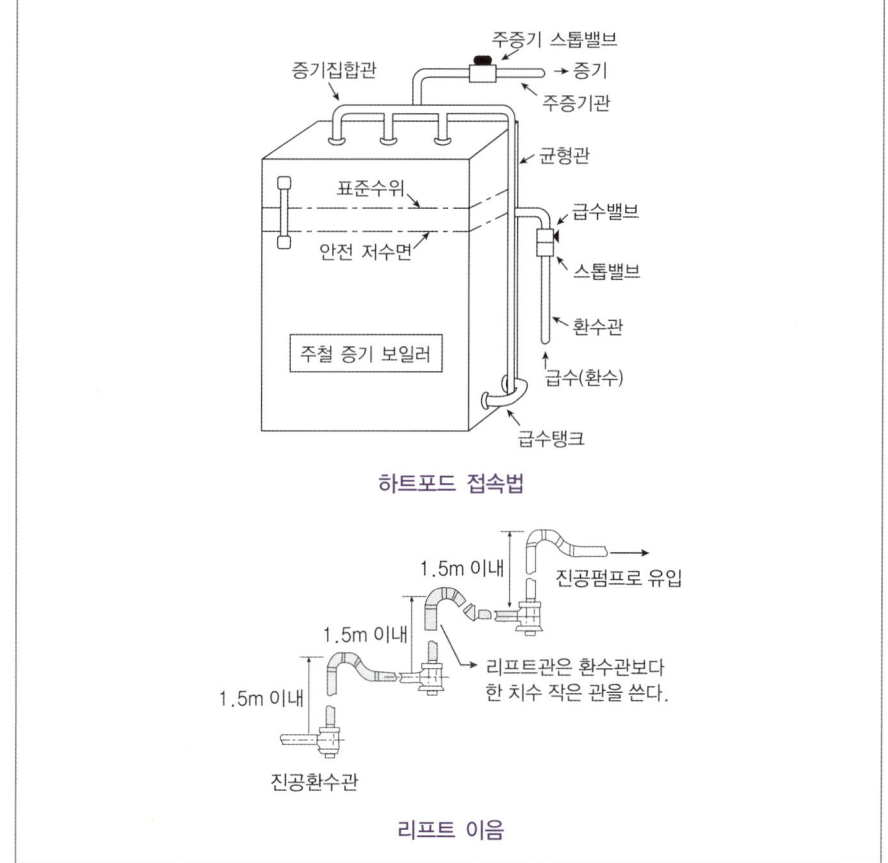

정답 ④

11 난방설비의 부속기기 중 온수난방에만 필요한 것을 모두 고른 것은?

> ㉠ 리턴콕　　　　　　　　㉡ 팽창탱크
> ㉢ 방열기 밸브　　　　　　㉣ 열동트랩

① ㉠, ㉡
② ㉠, ㉢
③ ㉠, ㉣
④ ㉠, ㉡, ㉢
⑤ ㉠, ㉡, ㉣

키워드 온수난방

풀이 ㉠ 리턴콕과 ㉡ 팽창탱크는 온수난방에만 필요한 부속기기이고, ㉣ 열동트랩은 증기난방에만 사용하는 부속기기이다. ㉢ 방열기 밸브는 증기난방과 온수난방에 모두 사용한다.

정답 ①

12 온수난방의 특징에 관한 기술로 옳지 않은 것은?

① 증기난방보다 방열면적과 배관관경이 커야 한다.
② 외기온도의 급변에 대한 방열량 조절이 증기난방보다 곤란하다.
③ 증기난방과 비교하여 먼지가 상승하지 않으므로 쾌감도가 좋다.
④ 보일러 취급이 간단하고 수격작용이 생기지 않으므로 소음이 작다.
⑤ 증기난방과 비교하여 예열시간은 길지만 열용량이 크다.

키워드 온수난방

풀이 온수난방(Hot Water System)은 온수를 난방기기인 방열기에 공급하여 현열을 이용하는 난방방식으로 증기난방보다 방열량 조절이 용이하다.

정답 ②

13 온수난방과 비교한 증기난방의 특징으로 옳지 않은 것은?

① 방열면적이 커야 한다.
② 배관의 직경이 작아도 무방하다.
③ 간헐난방에 적합하다.
④ 잠열을 이용한다.
⑤ 예열시간이 짧다.

키워드 　증기난방
풀이 　방열면적을 온수난방보다 작게 할 수 있다.

정답 ①

14 온돌 및 난방설비 설치기준으로 옳지 않은 것은?

① 단열층은 열손실을 방지하기 위하여 배관층과 바탕층 사이에 단열재를 설치하는 층이다.
② 배관층은 단열층 또는 채움층 위에 방열관을 설치하는 층이다.
③ 바닥난방을 위한 열이 바탕층 아래 및 측벽으로 손실되는 것을 막을 수 있도록 단열재를 방열관과 바탕층 사이에 설치한다.
④ 바탕층이 지면에 접하는 경우 바탕층 아래와 주변 벽면에 높이 50mm 이상의 방수처리를 하여야 한다.
⑤ 마감층은 수평이 되도록 설치하고, 바닥 균열 방지를 위해 충분히 양생하여 마감재의 뒤틀림이나 변형이 없도록 한다.

키워드 　복사난방
풀이 　바탕층이 지면에 접하는 경우 바탕층 아래와 주변 벽면에 높이 100mm 이상의 방수처리를 하여야 한다.

정답 ④

15 복사난방방식에 관한 설명으로 옳지 않은 것은?

① 난방배관을 매설하게 되므로 시공·수리, 방의 모양변경이 용이하지 않다.
② 대류난방방식에 비해 방이 개방된 상태에서도 난방효과가 좋다.
③ 대류난방방식에 비해 방열면의 열용량이 크기 때문에 난방부하 변동에 대한 대응이 빠르다.
④ 대류난방방식에 비해 실내의 높이에 따른 상하 공기 온도차가 작기 때문에 쾌감도가 높다.
⑤ 대류난방방식에 비해 실내공기 유동이 적으므로 바닥면 먼지의 상승이 작다.

키워드 　복사난방
풀이 　복사난방은 대류난방방식에 비해 열용량이 커서 예열시간이 길고 설정온도의 도달시간이 길며, 외기온도의 급변에 따른 난방부하 변동에 대한 대응이 어렵다.

정답 ③

16 지역난방의 특징으로 옳지 않은 것은?

① 각 건물의 이용 시간의 차이를 이용하면 보일러의 용량을 크게 줄일 수 있다.
② 초기투자 비용은 비싸지만 사용요금은 매우 저렴하다.
③ 사용패턴이 다른 다양한 건물집단보다는 같은 유형의 건물집단에서 채택하는 것이 유리하다.
④ 각 건물마다 보일러시설을 하지 않으므로 배관 중의 열손실이 많다.
⑤ 설비의 고도화에 따라 도시의 매연을 경감시킬 수 있다.

> 키워드　지역난방
> 풀이　사용패턴이 같은 유형의 건물집단보다는 사용패턴이 다른 다양한 건물집단에서 채택하는 것이 유리하다.

정답 ③

17 공동주택 난방방식의 특징에 관한 설명으로 옳지 않은 것은?

① 개별난방의 경우 보일러실의 설치로 건물의 유효면적이 줄어들고 소음이 발생한다.
② 중앙난방의 경우 예열시간이 길고, 초기공사비가 많이 들며 추후 개보수가 번거롭다.
③ 지역난방의 경우 수용가의 중간기계실에 열교환기를 이용하여 저온수 및 급탕을 만들어 각 세대에 공급하는 방식이다.
④ 개별난방의 경우 유지관리비가 많이 들고, 간헐운전 시 입주자가 원하는 쾌적 열환경의 유지가 어렵다.
⑤ 지역난방의 경우 24시간 난방수의 공급과 실내 쾌적 열환경의 유지가 편리하다.

> 키워드　난방방식
> 풀이　개별난방의 경우 유지관리비가 적게 들고 간헐운전 시 입주자가 원하는 쾌적 열환경의 유지가 쉬운 편이며, 중앙난방의 경우는 유지관리비가 많이 들고 간헐운전 시 입주자가 원하는 쾌적 열환경의 유지가 어렵다.

정답 ④

18 압축식 냉동기의 성적계수에 관한 설명으로 옳지 않은 것은?

① 성적계수가 높을수록 냉동기 성능이 우수하다.
② 히트펌프의 성적계수는 냉방 시보다 난방 시가 높다.
③ 증발기의 냉각열량을 압축기의 투입에너지로 나눈 값이다.
④ 증발압력이 낮을수록, 응축압력이 높을수록 성적계수는 높아진다.
⑤ 냉매의 압력과 엔탈피의 관계를 나타낸 몰리에르 선도를 이용하여 산정할 수 있다.

키워드 **냉동설비**
풀이 증발압력이 높을수록, 응축압력이 낮을수록 성적계수는 높아진다.

정답 ④

19 냉동기의 압축기를 압축방법에 따라 분류할 때, 케이싱 안에 설치된 회전 날개의 고속회전운동을 이용하는 압축기는?

① 왕복식 압축기
② 흡수식 압축기
③ 터보 압축기
④ 스크류 압축기
⑤ 피스톤식 압축기

키워드 **압축식 냉동기**
풀이 케이싱 안에 설치된 회전 날개의 고속회전운동을 이용하는 압축기는 터보 압축기이다.
① 왕복식 압축기: 압축기, 응축기, 증발기, 팽창밸브 등으로 구성되는데, 특히 이것들이 한덩어리로 된 것을 콘덴싱 유닛이라 하며, 압축기는 실린더 안을 피스톤이 왕복운동을 하여 냉매가스를 압축하고, 다른 압축식 냉동기에 비하여 용량이 비교적 적고, 소·중 용량에 사용된다.
② 흡수식 압축기: 일반적으로 냉매는 물, 흡수액은 취화리튬 수용액을 사용하고, 이 장치는 진공펌프 등으로 감압한 냉매를 증발기 안에서 증발시켜 냉각작용을 하는데, 이 냉매가스를 흡수기에서 흡수액에 흡수시킨다.
④ 스크류 압축기: 소용량 왕복과 대용량 원심식의 중간용량에 이용되며, 압축과정은 왕복식 압축기와 같으며, 흡입, 압축, 송출의 3과정으로 되어 있고, 로터리 치형 사이에 흡입된 냉매가스는 두 치형의 맞물림에 의해서 압축되어 송출구로부터 배출된다.
⑤ 피스톤식 압축기: 피스톤이 왕복운동하면서 가스를 흡입·압축하는 압축기를 말한다.

정답 ③

20 냉동기에 관한 설명으로 옳지 않은 것은?

① 압축식 냉동기의 냉동 사이클은 압축 ⇨ 응축 ⇨ 팽창 ⇨ 증발의 순이다.
② 흡수식 냉동기의 실지면적은 압축식 냉동기에 비해 크다.
③ 냉동기의 성능을 표시하는 척도는 성적계수이다.
④ 흡수식 냉동기는 압축식 냉동기에 비해 많은 전력을 소비한다.
⑤ 냉동설비에서 냉각이 이루어지는 곳은 증발기이다.

키워드 냉동설비
풀이 흡수식 냉동기는 증기 및 고온수가 열원이므로 전력비가 적고 수변전설비가 작아도 된다.

이론 +

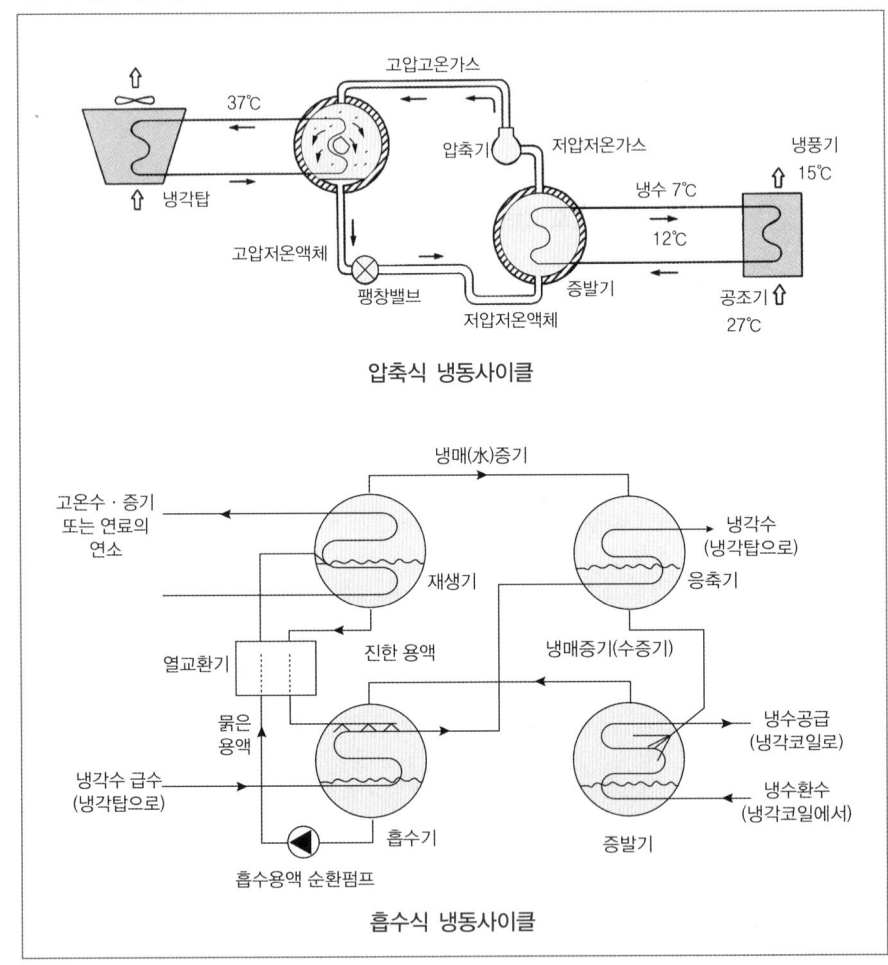

정답 ④

21 냉동기에 관한 설명으로 옳지 않은 것은?

① 히트펌프의 성적계수는 냉방 시보다 난방 시가 높다.
② 2중효용 흡수식 냉동기에는 재생기 2개가 있다.
③ 흡수식 냉동기의 구성요소는 흡수기, 재생기, 응축기, 증발기이며, 냉각이 이루어지는 곳은 응축기이다.
④ 압축식 냉동기는 전기를 주에너지로 이용하기 때문에 전력소비가 많고 소음 및 진동이 발생한다.
⑤ 냉동기 성적계수가 높을수록 냉동효과가 뛰어난 것이므로, 냉동기 성능이 우수하고 에너지 효율이 좋아진다.

키워드 냉동설비
풀이 흡수식 냉동기의 구성요소는 흡수기, 재생기, 응축기, 증발기이며, 냉각이 이루어지는 곳은 증발기이다.

정답 ③

22 히트펌프(Heat Pump)와 관계가 없는 용어는?

① 응축기(Condenser)
② COP(Coefficient Of Performance)
③ 몰리에르선도(Mollier Diagram)
④ 유효흡입수두(Net Positive Suction Head)
⑤ 팽창밸브(Expansion Valve)

키워드 히트펌프
풀이 유효흡입수두는 펌프가 캐비테이션(Cavitation) 발생 없이 안전하게 운전될 수 있는가를 나타내는 척도이므로 히트펌프와는 관계가 없다.

정답 ④

23 연중 사용하는 전산실용 냉동기의 냉각탑으로 적합한 것은?

① 직교류형 냉각탑 ② 증발식 냉각탑
③ 분무식 냉각탑 ④ 밀폐식 냉각탑
⑤ 대향류형 냉각탑

> **키워드** 냉각탑
> **풀이** 밀폐식 냉각탑은 특수 냉각탑으로서 대기에 의한 냉각수의 오염방지를 위해 적합한 냉각탑으로 연중 사용하는 전산실용 냉각탑으로 사용된다.

정답 ④

24 냉동설비에 관한 설명으로 옳은 것은?

① 난방식 히트펌프의 성적계수는 증발기의 흡수량을 압축기의 압축일로 나눈 값으로 계산한다.
② 냉각탑은 증발기용의 냉각수를 재사용하기 위하여 대기와 접촉시켜 물을 냉각하는 장치이다.
③ 밀폐식 냉각탑은 연중 사용하는 전산실용 냉각탑으로 적합하다.
④ 직교류형 냉각탑은 위쪽에서의 살수와 아래쪽에서의 공기의 흐름을 향류로 하는 형식의 냉각탑을 말한다.
⑤ 냉각탑 주위에는 벽을 설치하여 먼지와 매연이 들어가지 않도록 한다.

> **키워드** 냉동설비
> **풀이** ① 냉방식 히트펌프의 성적계수는 증발기의 흡수량을 압축기의 압축일로 나눈 값으로 계산한다.
> ② 냉각탑은 응축기용의 냉각수를 재사용하기 위하여 대기와 접촉시켜 물을 냉각하는 장치이다.
> ④ 대향류형 냉각탑은 위쪽에서의 살수와 아래쪽에서의 공기의 흐름을 향류로 하는 형식의 냉각탑을 말한다.
> ⑤ 냉각탑 주위에는 통풍이 잘되도록 벽을 설치하지 않는다.

정답 ③

CHAPTER 09 공기조화 및 환기설비

▶ **연계학습** | 에듀윌 기본서 1차 [공동주택시설개론 下] p.261

대표기출

건축물의 설비기준 등에 관한 규칙상 공동주택 및 다중이용시설의 환기설비기준 등의 일부이다. ( )에 들어갈 내용으로 옳은 것은? 제28회

> 제11조(공동주택 및 다중이용시설의 환기설비기준 등) ① 영 제87조 제2항의 규정에 따라 신축 또는 리모델링하는 다음 각 호의 어느 하나에 해당하는 주택 또는 건축물(이하 '신축공동주택등'이라 한다)은 시간당 ( )회 이상의 환기가 이루어질 수 있도록 자연환기설비 또는 기계환기설비를 설치해야 한다.
> 1. 30세대 이상의 공동주택
> 2. 주택을 주택 외의 시설과 동일건축물로 건축하는 경우로서 주택이 30세대 이상인 건축물

① 0.3
② 0.5
③ 0.7
④ 1.0
⑤ 1.5

키워드 환기량 산정

풀이 신축 또는 리모델링하는 '30세대 이상의 공동주택 또는 주택을 주택 외의 시설과 동일건축물로 건축하는 경우로서 주택이 30세대 이상인 건축물' 중 어느 하나에 해당하는 주택 또는 건축물은 시간당 0.5회 이상의 환기가 이루어질 수 있도록 자연환기설비 또는 기계환기설비를 설치해야 한다.

정답 ②

---

01 난방부하 및 냉방부하 산정 시 고려사항으로 옳지 않은 것은?

① 외벽 및 창문의 열관류율이 클수록 손실열량이 증가한다.
② 건물의 외벽 면적이 넓을수록 건물의 열손실은 증가한다.
③ 난방부하 계산 시 재실자 발열, 조명기기의 발열, 복사열 등을 고려한다.
④ 난방부하 산정 시 지하층의 벽, 바닥에서의 손실열량은 실내온도와 지중온도를 고려하여 산정한다.
⑤ 최대 열부하계산으로 송풍량 또는 장치용량을 결정할 수 있다.

키워드 공기조화 부하산정

풀이 냉방부하 계산 시 재실자 발열, 조명기기의 발열, 복사열 등을 고려한다.

정답 ③

02 공기조화에 관한 설명으로 옳지 않은 것은?

① 난방부하 계산에서 방위에 따른 손실보정값은 남쪽보다 북쪽이 크다.
② 실내습도가 100%이면 건구온도, 습구온도, 노점온도는 동일하다.
③ 공기를 가열하면 건구온도는 낮아지고 상대습도는 높아진다.
④ 공기조화설비에서 조닝을 상세하게 할수록 설비비는 증가하나 에너지를 절약할 수 있다.
⑤ 절대습도는 공기를 가열하거나 냉각해도 변하지 않는다.

키워드 공기조화설비 개요
풀이 공기를 가열하면 건구온도는 높아지고 상대습도는 낮아진다.

정답 ③

03 자연환기설비에 관한 설명으로 옳지 않은 것은?

① 개구부를 주풍향에 직각이 되게 계획하면 환기량이 많아진다.
② 자연환기설비는 설치되는 실의 바닥부터 수직으로 1.2m 이상의 높이에 설치하여야 한다.
③ 실내에 바람이 없을 때 실내외의 온도차가 클수록 환기량은 많아진다.
④ 실내온도가 외기온도보다 높으면 개구부의 상부에서 외부공기가 유입된다.
⑤ 최근의 고단열·고기밀 건축물은 열효율면에서는 유리하나 자연환기에서는 불리하다.

키워드 자연환기
풀이 실내온도가 외기온도보다 높으면 개구부의 하부에서 외부공기가 유입된다.

정답 ④

04 건물 또는 실내의 환기에 관한 설명으로 옳지 않은 것은?

① 1종 환기를 사용하면 임의의 압력이 가능하다.
② 실내외의 온도차가 클수록 환기량은 적어진다.
③ 배풍기만을 설치하여 실내 공기를 강제적으로 배출시키는 기계환기법은 화장실, 욕실에 적합하다.
④ 바람이 강할수록 환기량은 많아진다.
⑤ 중력환기는 항상 일정한 환기량을 얻을 수 없고 또 일정량 이상의 환기량을 기대할 수 없다.

키워드 환기설비
풀이 온도차가 크면 환기량이 많아진다.

정답 ②

05 병원의 수술실 또는 독립공간의 공조에 적합한 환기방식은?

① 제1종 환기방식
② 제2종 환기방식
③ 제3종 환기방식
④ 제4종 환기방식
⑤ 어떤 종별이든 관계없다.

키워드 기계환기
풀이 제1종 환기방식은 급기와 배기 시 모두 기계의 힘을 이용하여 환기하는 방식으로 환기량 조절이 자유로우며, 병원의 수술실, 보일러실 등에 적합하다.
이론+ 기계환기방식

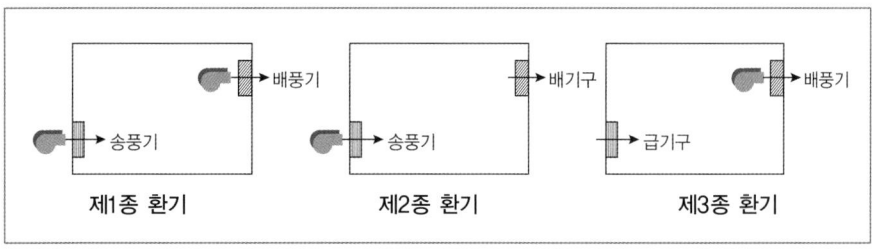

정답 ①

06 신축공동주택의 기계환기설비 설치기준에 관한 설명으로 옳은 것은?

① 기계환기설비에서 발생하는 소음은 대표길이 1m에서 측정하여 50dB 이하가 되어야 하는 것이 원칙이다.
② 에너지 절약을 위하여 열회수형 환기장치를 설치할 경우, 열회수형 환기장치의 유효환기량이 표시용량의 80% 이상이어야 한다.
③ 외부에 면하는 공기흡입구와 배기구는 교차오염을 방지할 수 있도록 1m 이상의 이격거리를 확보하여야 한다.
④ 기계환기설비는 주방 가스대 위의 공기배출장치, 화장실의 공기배출 송풍기 등 급속 환기설비와 함께 설치할 수 있다.
⑤ 세대의 환기량 조절을 위하여 환기설비의 정격풍량을 최소·최대의 2단계 또는 그 이상으로 조절할 수 있는 체계를 갖추어야 한다.

키워드 기계환기

풀이 ① 기계환기설비에서 발생하는 소음은 대표길이 1m에서 측정하여 40dB 이하가 되어야 하는 것이 원칙이다.
② 에너지 절약을 위하여 열회수형 환기장치를 설치할 경우, 열회수형 환기장치의 유효환기량이 표시용량의 90% 이상이어야 한다.
③ 외부에 면하는 공기흡입구와 배기구는 교차오염을 방지할 수 있도록 1.5m 이상의 이격거리를 확보하여야 한다.
⑤ 세대의 환기량 조절을 위하여 환기설비의 정격풍량을 최소·적정·최대의 3단계 또는 그 이상으로 조절할 수 있는 체계를 갖추어야 한다.

정답 ④

07 300세대의 아파트를 리모델링하는 경우 설치하여야 하는 환기설비에 관한 설명으로 옳지 않은 것은?

① 기계환기설비는 바깥공기의 변동에 의한 영향을 최소화할 수 있도록 공기흡입구 또는 배기구 등에 완충장치 또는 석쇠형 철망 등을 설치하여야 한다.
② 기계환기설비에서 외부에 면하는 공기흡입구와 배기구는 교차오염을 방지할 수 있는 위치에 설치하여야 한다.
③ 기계환기설비의 시간당 실내공기 교환횟수는 환기설비에 의한 최종 공기흡입구에서 세대의 실내로 공급되는 시간당 총체적 풍량을 실내 총체적으로 나눈 환기횟수를 말한다.
④ 하나의 기계환기설비로 세대 내 2 이상의 실에 바깥공기를 공급할 경우의 필요 환기량은 그중 체적이 가장 큰 실에 필요한 환기량 이상이 되도록 하여야 한다.
⑤ 시간당 0.5회 이상의 환기가 이루어질 수 있도록 자연환기설비 또는 기계환기설비를 설치하여야 한다.

키워드 환기량 산정
풀이 하나의 기계환기설비로 세대 내 2 이상의 실에 바깥공기를 공급할 경우의 필요 환기량은 각 실에 필요한 환기량의 합계 이상이 되도록 하여야 한다.

정답 ④

08 어떤 아파트단지 내 상가 2층에 있는 사무소의 환기횟수를 1.5회/h로 계획했을 때 필요한 풍량(m^3/min)은? (단, 천장높이는 2.4m, 가로 20m, 세로 30m이다)

① 10 ② 15
③ 24 ④ 32
⑤ 36

키워드 환기량 산정
풀이 환기량 = 시간당 환기횟수 × 실의 용적
  = {1.5 × (2.4 × 20 × 30)} ÷ 60
∴ 환기량 = 36(m^3/min)

정답 ⑤

09 다음과 같은 조건에서 실내 CO_2 허용한도를 0.15%로 하려는 경우, 필요한 환기량은?

> ㉠ 재실자 1인당 탄산가스 배출량: $0.03m^3/h$
> ㉡ 외부 신선공기의 CO_2 함유량: 0.03%
> ㉢ 실내 재실자: 40명

① $90m^3/h$　　　　　　　② $231m^3/h$
③ $692m^3/h$　　　　　　 ④ $1,000m^3/h$
⑤ $1,241m^3/h$

키워드 환기량 산정

풀이 환기량(Q) = $\dfrac{\text{총 탄산가스 배출량}}{\text{실내 탄산가스 허용농도} - \text{실외 탄산가스 농도}}$

= $\dfrac{0.03 \times 40}{0.0015 - 0.0003}$ = $1,000m^3/h$

정답 ④

10 축동력이 10kW인 송풍기의 회전수를 2배 빠르게 변화시킬 때 변경된 축동력(kW)은?

① 20　　　　　　　　② 40
③ 60　　　　　　　　④ 70
⑤ 80

키워드 송풍기의 축동력

풀이 변경된 송풍기 축동력 = 10×2^3 = 10×8 = $80(kW)$

정답 ⑤

CHAPTER 10 전기 및 수송설비

▶ **연계학습** | 에듀윌 기본서 1차 [공동주택시설개론 下] p.278

대표기출

01 다음은 전기설비기술기준에서 규정된 전압 중 고압에 관한 내용이다. ( )에 들어갈 내용으로 옳은 것은? 제28회

> 고압: 직류는 (㉠)kV를, 교류는 (㉡)kV를 초과하고, (㉢)kV 이하인 것

① ㉠: 1, ㉡: 1.5, ㉢: 5
② ㉠: 1, ㉡: 1.5, ㉢: 7
③ ㉠: 1.5, ㉡: 1, ㉢: 7
④ ㉠: 1.5, ㉡: 1.5, ㉢: 10
⑤ ㉠: 1.5, ㉡: 1.5, ㉢: 15

키워드 전압
풀이 전압 중 고압에서 직류는 1.5kV를, 교류는 1kV를 초과하고, 7kV 이하인 것을 말한다.

정답 ③

02 조명에 관한 내용으로 옳은 것은? 제28회

① 상시인공보조조명(PSALI)은 전반조명과 국부조명을 조합하여 조명 효율성을 높인 방식이다.
② 광원이 발광하는 빛의 색을 온도로 나타낸 것이 색온도이며, 빨간색은 파란색에 비해 색온도가 높다.
③ 광원의 연색성이 낮을수록 태양광선에 더욱 가까운 분광분포를 갖는다.
④ 조명률은 광원의 총광속을 조명 작업면에 도달하는 광속으로 나눈 것이다.
⑤ 눈부심(Glare)은 높은 휘도의 광원에 의해 시각적 불쾌감 등이 유발되는 현상이다.

> **키워드** 조명설비
> **풀이** ① 상시인공보조조명(PSALI)은 자연조명이 그 자체만으로 불충분하거나 또는 불쾌할 때에 건축물의 자연조명을 보조하기 위해 설치하는 실내 상시 보조 인공 조명을 말하며, 전반조명과 국부조명을 조합하여 조명 효율성을 높인 방식은 전반국부병용조명이라고 한다.
> ② 광원이 발광하는 빛의 색을 온도로 나타낸 것이 색온도이며, 파란색은 빨간색에 비해 색온도가 높다.
> ③ 광원의 연색성이 높을수록 태양광선에 더욱 가까운 분광분포를 갖는다.
> ④ 조명률은 조명 작업면에 도달하는 광속을 광원의 총광속으로 나눈 것이다.
>
> **정답** ⑤

---

01 약전설비에 해당하지 않는 것은?

① 전화배선설비 ② 방송설비
③ TV공청설비 ④ 구내배전설비
⑤ 전기시계설비

> **키워드** 전기설비의 분류
> **풀이** 약전설비에는 구내교환설비, 인터폰설비, TV공청설비, 방송설비, 전기시계설비, 안테나설비 등이 있다.
> **이론+** 전류에 의한 분류
>
> | 종류 | 내용 |
> |---|---|
> | 강전설비 | 전원설비, 구내배전설비, 동력설비, 조명설비, 운송설비, 피뢰침설비와 접지설비 등 |
> | 약전설비 | 전기시계설비, 방송설비, 자동화재탐지설비, 정보통신망설비, 인터폰설비, 전화배선설비, 구내교환설비, TV공청설비 등 |
>
> **정답** ④

02 전기설비의 일반적인 내용에 관한 설명으로 옳은 것은?

① 역률이 작다는 것은 손실되는 전류가 많다는 것을 의미한다.
② 건축 전기설비를 크게 나누면 강전설비와 약전설비로 분류되며, 건물에 사용되는 조명은 약전설비에 속한다.
③ 고압은 교류일 때 1,500V 초과 7,000V 이하인 경우 말한다.
④ 전선의 저항은 전선의 굵기에 비례하고, 전선의 길이에 반비례한다.
⑤ 기기의 역률은 1에 가까울수록 나쁘다.

키워드 전기설비 개요

풀이
② 건축 전기설비를 크게 나누면 강전설비와 약전설비로 분류되며, 건물에 사용되는 조명은 강전설비에 속한다.
③ 고압은 직류일 때 1,500V 초과 7,000V 이하인 경우 말한다.
④ 전선의 저항은 전선의 굵기에 반비례하고, 전선의 길이에 비례한다.
⑤ 기기의 역률은 1에 가까울수록 좋다.

이론+ 전압의 종류

종류	직류	교류
저압	1,500V 이하	1,000V 이하
고압	1,500V 초과 7,000V 이하	1,000V 초과 7,000V 이하
특고압	7,000V 초과	

정답 ①

03 각 50kW, 100kW, 200kW 용량의 전기부하설비가 설치되어 있고 수용률이 80%일 경우의 최대전력량은?

① 140kW
② 280kW
③ 350kW
④ 560kW
⑤ 600kW

키워드 전력 및 전력량

풀이
$$수용률(\%) = \frac{최대사용전력}{부하설비용량} \times 100$$

$$80\% = \frac{최대사용전력}{50 + 100 + 200} \times 100$$

∴ 최대사용전력 = 280kW

정답 ②

04 다음은 전기설비의 설비용량 산출을 위하여 필요한 각 계산식이다. (   )에 들어갈 내용으로 옳은 것은?

> - (㉠) = $\dfrac{\text{최대수용전력}}{\text{부하설비용량}} \times 100(\%)$
> - (㉡) = $\dfrac{\text{평균수용전력}}{\text{최대수용전력}} \times 100(\%)$
> - (㉢) = $\dfrac{\text{각 부하의 최대수용전력의 합계}}{\text{합계 부하의 최대수용전력}} \times 100(\%)$

① ㉠: 부등률, ㉡: 수용률, ㉢: 부하율
② ㉠: 수용률, ㉡: 부등률, ㉢: 부하율
③ ㉠: 부등률, ㉡: 부하율, ㉢: 수용률
④ ㉠: 수용률, ㉡: 부하율, ㉢: 부등률
⑤ ㉠: 부하율, ㉡: 수용률, ㉢: 부등률

키워드 수변전설비 용량
풀이 수전설비 용량결정 시 수용률, 부하율, 부등률을 고려하여 최대수용전력을 산출한다.

정답 ④

05 건물의 수변전 설비용량의 추정과 가장 관계가 먼 것은?

① 수용률
② 역률
③ 부하율
④ 부등률
⑤ 부하설비용량

키워드 수변전설비 용량
풀이 수변전설비는 발전소에서 생산된 전기는 매우 높은 전압으로 여러 개소의 변전소를 거쳐 수용가로 공급되는데, 이러한 전기를 받아 사용하기에 적당한 전압으로 낮추는 일련의 장치를 말하며, 수변전설비용량의 결정에는 수용률, 부등률, 부하율, 부하설비용량 등을 고려하여 최대 수용전력을 산출하게 된다. 하지만, 역률은 단순히 전기기기에 실제로 걸리는 전압과 전류가 얼마나 유효하게 일을 하는가 하는 비율을 나타내는 효율성을 말한다.

정답 ②

06 부하설비용량에 관한 설명으로 옳지 않은 것은?

① 수전 설비용량은 수용률, 부등률, 부하율을 고려해서 최대 수용전력을 산정한다.
② 각종 건물의 부하밀도는 백화점 > 사무소 > 호텔 > 주택 순으로 크다.
③ 부하율 = 평균수용전력 ÷ 최대수용전력의 퍼센트 비율이다.
④ 부등률은 항상 1보다 작다.
⑤ 부하설비용량은 부하밀도 × 연면적으로 산정한다.

키워드 수변전설비 용량
풀이 부등률은 항상 1 이상의 값을 갖는다.

[정답] ④

07 수변전설비에 관한 내용으로 옳지 않은 것은?

① 역률개선용 콘덴서는 역률을 개선하기 위하여 변압기 또는 전동기 등에 병렬로 설치하는 커패시터를 말한다.
② 공동주택 단위세대 전용면적이 $60m^2$ 이하인 경우, 단위세대 전기 부하용량은 1kW로 한다.
③ 수용률은 부하설비 용량 합계에 대한 최대 수용전력의 백분율을 말한다.
④ 부하율은 '평균전력/최대전력'의 비로 부하율이 작으면 공급설비를 유효하게 사용하지 못한다는 의미이다.
⑤ 부등률은 합성 최대수요전력을 구하는 계수로 부하종별 최대수요전력이 생기는 시간차에 의한 값이다.

키워드 수변전설비 용량
풀이 공동주택에 설치하는 전기시설의 용량은 각 세대별로 3kW(세대당 전용면적이 $60m^2$ 이상인 경우에는 3kW에 $60m^2$를 초과하는 $10m^2$마다 0.5kW를 더한 값) 이상이어야 한다.

[정답] ②

08 전기설비 기기의 용도에 관한 설명으로 옳지 않은 것은?

① 배전반은 각종 계기류, 계전기류 및 개폐기류를 1개소에 집중시켜 놓기 위한 것이다.
② 콘덴서는 과전류로부터 기기를 보호하기 위한 것이다.
③ 변압기는 고압의 인입전기를 기기의 정격전압으로 낮추기 위한 것이다.
④ 간선이란 인입개폐기와 분기점에 설치된 분기개폐기를 연결하기 위한 것이다.
⑤ 분전반은 전기를 공급받아 말단 부하에 배전하는 것으로 주개폐기, 분기회로용 개폐기, 자동 차단기를 모아 놓은 것이다.

키워드 배전설비

풀이 콘덴서는 전하를 저장하는 장치로 동력설비의 역률을 개선하는 역할을 한다.

정답 ②

09 전기 배선설비에 관한 설명으로 옳지 않은 것은?

① 계단, 복도전등은 가능하면 같은 회로로 한다.
② 전등과 콘센트는 별개의 회로로 구분하는 것을 원칙으로 한다.
③ 단상3선식은 본선 간 전압은 220V, 중성선과 본선 간의 전압은 110V를 얻을 수 있다.
④ 배선방식 중 수지상식은 말단 분전반에서 전압강하가 커진다.
⑤ 배선공사방법 중 금속관공사는 전선에 이상이 생겼을 때 인입 및 교체가 용이하지 않다.

키워드 배선설비

풀이 배선공사방법 중 금속관공사는 전선에 이상이 생겼을 때 인입 및 교체가 용이하다.

이론+ 전기방식

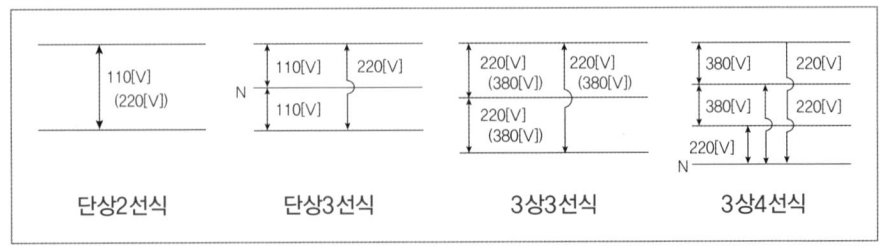

정답 ⑤

10 원형단면을 갖는 전선의 고유저항은 같고, 길이가 2배, 전선의 굵기(지름 d)를 0.5배로 할 때 저항의 변화로 옳은 것은?

① 변화가 없다.
② 4배 증가한다.
③ 8배 증가한다.
④ 0.25배로 감소한다.
⑤ 0.5배로 감소한다.

키워드 저항

풀이 저항은 직경의 제곱에 반비례하고 길이에 비례하므로 전선의 길이를 2배로 하면 저항은 2배가 되고 전선의 굵기를 0.5배로 하면 4배가 되므로 저항은 2 × 4 = 8이어서 8배 증가한다.

이론+ 관계식

$$저항(R) = 고유저항 \times \frac{전선의 길이}{전선의 단면적(\frac{\pi d^2}{4})}$$

정답 ③

11 전기설비에 관한 설명으로 옳지 않은 것은?

① 전류의 3가지 작용은 발열작용, 화학작용, 자기작용이다.
② 6Ω의 저항 3개를 병렬로 접속하면 합성저항은 2Ω이다.
③ 고유저항이 일정할 경우 전선의 굵기(지름)와 길이를 각각 2배로 하면 저항은 1/2로 감소한다.
④ 유효전력은 피상전력과 역률을 곱한 값이다.
⑤ 역률값을 낮추기 위해 콘덴서를 설치한다.

키워드 전기설비의 기초

풀이 역률값을 높이기 위해 콘덴서를 설치한다.

이론+ 합성저항(R) 산정

저항의 접속방법	합성저항 산정식
직렬접속	$R = R_1 + R_2$
병렬접속	• 저항값이 동일한 경우: $R = \dfrac{R_1}{n(저항의\ 개수)}$ • 저항값이 다른 경우: $R = \dfrac{R_1 \times R_2}{R_1 + R_2}$

정답 ⑤

12 다음 설명에 해당하는 간선의 배선방식은?

- 사고발생 시 타부하의 파급효과를 최소한으로 억제할 수 있어 다른 부하에 영향을 미치지 않는다.
- 배선비가 많이 들어 경제적이지 않다.

① 병용식
② 수지상식
③ 나뭇가지식
④ 네트워크식
⑤ 개별식(평행식)

키워드 간선의 배선방식
풀이 개별식(평행식)에 관한 설명이다.
이론+ 간선의 배선방식

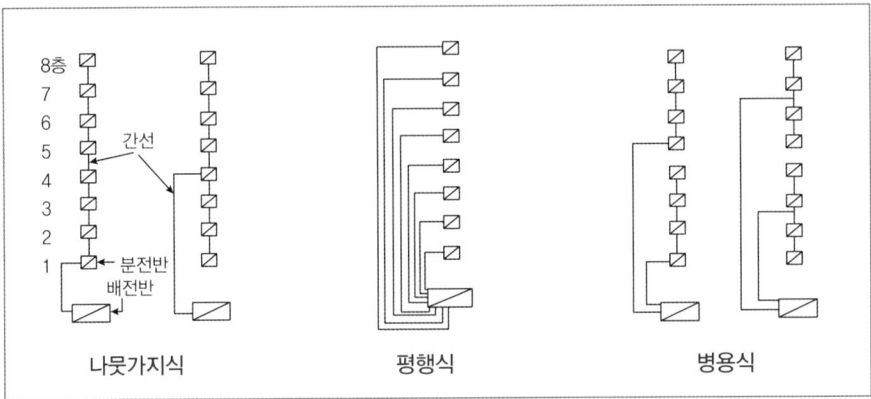

정답 ⑤

13 전기설비에 관한 기술로 옳지 않은 것은?

① 플로어덕트(Floor Duct) 공사는 대규모 사무실 등에서 아웃렛(Outlet) 등의 취출에 편리한 배선공사방법이다.
② 금속몰드공사는 접속점이 있는 절연전선을 사용하지만, 금속관공사의 증설방법으로는 이용되지 않는다.
③ 가요전선관(Flexible Conduit) 공사는 공장 등의 전동기에 이르는 짧은 배선이나 승강기 배선에 적합한 배선공사방법이다.
④ 버스덕트(Bus Duct) 공사는 큰 전류가 통하는 공장, 빌딩 등 대형 건물의 간선공사에 사용하는 배선공사로 배선 변경을 할 필요가 없어 대용량의 동력배선 전용으로 사용한다.
⑤ 목재몰드공사는 습기가 많은 장소나 은폐된 장소에는 사용하기 곤란하다.

키워드 간선의 배선공사방법
풀이 금속몰드공사는 접속점이 없는 절연전선을 사용하여 금속관공사의 증설방법으로 이용된다.

정답 ②

14 배선공사에 관한 설명으로 옳지 않은 것은?

① 승강기 배선, 공장 등의 전동기에 이르는 짧은 배선은 가요전선관(Flexible Conduit)으로 공사한다.
② 플로어덕트공사에서 덕트 내부에는 절연전선을 사용한다.
③ 경질비닐관공사는 관 자체가 우수한 절연성을 가지고 있으며, 중량이 가볍고 시공이 용이하나 열에 약하고 기계적 강도가 낮은 단점이 있다.
④ 금속관공사는 옥내의 은폐장소 및 노출장소에서 모두 가능하다.
⑤ 합성수지관공사는 열에 강하여 이중천장(반자 속 포함) 내에도 공사를 시설할 수 있다.

키워드 간선의 배선공사방법
풀이 합성수지관공사는 이중천장(반자 속 포함) 등 옥내의 점검할 수 없는 은폐장소에는 사용이 불가능하다.

정답 ⑤

15 누전경보기에 관한 설명으로 옳지 않은 것은?

① 수신부의 음향 장치는 수위실 등 상시 사람이 근무하는 장소에 설치하여야 하며, 그 음량 및 음색은 다른 기기의 소음 등과 명확히 구별할 수 있는 것으로 한다.
② 1급 누전경보기는 경계전로의 정격전류가 60A 이하의 전로에 사용하고, 2급 또는 1급 누전경보기는 60A 초과의 전로에 사용한다.
③ 전원의 개폐기에는 누전경보기용임을 표기한 표지를 한다.
④ 누전경보기 전원은 분전반으로부터 전용회로로 하고, 각 극에 개폐기 및 15A 이하의 과전류차단기(배선용 차단기에 있어서는 20A 이하의 것으로 각 극을 개폐할 수 있는 것)를 설치한다.
⑤ 전원을 분기할 때는 다른 차단기에 의해 전원이 차단되지 않도록 한다.

> **키워드** 수변전 설비용 기기
> **풀이** 경계전로의 정격전류가 60A를 초과하는 전로에 있어서는 1급 누전경보기를 설치하고, 60A 이하의 전로에 있어서는 1급 또는 2급 누전경보기를 설치한다.

정답 ②

16 환경친화적 자동차의 개발 및 보급 촉진에 관한 법령에 따른 환경친화적 자동차의 전용주차시설에 관한 설명으로 옳지 않은 것은?

① 설치해야 하는 환경친화적 자동차 전용주차구역의 수는 해당 시설의 총주차대수의 100분의 5 이상의 범위에서 시·도의 조례로 정하고, 법령에 따른 기축시설은 별도의 기준에 따른다.
② 법령에 따른 시설이란 「주차장법」에 따른 주차단위구획의 총 수(기계식주차장의 주차단위구획의 수는 제외)가 50개 이상인 시설 중 환경친화적 자동차 보급현황·보급계획·운행현황 및 도로여건 등을 고려하여 특별시·광역시·특별자치시·도·특별자치도의 조례로 정하는 시설을 말한다.
③ 전용주차구역의 설치 수를 산정할 때 소수점 이하는 반올림하여 계산한다.
④ 시설의 소유자(해당 시설에 관리의무자가 따로 있는 경우에는 관리자)는 해당 대상시설에 환경친화적 자동차 충전시설 및 전용주차구역을 설치하여야 한다.
⑤ 공동주택의 경우 50세대 이상의 아파트는 환경친화적 자동차 충전시설 및 전용주차구역을 설치해야 한다.

> **키워드** 환경친화적 자동차 전용주차시설
> **풀이** 공동주택 중 100세대 이상의 아파트와 기숙사는 환경친화적 자동차 충전시설 및 전용주차구역을 설치해야 한다.

정답 ⑤

17 높이가 60m를 초과하는 건축물 등에 수뢰부를 설치하는 건축물의 기준으로 옳은 것은?

① 지면에서 건축물 높이의 1/2 지점부터 최상단부분까지의 측면
② 지면에서 건축물 높이의 2/3 지점부터 최상단부분까지의 중앙면
③ 지면에서 건축물 높이의 4/5 지점부터 최상단부분까지의 측면
④ 지면에서 건축물 높이의 4/5 지점부터 최상단부분까지의 중앙면
⑤ 지면에서 건축물 높이의 전체 중앙면

키워드 피뢰설비
풀이 측면 낙뢰를 방지하기 위하여 높이가 60m를 초과하는 건축물 등에는 지면에서 건축물 높이의 4/5 되는 지점부터 최상단부분까지의 측면에 수뢰부를 설치해야 한다.

정답 ③

18 건축물의 설비기준에서 정한 피뢰침 설비에 관한 기준으로 옳지 않은 것은?

① 측면 낙뢰를 방지하기 위하여 높이가 60m를 초과하는 건축물 등에는 지면에서 건축물 높이의 4분의 3이 되는 지점부터 최상단부분까지의 측면에 수뢰부를 설치하여야 한다.
② 돌침은 건축물의 맨 윗부분으로부터 25cm 이상 돌출시켜 설치하되, 「건축물의 구조기준 등에 관한 규칙」에 따른 설계하중에 견딜 수 있는 구조로 한다.
③ 낙뢰의 우려가 있는 건축물 또는 높이 20m 이상의 건축물에 적용한다.
④ 피뢰설비의 인하도선을 대신하여 철골조의 철골구조물과 철근콘크리트조의 철근구조체 등을 사용하는 경우에는 전기적 연속성이 보장되어야 한다.
⑤ 급수·급탕·난방·가스 등을 공급하기 위하여 건축물에 설치하는 금속배관 및 금속재 설비는 전위가 균등하게 이루어지도록 전기적으로 접속하여야 한다.

키워드 피뢰설비
풀이 측면 낙뢰를 방지하기 위하여 높이가 60m를 초과하는 건축물 등에는 지면에서 건축물 높이의 5분의 4가 되는 지점부터 최상단부분까지의 측면에 수뢰부를 설치하여야 한다.

정답 ①

19 국부조명에 관한 설명으로 옳지 않은 것은?

① 불필요한 장소는 소등할 수 있어 필요한 만큼의 조도를 경제적으로 얻을 수 있다.
② 국부조명은 전반조명에 비해 작업 효율이 저하된다.
③ 명암의 차이가 없고 눈부심이 없다.
④ 작업대의 위치가 변하면 등기구의 위치도 변경해야 하며, 직접조명을 사용하게 되면서 그림자도 강해진다.
⑤ 원하는 곳에서 원하는 방향에 조도를 줄 수 있다.

키워드 조명방식의 결정
풀이 국부조명은 명암의 차이가 크고 눈부심이 커서 눈이 피로하기 쉽다.

정답 ③

20 조명설계의 순서로 맞는 것은?

① 전등종류 결정 ⇨ 소요조도 결정 ⇨ 조명방식 결정 ⇨ 광속 계산 ⇨ 광원 배치
② 조명방식 결정 ⇨ 전등종류 결정 ⇨ 소요조도 결정 ⇨ 광원 배치 ⇨ 광속 계산
③ 소요조도 결정 ⇨ 전등종류 결정 ⇨ 조명방식 결정 ⇨ 광원 배치 ⇨ 광속 계산
④ 광원 배치 ⇨ 광속 계산 ⇨ 소요조도 결정 ⇨ 전등종류 결정 ⇨ 조명방식 결정
⑤ 소요조도 결정 ⇨ 광속 계산 ⇨ 전등종류 결정 ⇨ 조명방식 결정 ⇨ 광원 배치

키워드 조명설계
풀이 조명설계의 순서는 '소요조도기준 결정 ⇨ 광원(전등) 설정 ⇨ 조명방식 및 조명기구 선정 ⇨ 조명기구 수량계산 ⇨ 조명기구 배치 ⇨ 소요광속 계산 및 조도 확인' 순이다.

정답 ③

21 건축화 조명에 관한 설명으로 옳지 않은 것은?

① 눈부심이 적으며 명쾌한 감각을 준다.
② 종류로는 밸런스라이트, 코브라이트, 코니스라이트, 다운라이트 등이 있다.
③ 조명효율이 높다.
④ 공사비 및 유지관리비가 고가이다.
⑤ 발광면이 크기 때문에 음영이 부드럽다.

키워드 건축화 조명
풀이 건축화 조명은 일반적으로 간접조명의 형태로 조명효율은 떨어진다.
이론+ 건축화 조명

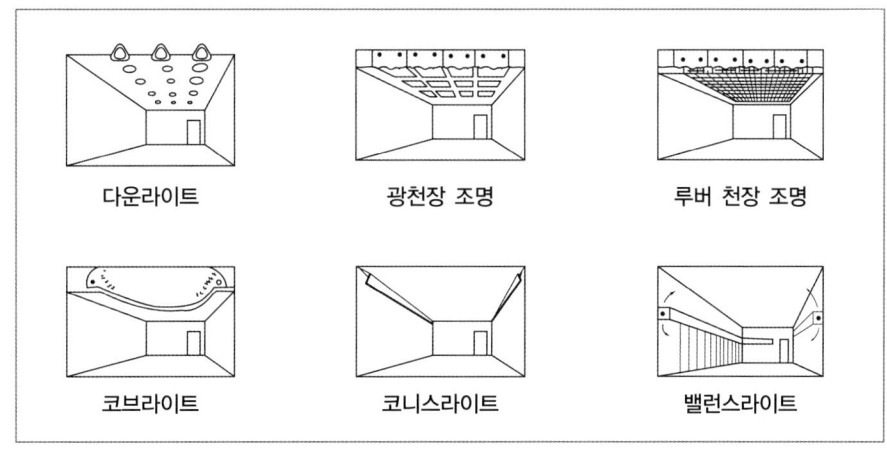

정답 ③

22 다음 선의 도시기호 심벌과 명칭의 연결이 옳지 않은 것을 모두 고른 것은?

번호	심벌	명칭
㉠	────────	지중매설선
㉡	··········	노출배선
㉢	─ ─ ─ ─ ─	바닥은폐배선
㉣	─·─·─·─	천장은폐배선

① ㉠, ㉡ ② ㉠, ㉢ ③ ㉠, ㉣
④ ㉡, ㉢, ㉣ ⑤ ㉠, ㉡, ㉢

키워드 전기 도시기호
풀이 ㉠ 천장은폐배선, ㉣ 지중매설선 기호이다.

정답 ③

23 면적이 100m²인 사무실의 평균 조도를 200럭스(lx)로 유지하고자 한다. 형광등을 사용할 경우 최소 설치개수는? [단, 형광등 한 개의 광속은 2,000루멘(lm), 조명률은 50%, 감광보상률은 1.5로 한다]

① 8개
② 10개
③ 14개
④ 20개
⑤ 30개

키워드 조명기구의 배치계획

풀이 조도 × 면적 × 감광보상률 = 광속 × 개수 × 조명률
200 × 100 × 1.5 = 2,000 × 개수 × 0.5
∴ 형광등 개수 = 30개

정답 ⑤

24 바닥면적 100m², 천장고 2.7m인 공동주택 관리사무소의 평균조도를 320럭스(Lx)로 설계하고자 한다. 이때 조명기구의 개당 광속은 4,000루멘(lm), 보수율은 0.8이고 조명률만을 변경할 때 조명기구의 개수 변화는? (단, 원래 조명률은 0.4이고, 조명률만을 0.5로 변화를 주었다)

① 3개
② 5개
③ 7개
④ 8개
⑤ 10개

키워드 조명기구의 배치계획

풀이 조명기구의 개수 = $\dfrac{\text{조도} \times \text{실면적} \times \text{감광보상률}}{\text{광속} \times \text{조명률}}$ 이고, 문제에서 보수율이 주어졌고 감광보상률은 보수율의 역수이므로 조명기구의 개수 = $\dfrac{\text{조도} \times \text{실면적}}{\text{광속} \times \text{조명률} \times \text{보수율}}$ 이다.

(1) 조명률 0.4 적용 시 조명기구의 개수 = $\dfrac{320 \times 100}{4,000 \times 0.4 \times 0.8}$ = 25개

(2) 조명률 0.5 적용 시 조명기구의 개수 = $\dfrac{320 \times 100}{4,000 \times 0.5 \times 0.8}$ = 20개

따라서, 줄일 수 있는 조명기구의 개수는 5개이다.

정답 ②

25 아파트에서 많이 사용하는 운전방식으로 승강기의 상승운행 중 중간층에서 하강하는 승객이 중간층에서 버튼을 눌러도 그냥 상승한 후 하강할 때 정지하는 방식은?

① 단독자동방식
② 신호제어방식
③ 승합전자동방식
④ 시그널컨트롤방식
⑤ 하강승합방식

키워드 엘리베이터의 종류

풀이 하강승합방식은 승강기의 상승운행 중 중간층에서 하강하는 승객이 버튼을 눌러도 그냥 상승한 후 하강할 때 정지하는 운전방식으로 아파트에서 많이 사용된다.

정답 ⑤

26 교류 엘리베이터에 관한 설명으로 옳지 않은 것은?

① 기동토크가 작다.
② 전효율은 40~60% 정도이다.
③ 부하에 의한 속도 변동이 있다.
④ 직류 엘리베이터에 비해 착상오차가 크다.
⑤ 고속용으로 사용하는 것에 최적화되었다.

키워드 엘리베이터의 종류

풀이 교류 엘리베이터는 30~60m/min이고, 직류 엘리베이터는 90m/min 이상으로 교류 엘리베이터는 고속용에는 적합하지 않다.

이론+ 구동방식에 의한 분류

구분	교류 엘리베이터	직류 엘리베이터
기동토크	작음	임의의 기동토크
승차감	직류에 비해 나쁨	좋음
전효율	40~60%	60~80%
착상오차	수mm 이상	1mm 이하
가격	저렴	고가
속도	30~60m/min	90m/min 이상
속도조절	속도를 임의로 선택할 수 없음	속도를 임의로 선택할 수 있음
속도변동	부하에 따른 속도변동이 있음	부하에 따른 속도변동이 없음
감속기	기어식	기어리스식(120m/min 이상)
기계실	승강로면적의 2배 이상	승강로면적의 3~3.5배 이상

정답 ⑤

27 엘리베이터가 비정상적으로 빨라지는 경우 전동기의 전원을 차단하여 브레이크를 작동시키고 계속적으로 속도가 상승하면 비상정지장치(Safety Device)를 작동시키는 장치에 해당하는 것은?

① 조속기
② 상하 리미트 스위치
③ 도어 인터록 스위치
④ 비상정지장치
⑤ 완충기

> **키워드** 엘리베이터의 안전장치
> **풀이** 카의 속도가 1.3배를 넘는 경우에 과속스위치를 작동시켜 전자브레이크 동력을 끊음으로써 엘리베이터를 정지시키는 장치는 조속기이다.

정답 ①

28 엘리베이터에 관한 설명으로 옳지 않은 것은?

① 비상정지장치는 전기식, 유압식 또는 공압식으로 동작되는 장치에 의해 작동되어야 한다.
② 비상용승강기의 승강장 바닥면적은 옥외에 승강장을 설치하는 경우를 제외하고는 비상용승강기 1대에 대하여 $6m^2$ 이상으로 한다.
③ 비상용승강기의 승강로 구조는 각 층으로부터 피난층까지 이르는 승강로를 단일구조로 연결하여 설치한다.
④ 파이널 리미트 스위치는 최종단 상하를 벗어났을 때 운행하지 못하도록 자동으로 정지하고 복귀하는 것이 아니라, 강제적으로 정지한다. 파이널 리미트 스위치의 작동 후에는 엘리베이터의 정상운행을 위해 자동으로 복귀되지 않아야 한다.
⑤ 조속기는 일정 속도 이상 시 전원(회로)을 차단하고 로프를 제동하여 감속한다.

> **키워드** 엘리베이터의 안전장치
> **풀이** 비상정지장치는 조속기 로프와 연결되어 있어 카의 정격속도의 1.4배를 넘는 경우에 가이드레일을 잡아 카를 안전하게 정지시키는 장치로, 전기식, 유압식 또는 공압식으로 동작되는 장치에 의해 작동되지 않아야 한다.

이론 + 엘리베이터의 안전장치

종류	내용
비상호출장치	정전 시나 고장 등으로 승객이 갇혔을 때 외부와의 연락을 위한 장치
과부하감지장치	정격 적재하중을 초과하여 적재(승차) 시 경보가 울리고 도어가 열리는 장치
비상등	정전 시에 승강기 내부에서 5lx 이상의 밝기를 유지할 수 있는 예비조명장치
전자·기계브레이크	전자식으로 운전 중에는 항상 개방되어 있고, 정지 시에 전원이 차단됨과 동시에 작동하는 장치
전자브레이크	전동기가 회전을 정지하였을 경우 스프링의 힘으로 브레이크 드럼을 눌러 정지시키는 장치
도어스위치	카 도어 구동장치에 취부된 도어 안전장치로서 문이 완전히 닫혀야만 카를 출발시키는 장치
문닫힘안전장치 (세이프티슈)	승강기 문에 승객 또는 물건이 끼었을 때 자동으로 다시 열리게 되어 있는 장치
도어인터록 (Door Interlock)	승강장 도어 안전장치로서, 승강장 도어가 열렸을 때는 카가 운행할 수 없도록 하며, 카가 없는 층에서는 특수한 키가 아니면 외부에서 도어를 열 수 없도록 잠그는 장치
리미트 스위치 (Limit Switch)	승강기가 최상층 이상 및 최하층 이하로 운행되지 않도록 엘리베이터의 초과운행을 방지하여 주는 장치
파이널 리미트 스위치 (Final Limit Switch)	리미트 스위치의 고장을 대비한 2차 안전장치로, 주회로를 차단하는 장치
조속기 (Governor)	카의 속도가 정격속도의 1.3배를 넘을 경우에 과속스위치를 작동시켜 전자브레이크 동력을 끊음으로써 엘리베이터를 정지시키는 장치
비상정지장치	조속기 로프와 연결되어 있어 카의 정격속도의 1.4배를 넘을 경우에 가이드레일을 잡아 카를 안전하게 정지시키는 장치
로프 브레이크	승강기 추락 시 메인로프를 조임으로써 엘리베이터의 미끄러짐이나 떨어짐을 방지하는 비상제동장치
완충기 (Buffer)	비상정지장치가 작동하지 않거나 로프가 끊어져 카나 균형추가 최하층 아래로 낙하할 경우 스프링 또는 유체 등을 이용하여 카, 균형추 또는 평형추의 충격을 흡수하기 위한 장치
리타이어링 캠 (Retiring Cam)	카 문과 승강장의 문을 동시에 개폐시키는 장치
과속조절기	엘리베이터가 미리 설정된 속도에 도달할 때 엘리베이터를 정지시키도록 하고 필요한 경우에는 추락방지안전장치를 작동시키는 장치

정답 ①

29 건축물의 설비기준 등에 관한 규칙에 따른 비상용승강기 승강장의 구조로 옳지 않은 것은?

① 승강장의 바닥면적은 비상용승강기 1대에 대하여 6제곱미터 이상으로 한다. 다만, 옥외에 승강장을 설치하는 경우에는 그러하지 아니하다.
② 벽 및 반자가 실내에 접하는 부분의 마감재료(마감을 위한 바탕을 포함한다)는 난연재료로 하고, 채광이 되는 창문을 두거나 예비전원에 의한 조명설비를 한다.
③ 노대 또는 외부를 향하여 열 수 있는 창문이나 규정에 의한 배연설비를 설치한다.
④ 승강장은 각 층의 내부와 연결될 수 있도록 한다.
⑤ 공동주택의 경우, 승강장과 특별피난계단의 부속실과의 겸용 부분을 특별피난계단의 계단실과 별도로 구획하는 때에는 승강장을 특별피난계단의 부속실과 겸용할 수 있다.

키워드 비상용 승강기 설치기준
풀이 벽 및 반자가 실내에 접하는 부분의 마감재료(마감을 위한 바탕을 포함한다)는 불연재료로 하고, 채광이 되는 창문을 두거나 예비전원에 의한 조명설비를 한다.

정답 ②

30 에스컬레이터에 관한 설명으로 옳지 않은 것은?

① 경사는 일반적으로 30° 이상으로 한다.
② 엘리베이터에 비해 시야가 열려 있다.
③ 수송능력이 엘리베이터의 10배 정도이다.
④ 단거리를 순환하면서 대량수송할 경우 효과적이다.
⑤ 연속적으로 승객을 수송할 수 있다.

키워드 에스컬레이터
풀이 경사는 일반적으로 30° 이하로 한다.

정답 ①

31 에스컬레이터의 배열 방식 중 교차형에 관한 설명으로 옳지 않은 것은?

① 점유면적이 작다.
② 대형 건물에 채용이 가능하다.
③ 상·하향 승강구가 분리되어 있어서 복잡하지 않다.
④ 승객의 시야가 넓다.
⑤ 연속적으로 승강할 수 있어 교통의 흐름이 좋다.

키워드 에스컬레이터의 배치방식
풀이 교차방식은 승객의 시야가 좁으며, 승객의 시야가 가장 넓은 것은 연속 직선형이다.
이론+ 에스컬레이터의 배치방식

형식	각종 배열법	장점	단점
단열승계형 (병렬연속형)		• 교통이 연속된다. • 타고 내리는 교통이 명백히 분합될 수 있다. • 승객의 시야가 넓어진다. • 에스컬레이터의 존재를 잘 알 수 있다.	점유면적이 넓다.
단열중복형 (병렬단속형)		• 에스컬레이터의 존재를 잘 알 수 있다. • 시야를 막지 않는다.	• 교통이 연속되지 않는다. • 승객이 한 방향만 바라본다. • 승객이 혼잡하다. • 바닥면적이 많이 필요하다.
복렬교차형 (교차형)		• 교통이 연속된다. • 승객의 구분이 명확하므로 혼잡이 적다. • 점유면적이 가장 적다.	• 승객의 시야가 좁다. • 에스컬레이터의 위치를 표시하기 힘들다.
평행승계형 (직렬형)		• 교통이 연속된다. • 타고 내리는 교통이 명백히 분합될 수 있다. • 승객의 시야가 넓어진다. • 에스컬레이터의 존재를 잘 알 수 있다.	점유면적이 가장 넓다.

정답 ④

CHAPTER 11 홈네트워크 및 건축물의 에너지절약설계기준

▶ **연계학습** | 에듀윌 기본서 1차 [공동주택시설개론 下] p.335

대표기출

01 지능형 홈네트워크 설치 및 기술기준에 관한 내용으로 옳지 않은 것은? 제28회

① 단지서버는 상온·상습인 곳에 설치하여야 한다.
② 홈네트워크 설비는 타 설비와 간섭이 없도록 설치하여야 하며, 유지보수가 용이하도록 설치하여야 한다.
③ 통신배관실의 출입문은 폭 0.7미터, 높이 1.8미터 이상(문틀의 내측치수)이어야 하며, 잠금장치를 설치하고, 관계자 외 출입통제 표시를 부착하여야 한다.
④ 가스감지기는 LNG인 경우에는 바닥 쪽에, LPG인 경우에는 천장 쪽에 설치하여야 한다.
⑤ 전자출입시스템은 화재발생 등 비상시, 소방시스템과 연동되어 주동현관과 지하주차장의 출입문을 수동으로 여닫을 수 있게 하여야 한다.

키워드 | 홈네트워크설비의 설치기준
풀이 | 가스감지기는 LNG인 경우에는 천장 쪽에, LPG인 경우에는 바닥 쪽에 설치하여야 한다.

정답 ④

02 건축물의 에너지절약설계기준상 전기설비에 관한 내용으로 옳지 않은 것은?

제28회

① '최대수요전력'이라 함은 수용가에서 일정 기간 중 사용한 전력의 최대치를 말한다.
② '가변속제어기(인버터)'라 함은 정지형 전력변환기로서 전동기의 가변속운전을 위하여 설치하는 설비를 말한다.
③ '변압기 대수제어'라 함은 변압기를 여러 대 설치하여 부하상태에 따라 필요한 운전대수를 자동 또는 수동으로 제어하는 방식을 말한다.
④ '부하율'이라 함은 부하설비 용량 합계에 대한 최대 수용전력의 백분율을 말한다.
⑤ '일괄소등스위치'라 함은 층 또는 구역 단위(세대 단위)로 설치되어 조명등(센서등 및 비상등 제외 가능)을 일괄적으로 끌 수 있는 스위치를 말한다.

키워드 전기설비부문 에너지절약설계기준
풀이 '수용률'이라 함은 부하설비 용량 합계에 대한 최대 수용전력의 백분율을 말한다.

정답 ④

---

01 신·재생에너지 중 재생에너지에 해당하는 것을 모두 고른 것은?

㉠ 태양에너지　　　　　　　㉡ 수력에너지
㉢ 지열에너지　　　　　　　㉣ 풍력에너지
㉤ 수소에너지

① ㉠, ㉡
② ㉢, ㉤
③ ㉠, ㉢, ㉣
④ ㉢, ㉣, ㉤
⑤ ㉠, ㉡, ㉢, ㉣

키워드 신에너지 및 재생에너지
풀이 재생에너지는 태양에너지(㉠), 수력에너지(㉡), 지열에너지(㉢), 풍력에너지(㉣), 생물자원을 변환시켜 이용하는 바이오에너지, 폐기물에너지 등이 있고, 수소에너지(㉤)는 신에너지에 해당된다.

정답 ⑤

02 홈네트워크설비에 관한 설명으로 옳지 않은 것은?

① 세대단말기는 전유부분에 설치되어 세대 내에서 사용되는 홈네트워크 사용기기들을 유무선 네트워크로 연결하고 세대망과 단지망 혹은 통신사의 기간망을 상호 접속하는 장치이다.
② 에너지관리 기능으로 냉난방제어, 세대 내 조명제어 등이 있다.
③ 홈네트워크설비에 사용되는 센서에는 화재센서, 가스센서, 방범센서 및 온도센서 등이 있다.
④ 홈네트워크설비는 주택의 성능과 주거의 질 향상을 위하여 세대 또는 주택단지 내 지능형 정보통신 및 가전기기 등의 상호 연계를 통하여 통합된 주거서비스를 제공하는 설비로 홈네트워크망, 홈네트워크 장비, 홈네트워크 사용기기로 구분한다.
⑤ 원격제어기기, 감지기와 같은 홈네트워크기기는 호환이 가능하도록 구성하여야 한다.

키워드 홈네트워크설비의 설치기준
풀이 세대단말기는 세대 및 공용부의 다양한 설비의 기능 및 성능을 제어하고 확인할 수 있는 기기로 사용자인터페이스를 제공하는 장치이고, 홈게이트웨이는 전유부분에 설치되어 세대 내에서 사용되는 홈네트워크 사용기기들을 유무선 네트워크로 연결하고 세대망과 단지망 혹은 통신사의 기간망을 상호 접속하는 장치이다.

정답 ①

03 지능형 홈네트워크설비 설치 및 기술기준에서 구분하고 있는 홈네트워크 사용기기를 모두 고른 것은?

| ㉠ 원격제어기기 | ㉡ 홈게이트웨이 |
| ㉢ 단지네트워크장비 | ㉣ 영상정보처리기기 |

① ㉠, ㉡
② ㉠, ㉣
③ ㉡, ㉢
④ ㉡, ㉣
⑤ ㉠, ㉡, ㉢, ㉣

키워드 홈네트워크 사용기기
풀이 홈게이트웨이(㉡)와 단지네트워크장비(㉢)는 홈네트워크장비에 해당한다.

정답 ②

04 지능형 홈네트워크설비 설치 및 기술기준에 관한 사항으로 옳지 않은 것은?

① 차량출입시스템이란 단지에 출입하는 차량의 등록여부를 확인하고 출입을 관리하는 시스템을 말한다.
② 홈게이트웨이란 전유부분에 설치되어 세대 내에서 사용되는 홈네트워크 사용기기들을 유무선 네트워크로 연결하고 세대망과 단지망 혹은 통신사의 기간망을 상호 접속하는 장치를 말한다.
③ 전자출입시스템은 화재발생 등 비상시, 소방시스템과 연동되어 주동현관과 지하주차장의 출입문을 수동으로 여닫을 수 있게 하여야 한다.
④ 홈네트워크설비는 타 설비와 간섭이 없도록 설치하여야 하며, 유지보수가 용이하도록 설치하여야 한다.
⑤ 가스감지기는 사용하는 가스가 LNG인 경우에는 바닥 쪽에, LPG인 경우에는 천장 쪽에 설치하여야 한다.

키워드 지능형 홈네트워크설비 설치 및 기술기준
풀이 가스감지기는 사용하는 가스가 LNG인 경우에는 천장 쪽에, LPG인 경우에는 바닥 쪽에 설치하여야 한다.

정답 ⑤

05 지능형 홈네트워크설비 설치 및 기술기준에 관한 설명으로 옳지 않은 것은?

① 전자출입시스템은 비밀번호나 출입카드 등 전자매체를 활용하여 주동출입 및 지하주차장 출입을 관리하는 시스템이다.
② 원격제어기기란 세대 및 공용부의 다양한 설비의 기능 및 성능을 제어하고 확인할 수 있는 기기로 사용자인터페이스를 제공하는 장치를 말한다.
③ 원격검침시스템이란 세대 내의 전력, 가스, 난방, 온수, 수도 등의 사용량 정보를 네트워크 등을 통하여 사용자에게 알려주는 시스템을 말한다.
④ 무인택배시스템이란 물품 배송자와 입주자 간 직접대면 없이 택배화물, 등기우편물 등 배달물품을 주고받을 수 있는 시스템을 말한다.
⑤ 집중구내통신실(MDF실)은 국선·국선단자함 또는 국선배선반과 초고속통신망장비, 이동통신망장비 등 각종 구내통신선로설비 및 구내용 이동통신설비를 설치하기 위한 공간이다.

키워드 지능형 홈네트워크설비 설치 및 기술기준
풀이 원격제어기기란 주택내부 및 외부에서 가스, 조명, 전기 및 난방, 출입 등을 원격으로 제어할 수 있는 기기를 말하고, 세대단말기는 세대 및 공용부의 다양한 설비의 기능 및 성능을 제어하고 확인할 수 있는 기기로 사용자인터페이스를 제공하는 장치를 말한다.

정답 ②

06 지능형 홈네트워크설비 설치 및 기술기준에 관한 설명으로 옳지 않은 것은?

① 집중구내통신실은 독립적인 출입구와 보안을 위한 잠금장치를 설치하여야 한다.
② 무인택배함의 설치수량은 소형주택의 경우 세대수의 약 10~15%를 권장한다.
③ 단지서버실은 집중구내통신 또는 통신배관방재실을 동일 건물에 통합 설치하기 위한 공간을 말한다.
④ 집중구내통신실은 국선·국선단자함 또는 국선배선반과 초고속통신망장비, 이동통신망장비 등 각종 구내통신선로설비 및 구내용 이동통신설비를 설치하기 위한 공간을 말한다.
⑤ 세대단자함은 세대 내에 인입되는 통신선로, 방송공동수신설비 또는 홈네트워크설비 등의 배선을 효율적으로 분배·접속하기 위하여 이용자의 전유부분에 포함되어 실내공간에 설치되는 분배함을 말한다.

키워드 지능형 홈네트워크설비 설치 및 기술기준
풀이 단지서버실은 단지서버를 설치하기 위한 공간을 말하며, 단지네트워크센터는 집중구내통신실과 방재실, 단지서버실을 동일건물에 통합설치하기 위한 공간을 말한다.

정답 ③

07 지능형 홈네트워크설비 중 전자출입시스템에 관한 설명으로 옳지 않은 것은?

① 접지단자는 프레임 내부에 설치하여야 한다.
② 전자출입시스템은 비밀번호나 출입카드 등 전자매체를 활용하여 주동출입 및 지하주차장 출입을 관리하는 시스템이다.
③ 지상의 주동 현관 및 지하주차장과 주동을 연결하는 출입구에 설치하여야 한다.
④ 화재발생 등 비상시, 소방시스템과 연동되어 주동현관과 지하주차장의 출입문을 수동으로 여닫을 수 있게 하여야 한다.
⑤ 강우를 고려하여 설계하지만, 강우에 대비한 차단설비(날개벽, 차양 등)를 설치할 필요는 없다.

키워드 홈네트워크 사용기기
풀이 강우를 고려하여 설계하거나 강우에 대비한 차단설비(날개벽, 차양 등)를 설치하여야 한다.

정답 ⑤

08 지능형 홈네트워크설비 설치 및 기술기준에 관한 설명으로 옳지 않은 것은?

① 홈게이트웨이는 세대단자함에 설치하거나 세대단말기에 포함하여 설치할 수 있다.
② 동체감지기는 유효감지반경을 고려하여 설치하여야 한다.
③ 집중구내통신실은 독립적인 출입구와 보안을 위한 잠금장치를 설치하여야 한다.
④ 무인택배함의 설치수량은 소형주택의 경우 세대수의 20~30%로 설치하도록 의무화한다.
⑤ 통신배관실의 출입문은 최소 폭 0.7m, 높이 1.8m 이상(문틀의 내측치수)의 잠금장치가 있는 출입문으로 설치하여야 한다.

> **키워드** 지능형 홈네트워크설비 설치 및 기술기준
> **풀이** 무인택배함의 설치수량은 소형주택의 경우 세대수의 약 10~15%, 중형주택 이상은 세대수의 15~20% 정도로 설치할 것을 권장한다.
>
> 정답 ④

09 지능형 홈네트워크설비 설치 및 기술기준에 관한 내용으로 옳지 않은 것은?

① 홈게이트웨이란 전유부분에 설치되어 세대 내에서 사용되는 홈네트워크 사용기기들을 유무선 네트워크로 연결하고 세대망과 단지망 혹은 통신사의 기간망을 상호 접속하는 장치를 말한다.
② 원격제어기기란 주택내부 및 외부에서 가스, 조명, 전기 및 난방, 출입 등을 원격으로 제어할 수 있는 기기를 말한다.
③ 전자출입시스템은 화재발생 등 비상시, 소방시스템과 연동되어 주동현관과 지하주차장의 출입문을 수동으로 여닫을 수 있게 하여야 한다.
④ 전자출입시스템이란 비밀번호나 출입카드 등 전자매체를 활용하여 주동출입 및 지하주차장 출입을 관리하는 시스템을 말한다.
⑤ 원격검침시스템은 각 세대별 원격검침장치가 정전 등 운용시스템의 동작 불능 시에는 계량이 불가능하며, 데이터 값을 보존할 수 없다.

> **키워드** 지능형 홈네트워크설비 설치 및 기술기준
> **풀이** 원격검침시스템은 각 세대별 원격검침장치가 정전 등 운용시스템의 동작 불능 시에도 계량이 가능해야 하며 데이터 값을 보존할 수 있도록 구성하여야 한다.
>
> 정답 ⑤

10 지능형 홈네트워크설비 설치 및 기술기준으로 옳은 것은?

① 전자출입시스템의 접지단자는 프레임 외부에 설치하여야 한다.
② 홈네트워크 사용기기의 예비부품은 3% 이상 3년간 확보할 것을 권장한다.
③ 단지네트워크장비는 집중구내통신실 또는 통신배관실에 설치하여야 한다.
④ 무인택배함의 설치 수량은 소형주택의 경우 세대수의 약 5~10%, 중형주택 이상은 세대수의 10~12% 정도 설치할 것을 권장한다.
⑤ 통신배관실은 외부의 청소 등에 의한 먼지, 물 등이 들어오지 않도록 20mm 이상의 문턱을 설치하여야 하고, 차수판 또는 차수막을 설치하는 때에는 그러하지 아니하다.

> **키워드** 지능형 홈네트워크설비 설치 및 기술기준
> **풀이** ① 전자출입시스템의 접지단자는 프레임 내부에 설치하여야 한다.
> ② 홈네트워크 사용기기의 예비부품은 5% 이상 5년간 확보할 것을 권장한다.
> ④ 무인택배함의 설치 수량은 소형주택의 경우 세대수의 약 10~15%, 중형주택 이상은 세대수의 15~20% 정도 설치할 것을 권장한다.
> ⑤ 통신배관실은 외부의 청소 등에 의한 먼지, 물 등이 들어오지 않도록 50mm 이상의 문턱을 설치하여야 한다. 다만, 차수판 또는 차수막을 설치하는 때에는 그러하지 아니하다.

정답 ③

11 공용부분 홈네트워크설비 설치장소에 관한 사항으로 옳지 않은 것은?

① 원격검침시스템은 각 세대별 원격검침장치가 정전 등 운용시스템의 동작 불능 시에도 계량이 가능해야 하며 데이터 값을 보존할 수 있도록 구성하여야 한다.
② 단지서버는 집중구내통신실 또는 방재실에 설치할 수 없으므로 반드시 단지서버실에 설치하여야 한다.
③ 단지네트워크장비는 외부인으로부터 직접적인 접촉이 되지 않도록 별도의 함체나 랙(Rack)으로 설치하며, 함체나 랙에는 외부인의 조작을 막기 위한 잠금장치를 하여야 한다.
④ 단지네트워크장비는 홈게이트웨이와 단지서버 간 통신 및 보안을 수행할 수 있도록 설치하여야 한다.
⑤ 세대 내의 홈네트워크 사용기기들과 단지서버 간의 상호 연동이 가능한 기능을 갖추어 세대 및 공용부의 다양한 기기를 제어하고 확인할 수 있어야 한다.

> **키워드** 지능형 홈네트워크설비 설치 및 기술기준
> **풀이** 단지서버는 단지서버실에 설치할 것을 권장하나 단지서버실에 설치할 수 없을 때에는 집중구내통신실 또는 방재실에도 설치할 수 있다.

정답 ②

12 단지서버의 시설기준에 관한 설명으로 옳지 않은 것은?

① 단지서버는 상온·상습인 곳에 설치하여야 한다.
② 정보통신 보안 문제가 발생하지 않도록 하여야 한다.
③ 단지서버는 집중구내통신실 또는 방재실에 설치할 수 있다.
④ 단지서버에는 수시로 데이터를 점검하기 위해 잠금장치를 설치하지 않아야 한다.
⑤ 통신망 이상 발생에 따른 홈네트워크 사용기기 운영 불안정 문제가 발생하지 않도록 하여야 한다.

> 키워드 │ 지능형 홈네트워크설비 설치 및 기술기준
> 풀이 │ 단지서버는 외부인의 조작을 막기 위한 잠금장치를 하여야 한다.
> 정답 ④

13 홈네트워크 설비의 기술기준에 관한 사항으로 옳지 않은 것은?

① 홈네트워크 사용기기는 홈게이트웨이와 상호 연동할 수 있어야 하며, 각 기기 간 호환성을 고려하여 설치하여야 한다.
② 홈네트워크 사용기기는 산업통상자원부와 과학기술정보통신부의 인증규정에 따른 기기인증을 받은 제품이거나 이와 동등한 성능의 적합성 평가 또는 시험성적서를 받은 제품을 설치하여야 한다.
③ 기기인증 관련 기술기준이 없는 기기의 경우 인증 및 시험을 위한 규격은「산업표준화법」에 따른 한국산업표준(KS)을 우선 적용하며, 필요에 따라 정보통신단체표준 등과 같은 관련 단체 표준을 따른다.
④ 홈네트워크 사용기기의 예비부품은 10% 이상 3년간 확보할 것을 권장한다.
⑤ 홈네트워크 사용기기는 하자담보기간과 내구연한을 표시하여야 한다.

> 키워드 │ 지능형 홈네트워크설비 설치 및 기술기준
> 풀이 │ 홈네트워크 사용기기의 예비부품은 5% 이상 5년간 확보할 것을 권장하며, 이 경우 하자담보기간과 내구연한을 고려하여야 한다.
> 정답 ④

14 홈네트워크설비의 기술기준 및 보안에 관한 설명으로 옳지 않은 것은?

① 홈게이트웨이는 단지서버와 상호 연동할 수 있어야 한다.
② 홈네트워크설비는 타 설비와 간섭이 없도록 설치하여야 하며, 유지보수가 용이하도록 설치하여야 한다.
③ 홈네트워크 사용기기는 홈게이트웨이와 상호 연동할 수 있어야 하며, 각 기기 간 호환성을 고려하여 설치하여야 한다.
④ 단지서버와 세대별 홈게이트웨이 사이의 망은 전송되는 데이터의 노출, 탈취 등을 방지하기 위하여 물리적 방법으로 분리할 수 없다.
⑤ 홈네트워크설비를 설치한 자는 홈네트워크설비의 유지·관리 매뉴얼을 관리주체 및 입주자대표회의에 제공하여야 한다.

> **키워드** 지능형 홈네트워크설비 설치 및 기술기준
> **풀이** 단지서버와 세대별 홈게이트웨이 사이의 망은 전송되는 데이터의 노출, 탈취 등을 방지하기 위하여 물리적 방법으로 분리하거나, 소프트웨어를 이용한 가상사설통신망, 가상근거리통신망, 암호화기술 등을 활용하여 논리적 방법으로 분리하여 구성하여야 한다.
>
> 정답 ④

15 건축물의 에너지절약설계기준에 관한 용어설명으로 옳지 않은 것은?

① 위험률은 냉방기간 동안 또는 연간 총시간에 대한 온도출현분포 중에서 가장 낮은 온도 쪽으로부터 총시간의 일정 비율에 해당하는 온도를 제외시키는 비율을 말한다.
② 수용률은 부하설비 용량 합계에 대한 최대수용전력의 백분율을 말한다.
③ 일괄소등스위치는 층 및 구역 단위 또는 세대 단위로 설치되어 조명등(센서등 및 비상등 제외 가능)을 일괄적으로 끌 수 있는 스위치를 말한다.
④ 대수분할운전은 기기를 여러 대 설치하여 부하상태에 따라 최적 운전상태를 유지할 수 있도록 기기를 조합하여 운전하는 방식을 말한다.
⑤ 투광부는 창, 문면적의 50% 이상이 투과체로 구성된 문, 유리블록, 플라스틱패널 등과 같이 투과재료로 구성되며, 외기에 접하여 채광이 가능한 부위를 말한다.

> **키워드** 건축물의 에너지절약설계기준
> **풀이** 위험률은 냉방기간 동안 또는 연간 총시간에 대한 온도출현분포 중에서 가장 높은 온도 쪽으로부터 총시간의 일정 비율에 해당하는 온도를 제외시키는 비율을 말한다.
>
> 정답 ①

16 건축물의 에너지절약설계기준에 따른 기계설비부문에 관한 설명으로 옳지 않은 것은?

① 위험률은 냉(난)방기간 동안 또는 연간 총시간에 대한 온도출현분포 중에서 가장 높은(낮은) 온도쪽으로부터 총시간의 일정 비율에 해당하는 온도를 제외시키는 비율을 말한다.
② 효율은 출력된 유효에너지에 대하여 설비기기에 공급된 에너지의 비를 말한다.
③ 열원설비는 에너지를 이용하여 열을 발생시키는 설비를 말한다.
④ 대수분할운전은 기기를 여러 대 설치하여 부하상태에 따라 최적운전상태를 유지할 수 있도록 기기를 조합하여 운전하는 방식을 말한다.
⑤ 비례제어운전은 기기의 출력값과 목표값의 편차에 비례하여 입력량을 조절하여 최적운전상태를 유지할 수 있도록 운전하는 방식을 말한다.

키워드 기계설비부문 에너지절약설계기준
풀이 효율은 설비기기에 공급된 에너지에 대하여 출력된 유효에너지의 비를 말한다.

정답 ②

17 건축물의 에너지절약설계기준상 전기설비부문 용어에 관한 설명으로 옳지 않은 것은?

① '변압기 대수제어'라 함은 변압기를 여러 대 설치하여 부하상태에 따라 필요한 운전대수를 자동으로만 제어하는 방식을 말한다.
② '가변속제어기(인버터)'라 함은 정지형 전력변환기로서 전동기의 가변속운전을 위하여 설치하는 설비를 말한다.
③ '회생제동장치'라 함은 승강기가 균형추보다 무거운 상태로 하강(또는 반대의 경우)할 때 모터는 순간적으로 발전기로 동작하게 되며, 이때 생산되는 전력을 다른 회로에서 전원으로 활용하는 방식으로 전력소비를 절감하는 장치를 말한다.
④ '일괄소등스위치'라 함은 층 또는 구역 단위(세대 단위)로 설치되어 조명등(센서등 및 비상등 제외 가능)을 일괄적으로 끌 수 있는 스위치를 말한다.
⑤ '역률개선용커패시터(콘덴서)'라 함은 역률을 개선하기 위하여 변압기 또는 전동기 등에 병렬로 설치하는 커패시터를 말한다.

키워드 전기설비부문 에너지절약설계기준
풀이 '변압기 대수제어'라 함은 변압기를 여러 대 설치하여 부하상태에 따라 필요한 운전대수를 자동 또는 수동으로 제어하는 방식을 말한다.

정답 ①

18 건축물의 에너지절약설계기준에서 건물의 단열조치에 관한 일반사항으로 옳지 않은 것은?

① 바닥난방을 하는 공간의 하부가 바닥난방을 하지 않는 공간일 경우에는 당해 바닥난방을 하는 바닥부위는 기준에서 정한 최하층에 있는 거실의 바닥으로 보며 외기에 간접 면하는 경우의 열관류율 기준을 만족하여야 한다.
② 건축물 부위의 열관류율 산정을 위한 단열재의 열전도율 값은 한국산업규격의 열전도율 측정방법에 따른 국가공인기관의 시험성적서에 의한 값을 사용하되, 열전도율 시험을 위한 시료의 평균온도는 20±5℃로 한다.
③ 단열조치를 하여야 하는 부위의 열관류율이 위치 또는 구조상의 특성에 의하여 일정하지 않은 경우에는 해당 부위의 평균 열관류율 값을 면적가중 계산에 의하여 구한다.
④ 벽체 내표면 및 내부에서의 결로를 방지하고 단열재의 성능 저하를 방지하기 위하여 단열조치를 하여야 하는 부위(창 및 문과 난방공간 사이의 층간 바닥 제외)에는 방습층을 단열재의 실외 측에 설치하여야 한다.
⑤ 외기에 직접 또는 간접 면하는 거실의 각 부위에는 건축물의 열손실 방지조치를 하여야 한다.

| 키워드 | 건축물부문 에너지절약설계기준 |
| 풀이 | 벽체 내표면 및 내부에서의 결로를 방지하고 단열재의 성능 저하를 방지하기 위하여 단열조치를 하여야 하는 부위(창 및 문과 난방공간 사이의 층간 바닥 제외)에는 방습층을 단열재의 실내 측에 설치하여야 한다. |

정답 ④

19 건축물의 에너지절약설계기준에 따른 기밀 및 결로방지에 관한 설명으로 옳지 않은 것은?

① 단열재의 이음부는 최대한 밀착하여 시공하거나 2장을 엇갈리게 시공한다.
② 벽체 내부의 결로를 방지하기 위하여 단열재의 실내 측에 방습층을 설치한다.
③ 건축물 외피 단열부위의 접합부, 틈 등은 밀폐될 수 있도록 코킹과 가스켓 등을 사용하여 기밀하게 처리한다.
④ 단열부위가 만나는 모서리 부위는 알루미늄박 또는 플라스틱계 필름 등을 사용할 경우에는 100mm 이상 중첩되게 시공한다.
⑤ 알루미늄박 또는 플라스틱계 필름 등을 사용하는 방습층의 이음부는 100mm 이상 중첩하고 내습성 테이프 등으로 기밀하게 마감한다.

| 키워드 | 건축물부문 에너지절약설계기준
| 풀이 | 단열부위가 만나는 모서리 부위는 알루미늄박 또는 플라스틱계 필름 등을 사용할 경우에는 150mm 이상 중첩되게 시공한다.

정답 ④

20 건축물의 에너지절약설계기준상 기계설비부문 설계기준에 관한 설명으로 옳지 않은 것은?

① 난방 및 냉방설비의 용량계산을 위한 외기조건은 각 지역별로 위험률 1%(냉방기 및 난방기를 분리한 온도출현 분포를 사용할 경우) 또는 2.5%(연간 총시간에 대한 온도출현 분포를 사용할 경우)를 적용할 수 있다.

② 중간기 등에 외기도입에 의하여 냉방부하를 감소시키는 경우에는 실내 공기질을 저하시키지 않는 범위 내에서 이코노마이저시스템 등 외기냉방시스템을 적용하고, 외기냉방시스템의 적용이 건축물의 총에너지비용을 감소시킬 수 없는 경우에는 그러하지 아니한다.

③ 공기조화기 팬은 부하변동에 따른 풍량제어가 가능하도록 가변익축류방식, 흡입베인제어방식, 가변속제어방식 등 에너지절약적 제어방식을 채택한다.

④ 급수용 펌프 또는 급수가압펌프의 전동기에는 가변속제어방식 등 에너지절약적 제어방식을 채택한다.

⑤ 기계환기설비를 사용하여야 하는 지하주차장의 환기용 팬은 대수제어 또는 풍량조절(가변익, 가변속도), 일산화탄소(CO)의 농도에 의한 자동(on-off)제어 등의 에너지절약적 제어방식을 도입한다.

| 키워드 | 기계설비부문 에너지절약설계기준
| 풀이 | 난방 및 냉방설비의 용량계산을 위한 외기조건은 각 지역별로 위험률 2.5%(냉방기 및 난방기를 분리한 온도출현 분포를 사용할 경우) 또는 1%(연간 총시간에 대한 온도출현 분포를 사용할 경우)를 적용할 수 있다.

정답 ①

21 건축물의 에너지 절약을 위한 방법으로 옳지 않은 것은?

① 건축물의 연면적에 대한 외피면적의 비를 크게 한다.
② 지하주차장의 환기용 팬은 일산화탄소 농도에 따라 자동제어한다.
③ 난방순환수 펌프는 대수제어 또는 가변속제어방식을 채택한다.
④ 송풍기에서 회전수제어가 댐퍼제어에 비해 동력절감에 유리하다.
⑤ 거실 층고와 반자 높이는 실의 용도와 기능에 지장을 주지 않는 범위 내에서 가능한 낮게 한다.

키워드 건축물부문 에너지절약설계기준
풀이 건축물의 연면적에 대한 외피면적의 비를 작게 한다.

정답 ①

22 건축물의 에너지절약설계기준에 관한 내용으로 옳은 것은?

① 수평면과 이루는 각이 60°를 초과하는 경사지붕은 기준에 정한 외벽의 열관류율을 적용할 수 있다.
② 에너지 절약을 위해서 공동주택은 인동간격을 좁게 하여야 한다.
③ 중앙집중식 냉·난방설비라 함은 건축물의 전부 또는 냉난방 면적의 60% 이상을 냉방 또는 난방함에 있어 해당 공간에 순환펌프, 증기난방설비 등을 이용하여 열원 등을 공급하는 설비를 말한다.
④ 이코노마이저시스템은 중간기 또는 동계에 발생하는 냉방부하를 실내기준온도보다 높은 도입외기에 의하여 제거 또는 감소시키는 시스템을 말한다.
⑤ 건물 옥상에는 조경을 하여 최상층 지붕의 열저항을 낮추고, 옥상면에 직접 도달하는 일사를 차단하여 냉방부하를 감소시킨다.

키워드 건축부문 에너지절약설계기준
풀이 ① 수평면과 이루는 각이 70°를 초과하는 경사지붕은 기준에 정한 외벽의 열관류율을 적용할 수 있다.
② 에너지 절약을 위해서 공동주택은 인동간격을 넓게 하여야 한다.
④ 이코노마이저시스템은 중간기 또는 동계에 발생하는 냉방부하를 실내기준온도보다 낮은 도입외기에 의하여 제거 또는 감소시키는 시스템을 말한다.
⑤ 건물 옥상에는 조경을 하여 최상층 지붕의 열저항을 높이고, 옥상면에 직접 도달하는 일사를 차단하여 냉방부하를 감소시킨다.

정답 ③

23 건축물의 에너지절약설계기준상 전기설비부문 설계기준으로 옳지 않은 것은?

① 공동주택의 효율적인 조명에너지 관리를 위하여 세대별로 일괄적 소등이 가능한 일괄소등스위치를 설치하되, 전용면적 85m² 이하인 주택의 경우에는 그러하지 않을 수 있다.
② 조명기구는 필요에 따라 부분조명이 가능하도록 점멸회로를 구분하여 설치하여야 하며, 일사광이 들어오는 창 측의 전등군은 부분점멸이 가능하도록 설치하되, 공동주택은 그러하지 않을 수 있다.
③ 공동주택의 지하주차장에 자연채광용 개구부가 설치되는 경우에는 주위 밝기를 감지하여 전등군별로 자동 점멸되거나 스케줄제어가 가능하도록 하여 조명전력이 효과적으로 절감될 수 있도록 한다.
④ 여러 대의 승강기가 설치되는 경우에는 군관리 운행방식을 채택하고, 승강기에 회생제동장치를 설치한다.
⑤ 공동주택 각 세대 내의 현관 및 숙박시설의 객실 내부 입구, 계단실의 조명기구는 인체감지점멸형 또는 일정시간 후에 자동 소등되는 조도자동조절 조명기구를 채택하여야 한다.

키워드 에너지절약 설계

풀이 공동주택의 효율적인 조명에너지 관리를 위하여 세대별로 일괄적 소등이 가능한 일괄소등스위치를 설치하여야 한다. 다만, 전용면적 60m² 이하인 주택의 경우에는 그러하지 않을 수 있다.

정답 ①

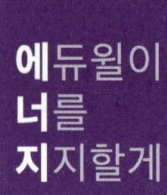

삶의 순간순간이
아름다운 마무리이며
새로운 시작이어야 한다.

- 법정 스님

여러분의 작은 소리
에듀윌은 크게 듣겠습니다.

본 교재에 대한 여러분의 목소리를 들려주세요.
공부하시면서 어려웠던 점, 궁금한 점,
칭찬하고 싶은 점, 개선할 점, 어떤 것이라도 좋습니다.

에듀윌은 여러분께서 나누어 주신 의견을
통해 끊임없이 발전하고 있습니다.

에듀윌 도서몰 book.eduwill.net
- 부가학습자료 및 정오표: 에듀윌 도서몰 → 도서자료실
- 교재 문의: 에듀윌 도서몰 → 문의하기 → 교재(내용, 출간) / 주문 및 배송

2026 에듀윌 주택관리사 1차 출제가능 문제집 공동주택시설개론

발 행 일	2026년 1월 22일 초판
편 저 자	신명
펴 낸 이	양형남
펴 낸 곳	㈜에듀윌
I S B N	979-11-360-4081-7
등록번호	제25100-2002-000052호
주 소	08378 서울특별시 구로구 디지털로34길 55 코오롱싸이언스밸리 2차 3층

* 이 책의 무단 인용·전재·복제를 금합니다.

www.eduwill.net
대표전화 1600-6700

13,000여 건의 생생한 후기

한○수 합격생

에듀윌로 합격과 취업 모두 성공

저는 1년 정도 에듀윌에서 공부하여 합격하였습니다. 수많은 주택관리사 합격생을 배출해 낸 1위 기업이라는 점 때문에 에듀윌을 선택하였고, 선택은 틀리지 않았습니다. 에듀윌에서 제시하는 커리큘럼은 상대평가에 최적화되어 있으며, 나에게 맞는 교수님을 선택할 수 있었기 때문에 만족하며 공부를 할 수 있었습니다. 또한 합격 후에는 에듀윌 취업지원센터의 도움을 통해 취업까지 성공할 수 있었습니다. 에듀윌만 믿고 따라간다면 합격과 취업 모두 문제가 없을 것입니다.

박○현 합격생

20년 군복무 끝내고 주택관리사로 새 출발

육군 소령 전역을 앞두고 70세까지 전문직으로 할 수 있는 제2의 직업이 뭘까 고민하다가 주택관리사 시험에 도전하게 됐습니다. 주택관리사를 검색하면 에듀윌이 가장 먼저 올라오고, 취업까지 연결해 주는 프로그램이 잘 되어 있어서 에듀윌을 선택하였습니다. 특히, 언제 어디서나 지원되는 동영상 강의와 시험을 앞두고 진행되는 특강, 모의고사가 많은 도움이 되었습니다. 거기에 오답노트를 만들어서 틈틈이 공부했던 것까지가 제 합격의 비법인 것 같습니다.

이○준 합격생

에듀윌에서 공인중개사, 주택관리사 준비해 모두 합격

에듀윌에서 준비해 제27회 공인중개사 시험에 합격한 후, 취업 전망을 기대하고 주택관리사에도 도전하게 됐습니다. 높은 합격률, 차별화된 학습 커리큘럼, 훌륭한 교수진, 취업지원센터를 통한 취업 연계 등 여러 가지 이유로 다시 에듀윌을 선택했습니다. 에듀윌 학원은 체계적으로 학습 관리를 해 주고, 공부할 수 있는 공간이 많아서 좋았습니다. 교수님과 자기 자신을 믿고, 에듀윌에서 시작하면 반드시 합격할 수 있습니다.

다음 합격의 주인공은 당신입니다!

* 에듀윌 홈페이지 게시 건수 기준 (2025년 12월 기준)

더 많은 합격 비법

1위 에듀윌만의
체계적인 합격 커리큘럼

온라인 강의
원하는 시간과 장소에서, 1:1 관리까지 한번에

① 전 과목 최신 교재 제공
② 업계 최강 교수진의 전 강의 수강 가능
③ 교수진이 직접 답변하는 1:1 Q&A 서비스

쉽고 빠른 합격의 첫걸음 **기초용어집** 무료 신청

직영학원
최고의 학습 환경과 빈틈 없는 학습 관리

① 현장 강의와 온라인 강의를 한번에
② 시험일까지 온라인 강의 무제한 수강
③ 강의실, 자습실 등 프리미엄 호텔급 학원 시설

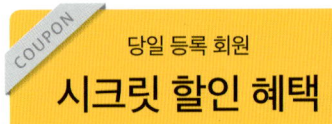

설명회 참석 당일 등록 시 **특별 수강 할인권** 제공

친구 추천 이벤트

"친구 추천하고 한 달 만에 920만원 받았어요"

친구 1명 추천할 때마다 현금 10만원 제공
추천 참여 횟수 무제한 반복 가능

친구 추천 이벤트
바로가기

※ *a*o*h**** 회원의 2021년 2월 실제 리워드 금액 기준
※ 해당 이벤트는 예고 없이 변경되거나 종료될 수 있습니다.

---

* 2023 대한민국 브랜드만족도 주택관리사 교육 1위 (한경비즈니스)

에듀월 **직영학원**에서 합격을 수강하세요

언제나 전문 학습 매니저와 상담이 가능한 안내데스크

고품질 영상 및 음향 장비를 갖춘 최고의 강의실

재충전을 위한 카페 분위기의 아늑한 휴게실

에듀월의 상징 노란색의 환한 학원 입구

에듀월 직영학원 대표전화

공인중개사 학원	02)815-0600	공무원 학원	02)6328-0600	편입 학원	02)6419-0600
주택관리사 학원	02)815-3388	소방 학원	02)6337-0600	부동산아카데미	02)6736-0600
전기기사 학원	02)6268-1400				

주택관리사 학원 바로가기

꿈을 현실로 만드는
에듀윌

DREAM

공무원 교육
- 선호도 1위, 신뢰도 1위! 브랜드만족도 1위!
- 합격자 수 2,100% 폭등시킨 독한 커리큘럼

자격증 교육
- 10년간 아무도 깨지 못한 기록 합격자 수 1위
- 가장 많은 합격자를 배출한 최고의 합격 시스템

직영학원
- 검증된 합격 프로그램과 강의
- 1:1 밀착 관리 및 컨설팅
- 호텔 수준의 학습 환경

종합출판
- 온라인서점 베스트셀러 1위!
- 출제위원급 전문 교수진이 직접 집필한 합격 교재

어학 교육
- 토익 베스트셀러 1위
- 토익 동영상 강의 무료 제공

콘텐츠 제휴 · B2B 교육
- 고객 맞춤형 위탁 교육 서비스 제공
- 기업, 기관, 대학 등 각 단체에 최적화된 고객 맞춤형 교육 및 제휴 서비스

부동산 아카데미
- 부동산 실무 교육 1위!
- 상위 1% 고소득 창업/취업 비법
- 부동산 실전 재테크 성공 비법

학점은행제
- 99%의 과목이수율
- 18년 연속 교육부 평가 인정 기관 선정

대학 편입
- 편입 교육 1위!
- 최대 200% 환급 상품 서비스

국비무료 교육
- '5년우수훈련기관' 선정
- K-디지털, 산대특 등 특화 훈련과정
- 원격국비교육원 오픈

에듀윌 교육서비스 **AI 교육** AI 프롬프트 연구소/AI CLASS(ChatGPT/AICE/노션 AI/중개업 AI 등) **공무원 교육** 9급공무원/소방공무원/계리직공무원 **자격증 교육** 공인중개사/주택관리사/손해평가사/감정평가사/노무사/전기기사/경비지도사/검정고시/소방설비기사/소방시설관리사/사회복지사1급/대기환경기사/수질환경기사/건축기사/토목기사/직업상담사/청소년상담사/전기기능사/산업안전기사/산업위생관리기사/건설안전기사/위험물산업기사/위험물기능사/설비보전기사/에너지관리기사/유통관리사/물류관리사/행정사/한국사능력검정/한경TESAT/매경TEST/KBS한국어능력시험·실용글쓰기/국제무역사/무역영어 **어학 교육** 토익 교재/토익 동영상 강의 **금융/IT/비즈니스** 전산세무회계/ERP정보관리사/재경관리사/정보처리기사/컴퓨터활용능력/SQLD/ADsP **대학 편입** 편입영어·수학/연고대/의약대/경찰대/논술/면접 **직영학원** 공무원학원/소방학원/공인중개사 학원/주택관리사 학원/전기기사 학원/편입학원 **종합출판** 공무원·자격증·수험교재 및 단행본 **학점은행제** 부평가인정기관 원격평생교육원(사회복지사2급/경영학/CPA) **콘텐츠 제휴·B2B 교육** 교육 콘텐츠 제휴/기업 맞춤 자격증 교육/대학취업역량 강화 교육 **부동산 아카데미** 부동산 창업CEO/부동산 경매 마스터/부동산 컨설팅 **주택취업센터** 실무 특강/실무 아카데미 **국비무료 교육(국비교육원)** 전기기능사/전기(산업)기사/소방설비(산업)기사/IT(빅데이터/자바프로그램/파이썬)/게임그래픽/3D프린터/실내건축디자인/웹퍼블리셔/그래픽디자인/영상편집(유튜브) 디자인/온라인 쇼핑몰광고 및 제작(쿠팡, 스마트스토어)/전산세무회계/컴퓨터활용능력/ITQ/GTQ/직업상담사

교육 문의 **1600-6700** www.eduwill.net

· 2022 소비자가 선택한 최고의 브랜드 공무원·자격증 교육 1위 (조선일보) · 2023 대한민국 브랜드만족도 공무원·자격증·취업·학원·편입·부동산 실무 교육 1위 (한경비즈니스)
· 2017/2022 에듀윌 공무원 과정 최종 환급자 수 기준 · 2023년 성인 자격증, 공무원 직영학원 기준 · YES24 공인중개사 부문, 2026 에듀윌 공인중개사 오시훈 합격서 부동산공법 (2025년 12월 월별 베스트) 그 외 다수 · YES24 한국산업인력공단 부문, 2026 에듀윌 산업안전기사 필기 한권끝장 (2025년 12월 월별 베스트) 그 외 다수 · 교보문고 취업/수험서 부문, 2025 에듀윌 공기업 코레일 한국철도공사 실전모의고사 9+2+4회(2025년 2월 1일~2월 28일 인터넷 월간 베스트) 그 외 다수 · 알라딘 시사/상식 부문, 2025 최신판 에듀윌 취업 공기업 기출 일반상식 (2025년 6월 5주 주별 베스트) 그 외 다수 · YES24 컴퓨터활용능력 부문, 2024 컴퓨터활용능력 1급 필기 초단기끝장(2023년 10월 3~4주 주별 베스트) 그 외 다수 · YES24 신규자격증 부문, 2025 에듀윌 SQL 개발자 SQLD 2주끝장+무료특강(2025년 10월 월별 베스트) 그 외 다수 · YES24 eBook 부문, 2025 에듀윌 취업 SKCT SK그룹 종합역량 통합기본서 (2025년 10월 월별 베스트) 그 외 다수 · YES24 국어 외국어사전영어 부문 토익/TOEIC 기출문제/모의고사 분야 베스트셀러 1위 (에듀윌 토익 READING RC 4주끝장 리딩 종합서, 2022년 9월 4주 주별 베스트) · 에듀윌 토익 교재 입문~실전 인강 무료 제공 (2022년 최신 강좌 기준/109강) · 2024년 종강반 중 모든 평가항목 정상 참여자 기준, 99% (평생교육원 기준) · 2008년~2025년까지 234만 누적수강학점으로 과목 운영 (평생교육원 기준) · 에듀윌 국비교육원 구로센터 고용노동부 지정 "5년우수훈련기관" 선정 (2023~2027)
· KRI 한국기록원 2016, 2017, 2019년 공인중개사 최다 합격자 배출 공식 인증 (2026년 현재까지 업계 최고 기록)